明治

近代日本の視覚開化

呼応し合う西洋と日本のイメージ

本書は、愛知県美術館で令和5年4月14日から5月31日までの期間で開催する企画展「近代日本の視覚開化明治―呼応し合う西洋と日本のイメージ」の図録として刊行されたものです。

展覧会は、日本の転換期・明治時代に焦点を当て、造形活動の領域で生まれた多彩な動向を紹介するとともに、日本の様々な造形物とその制作にどのような変化が起こったのかを、明治期に制作された絵画・写真・印刷物・彫刻・工芸などから考えようとするものです。とくにその変化の要因として、西洋の情報や技術が関わるものが数多く集まりました。それは、この展覧会自体が、神奈川県立歴史博物館のこれまでの活動とその収蔵品に多くを負っているからでもあります。開港地・横浜に立地する同館は、開館当初から幕末明治期の美術―とくに西洋美術に影響を受けた作品を収集・研究対象としてきました。明治時代の造形を扱う展覧会を企画するにあたり、同館の特別協力が得られたことでこの企画は具体的に動き出しました。そして、同館との出品資料をめぐるやりとりが進むなかで、気が付けば当初の想定を超える多種多様なモノが集まってきました。横浜及び東京その他の都市の明治を媒介として、愛知の明治についても、今回改めて振り返ることで見えてきたものがあります。

最後に、この展覧会の開催及び本書の発行にあたり、貴重な所蔵作品を快く御出品賜りました所蔵家の皆様並びに所蔵機関各位、また図版掲載の御許可を賜りました機関各位に厚く御礼申し上げます。そして、本展開催及び本書作成にあたり、準備段階から多大なる御協力、御助言を賜りました神奈川県立歴史博物館をはじめ関係各位に、深く感謝いたします。

近代日本の視覚開化　明治　目次

第4章　博覧会と輸出工芸

謝辞

展覧会の開催及び本書の発行にあたり、下記の個人、機関に貴重な所蔵作品を快く御出品賜るとともに、図版掲載の御許可や御指導、御協力を賜りました。ここに記して厚く御礼申し上げます。（敬称略）

秋守裕之
阿部鈴
五十嵐佳子
石津琳那
入澤聖明
岩井理
岩瀬昌三
上野加耶子
大倉淳
大橋梨沙
奥間政作
小栗康寛
勝田琴絵
金内由紀子
金子一夫
金子皓彦
菅野洋人
木口亮
木下直之
熊澤弘
小井川理
國場絢
菰池左千夫
近藤将人
齋藤多朗
佐藤杏
佐藤一信
佐藤道信
塩谷純
塩谷善夫
重田栄治
鈴木雅
須藤早央里
髙野美波
竹葉丈
橘亮介
田中有沙子
田中圭子
田邊哲人
谷川俊
團名保紀
塚本敬介
土屋貴裕
角田真弓
中井宏美
中塚賀也
中塚廣重
仲野泰裕
中山恵理
中山摩衣子
新美里美
博田真由美
服部文孝
原木祥行
福島さとみ
藤田紗樹

藤原吉希
本田光子
松尾陽作
三上聖良
峯岸ななえ
武藤忠司
村上敬
森登
森光彦
森川もなみ
安田雪美
山内市郎
山田伸彦
横尾拓真
Christian Polak

愛知芸術文化センター・アートライブラリー
愛知芸術文化センター・愛知県図書館
愛知県公文書館
愛知県陶磁美術館
愛知県立常滑高等学校
一般財団法人調布市武者小路実篤記念館
株式会社ノリタケカンパニーリミテド
京都市美術館
九州大学附属図書館
郡山市立美術館
国立公文書館
修復研究所21
新生紙パルプ商事株式会社
瀬戸蔵ミュージアム
セリク
東京藝術大学大学美術館
東京国立博物館
東京大学大学院工学系研究科建築学専攻
東京大学大学院法学政治学研究科附属 近代日本法政史料センター 明治新聞雑誌文庫
とこなめ陶の森
杜若文庫
名古屋市鶴舞中央図書館
名古屋市博物館
名古屋市美術館
名古屋大学附属図書館
西尾市岩瀬文庫
沼津市明治史料館
坂東市立資料館
墨仁堂
森村商事株式会社
靖國神社遊就館
山梨県立美術館

凡例

・本書は、企画展「近代日本の視覚開化 明治―呼応し合う西洋と日本のイメージ」（令和5年4月14日～5月31日 主催：愛知県美術館、メ～テレ 後援：明治美術学会 特別協力：神奈川県立歴史博物館）にあわせて作成したものである。

・本書に収録される作品は、同展で出品されるものであるが、参考として掲載した作品も含まれる。また、紙幅の都合上、一部掲載されていない出品作品がある。さらに、展示替えを行うため、掲載されている作品がすべて同時に展示されているわけではない。

・作品データは、作品名、作家名、制作年、技法素材、所蔵先、クレジット等の順に記した。なお、所蔵が神奈川県立歴史博物館の場合は、一部の所蔵表記を次のように省略した。

神奈川県立歴史博物館　丹波コレクション　→　神奈川県立歴史博物館　丹波
神奈川県立歴史博物館　橘忠助氏旧蔵美術資料群　→　神奈川県立歴史博物館　橘
神奈川県立歴史博物館　下村観山旧蔵資料群　→　神奈川県立歴史博物館　観山
神奈川県立歴史博物館　青木文庫　→　神奈川県立歴史博物館　青木

・本文中で掲載作品に言及がある場合は、その掲載頁を記した。

・解説などの挿図として掲載されている作品データは、作品名、作家名の順に記載し、328頁の挿図一覧に作品名、作家名、制作年、所蔵先、出典、クレジット等の順に記した。

・人名、展覧会名、書籍名等の固有名詞を除き、原則として旧字は新字に改めた。

・明治5年（1872）以前、太陽暦への改暦以前の月日、いわゆる旧暦は太陰太陽暦のものである。

・出品作品の掲載順と展示順は必ずしも一致しない。

・作品名および技法素材については、本書における表記の統一等の理由により、所蔵者が付したものから一部変更したものがある。

・各章の章解説は、第1章を角田拓朗（神奈川県立歴史博物館）、第2章を中野悠（愛知県美術館）、第3章を平瀬礼太（愛知県美術館）、第4章を鈴木愛乃（神奈川県立歴史博物館）が執筆した。

・作品解説やテーマ解説、コラム、明治人物列伝は、中野悠、由良濯（愛知県美術館）、平瀬礼太、角田拓朗、鈴木愛乃が分担執筆した。

・明治関連年表は、角田拓朗と平瀬礼太が編集した。

・本書に掲載された作品図版の撮影は、荒井孝則（神奈川県立歴史博物館）、井上久美子、岸山浩之が行った。また、所蔵機関等より図版データの提供を受けたものがある。

近代日本の視覚開化―造形からみる明治

中野　悠

明治時代は日本の政治経済体制だけでなく、人々の生活様式や文化全般を含む、様々な状況が変容した。その変容は「西洋化」といっていいだろう。近代国家を目指す日本は、西洋の技術や制度に倣い、それらを研究しながら、様々な側面で西洋を追いかけていく。その一端で、造形活動の領域もまた新時代を迎え、多彩な動向が生まれた。

本書は、企画展「近代日本の視覚開化 明治――呼応し合う西洋と日本のイメージ」の図録として編集された。展覧会は、日本の転換期・明治時代に焦点を当て、日本の様々な造形物とその制作、いわば日本のモノとモノづくりの現場にどのような変化が起こったのかを考える企画だ。とくにその変化の要因として、西洋から入ってきた情報や技術が関わるものに注目した。

江戸時代以前にも日本へ入ってくる海外の情報はあったものの、その量も受容する人間も限られていた。その状況は開国によって一変する。日本に流入する西洋の文物の量は一気に増え、大衆の目に触れる機会も多くなっていく。西洋から入ってきた情報や技術は、人々に驚きを与え、興味を抱かせ、学習や技術向上の意欲をもたらす刺激となった。また、近代国家として歩み始めた日本を、自国のモノによって対外的にどう示していくか、という意識を芽生えさせもした。このように、西洋からの情報や西洋に対する意識は、当時の日本の人々に新たな視覚――新たなものの見え方や見方、見せ方を示したと考えられる。そのことを、展覧会タイトルでは明治の「文明開化」になぞらえて「視覚開化」という造語であらわした。

このような造語を使わずに「美術」と書く方が、展覧会タイトルとして耳馴染みがよかったかもしれない。「美術」という単語や概念もまた、日本が明治時代に西洋から取り入れたものだ。明治6年のウィーン万国博覧会に日本が参加するため、出品規定を翻訳した際に登場し、次のように定義された。「美術（西洋ニテ音楽、画学、像ヲ作ル術、詩学等ヲ美術ト言フ）」。今でいう芸術に近いこの定義は、やがて絵画と彫刻といった造形を中核とした概念に絞られていく。「美術」の概念や、その単語があらわす範囲が徐々に変化し、制度として確立していったのもまた明治時代だった。

書画や立体造形、工芸品や刷り物、挿絵のように小さなものから建築のように大きなものまで、様々な視覚的造形が人々の生活のなかに存在していた。そこに、西洋から入ってきたものと日本にあったもの、和洋の技術やイメージが接近し、衝突し、併存し、混淆していく。その活況はジャンルの越境にも現れ、絵画と印刷、平面と立体、それぞれが影響し合い刺激し合うなかで、実に興味深い造形が生み出された。そして、それら造形活動に関わった明治の人々もまた、ひとつのジャンルや肩書に収まらず、多様な活動をした人が多い。西洋の技術や制度を貪欲に学び、わがものにして活用し、新時代を生きようとした人々の在り方は、「明治人」とでも名付けるべきか、非常に逞しくエネルギッシュに感じられる。ただ、美術制度がまだ固定されていない時代において、「美術」という単語や概念のもとに回収されない造形があったはずであり、自分たちが目にするモノを「美術」だと思って見ていない人々もいたはずだ。だからこそ、この展覧会では「美術」という前提をいったん外に置き、よりひろく明治期の造形活動を対象とした。そして大きく四章に分けて、その造形活動をめぐる活況を辿ることにした。

この展覧会は、神奈川県立歴史博物館（以下、神奈川県博）のこれまでの活動とその収蔵品に多くを負っている。開港地・横浜に立地する神奈川県博は、開館当初から幕末明治期の美術――とくに西洋美術に影響を受けた作品を収集・研究対象としてきた（本書内角田論考参照）。既成概念にとらわれない同館の営為と、そこに由来するモノは、明治という時代の造形の見取り図を描くには適切かつ重要という認識から特別協力を仰いだ。一方で、それでは名古屋・愛知の明治はどうだったのか、という至極当然の疑問もまた、愛知県に拠点を置く美術館の職員として抱かざるを得なかった。初期段階には参考程度にイメージしていた愛知の造形を探りながら、神奈川県博との出品資料をめぐるやりとりのなかで、気が付けば当初の想定を超える多様なモノが集まってきた。横浜（及び東京）を媒介として愛知を改めて振り返ることで、いろいろなものが見えてきたのだ。

横浜・東京と名古屋・愛知、二地域の関わり

このような経緯で集まってきた本展の出品資料からは、明治期の横浜・東京と名古屋・愛知、大きく二つの地域の関わりが見えてくる。多くは殖産興業を前提にした輸出振興の文脈においてのもので、典型となるのは愛知の瀬戸だろう。同地では当時、生産の中心は染付だったが、海外の需要は次第に、青一色の染付から色鮮やかなやきものへ移っていった。しかし瀬戸では、赤・黄・緑・金などの鮮やかな色を付ける上絵付の技法が確立していなかったため、瀬戸で作った素地を上絵付工場が数多く立地する名古屋や横浜・東京に運び、上絵付や七宝を施すという工程がとられた。他の産地と連携して製品を製造する構図は横浜の陶磁器産業でも見られ、瀬戸や有田など他所で作られた素地を仕入れ、横浜で絵付けをし、仕上げ、販売した。貿易港に近く、来日・居住する外国人も多い横浜は、その立地から海外の需要を調査していち早く製品に反映することができた。

東京・横浜を拠点に輸出業を営んだ商社・森村組は、錦絵や古物、輸出陶磁器などを取り扱っていたなかで製陶事業を新規に立ち上げ、横浜や東京の絵付け職人とともに生産拠点を名古屋市則武の地に移す。森村組が素地作りから絵付けまでの工程を愛知に集約させ、自社の輸出業から独立させて設立したのが日本陶器合名会社であり、ここからブランド「ノリタケ」が誕生する。

明治時代の人物による、東西を股に掛けた事業も挙げてみよう。幕末から横浜に工房を開いた五姓田派は、西洋絵画を模した伝統技術と本格的な西洋絵画技法の両方を実践した画家集団で、明治天皇の肖像画を任されるなど、その技術は明治皇室や政府にも重用された。全国から寄せられる肖像画制作の依頼に応えていたなかで、五

姓田派のひとり二世五姓田芳柳は、初代から4代までの愛知県令の肖像画を描いている。
明治初期から活動した写真師・宮下欽は、幕末に写真や油彩画、石版印刷などの技術を得ていた横山松三郎に師事した。宮下は横山が東京に開いた写真館兼私塾・通天楼で写真技術を学んだのち、名古屋に写真館を開き、写真を普及させていく。
東京に開校した日本初の美術教育機関・工部美術学校出身の小栗令裕・寺内信一・内藤陽三らは、瀬戸・常滑の陶器学校で教えた。これは瀬戸・常滑の窯業関係者が、小栗らが持つ西洋由来の技術や知識、例えば石膏技術などを、産業発展のための有効なすべと捉え、必要としていたからでもある。
村松彦七は、東京拠点の為替業・小野組の名古屋支店支配人を務めたのち名古屋の七宝会社の立ち上げに関わった。横浜正金銀行や横浜貿易会社の運営にも携わり、横浜と名古屋を股に掛けた活躍をする村松は、七宝会社の中心人物としては、明治9年フィラデルフィア万国博覧会をはじめ数々の博覧会に七宝を出品し、海外の販路開拓に励んだ。明治16年のアントワープ万国博覧会においては、濤川惣助が作った商品によって村松は勲章を得た。その濤川は、東京上野公園で開かれた明治10年の第1回内国勧業博覧会で七宝を見て感銘を受け、愛知・岡崎の永楽善五郎の新窯や瀬戸の諸窯、そして名古屋の七宝会社を視察している。ここで感化された濤川は、東京で瀬戸・名古屋の陶磁器や七宝会社製の七宝、横浜など関東の製品販売を始めた。さらに東京に新設した工場で、村松の誘いに応じて七宝会社の製品製造も請け負う。濤川の精力的な製作を、愛知・遠島村出身の塚本貝助ら優秀な職人たちが支えていた。
これらは、ほんの一例に過ぎない。こうした繋がりの背景には様々な人的ネットワークが絡んでいるとはいえ、これらの事例によって、明治の愛知でも多彩な造形活動が営まれていたことが改めて確認できるとともに、こうした事例が、横浜・東京の動向と愛知の造形が密接に繋がっていたことを示している。
明治期の横浜と名古屋の造形活動、とりわけ、本展で取り上げるような西洋の影響を受けた造形活動を見たとき、活発な横浜に対して緩やかな名古屋と、その違いが顕著に映る。横浜では横浜絵や油彩画、横浜浮世絵や開化絵、写真や輸出陶磁器といった明治期特有の造形が、明治初期から次々とあらわれ普及する。対して名古屋では、輸出工芸や写真の分野においては早い時期から動きが見られるものの、油彩画の普及は明治後半以降のことになる。

こうした違いの理由を、横浜と名古屋の地域性という点で考えてみたい。東海道の宿場からも外れた一村にすぎなかった横浜村は、安政5年（1858）の米・蘭・露・英・仏国との通商条約締結を受けて、国際貿易都市に一転した。ことばはよくないかもしれないが、なにもなかった分、横浜は新しいものを受け入れる余地に満ちていた。一方、尾張徳川家の城下町・名古屋は、明治の政治体制や新制度、殖産興業路線を受け入れながら、明治後期でも伝統絵画の各流派の活動が活発だったように江戸時代から継続する部分も多く、それほど強く迅速に現れなかったのではないか。このように考えるのは拙速に過ぎるだろうか。

おわりに

明治時代を含む近代日本は、美術展覧会として取り上げるには人気が無い時代なのだという。この時代のモノが地味に映るのだろうか、一部の著名な作家や華やかな造形作品を除いて、なかなか世間の注目を集めているようには思えない。かくいう筆者も、本展に関わるまで明治時代の造形に深く向き合ってこなかった。しかし、にわか仕込みの感があるものの、展覧会準備を通じて数々の明治期の造形物に触れ情報を得るなかで、改めてこの時代は重要で興味深い時代だと思った。現代の私たちを取り巻く日本の「美術」の基礎が、この明治時代に築かれたのだ。

だからこそ、今回のような明治時代の造形動向を考える機会が持てたことを喜ばしく思う。横浜の営為を借りながら、また新しい角度で掘り下げようとしたところ、そのなかで、愛知の造形動向についても見つめ直し始めたところに、今回の展覧会の特徴と意義はあるだろう。

さて、明治期の愛知の造形動向について調べ始めた今回、現時点での所感を端的に記そうとするならば、それはまだ充分に把握されているとは言えないようだ、と書くことになるだろう（平瀬論考参照）。誤解のないように添えておくと、例えば陶磁器や七宝といった特定の領域では研究が蓄積されている。一方で、それら特定の領域を含んだ、より広範な造形という領域で考える場合、愛知の明治期は、まだまだ調査研究の余地がありそうだ。その点を考えれば、今回の展覧会をきっかけにして、明治期の愛知・名古屋の造形について今まであまり触れられていなかったことを調査し、ときに発見し、取り上げることができたことは、収穫ではないかと考える。

この展覧会は、明治時代の造形活動をバランスよく取り上げたものではないし、もとよりそのような内容を目指してもいない。ただ、時期や地域、ジャンルなどに偏りがあることは承知しながらも、作品個々から、あるいは作品を相互に見比べることで、明治時代特有の特徴や面白さが見て取れるものを選んだつもりだ。本展やこの図録が、明治時代の造形に対する視覚を開化し、関心を向けてもらえる入口となれば、とても嬉しく思う。

第1章

伝統技術と新技術

「西洋画」と「日本画」という言葉がある。今でも十分に通用する言葉は、明治の頃に生まれた。そして西洋画が先に生まれ、その言葉に対応して、日本画という言葉とその言葉を背負う絵画ジャンルが成立した。

西洋画が受容される以前から、日本ひいてはこの風土が属した東アジア文化圏には、当たり前だが、絵画は存在した。古来、中国大陸や朝鮮半島で培われた先端技術に学びながら、日本の絵画史は展開してきた。近世初頭の狩野派も、もとは「漢画」として隆盛した画派だった。また近世半ばから大流行し、明治初頭でも一般的に好まれた南画もまた大陸由来の技術であり主題だった（62頁）。つまり、東アジア絵画圏という無意識の前提の内部でそれぞれの様式や作風が区別されていた状況に対して、その前提を動揺させる別の文化圏として登場した存在が西洋だった。そして、その技術や思想を受容して日本人が描いた絵画を、西洋画、略して洋画という。

西洋絵画そして西洋画、洋画と略記しながら呼ばれるその絵画は、幕末からその獲得に熱心な人々が続々とあらわれた。その中心が、江戸幕府の機関だった蕃書調所だった。洋学研究機関だった同所の一部門に洋画研究があり、そこで川上冬崖を中心に、高橋由一、近藤正純らが手探りで研究に努めた（101─104頁）。他方、文久元年（1861）、英国人報道画家チャールズ・ワーグマンが来日し、翌年から横浜居留地に定住した。実際に国内で絵を描き、販売する画家が登場したのである。慶応元年（1865）の年末、その当時、わずか10歳の五姓田義松が入門、翌年夏頃に由一が入門した。ここにおいて、人から人へ対面での技術伝承が本格的にはじまる。

彼らの学習やその社会的な利用は、明治政府も後押しした。なぜならば、その技術が社会のあらゆる場面で必要だったからである。そこで明治9年に工部美術学校が開校し、建築や彫刻とあわせて、洋画家養成の体制も整備されていく（第2章参照）。そして明治10年、第一回内国勧業博覧会が開催され、ひろく国民に洋画コンクールが示され、義松が最高位を獲得した。この頃が明治前期の洋画興隆の頂点となった。そして、さらに次世代の画家たちは西洋へと留学し、技術や思想をさらに直接的に学ぶ機会を得た。その代表格が、黒田清輝である。

一方、旧来の絵画は、維新を迎え多くの顧客・市場を失った。特に御用絵師に位置した狩野派や土佐派などは顕著な打撃を受けた。庶民一般を対象とした南画や浮世絵などは、明治初頭は、さしたる変化はなかったといえる。特に浮世絵諸派はたくましくも洋画の表現を吸収し、新たな展開を示し得た。一方で南画は一定の顧客を得ていたものの、明治10年代半ばから勃興する「日本画」という新たな機運の仮想敵として駆逐されていく。ここでいう日本画とは、洋画への対抗軸として、旧来技術を基礎としながら、新たな要素を加えていこうという動向を指す。その指導者が、アメリカ人哲学者のアーネスト・フェノロサであり、岡倉天心だった。その彼らの指導をうけ実践した画家が狩野芳崖、橋本雅邦らだった（65頁ほか）。そして、彼らの後継にあたるのが横山大観、下村観山ら、次世代の画家であり、今日、誰もが疑いなく日本画家と信じる彼らである。

伝統技術は一面的には否定されたが、それは国内で西洋と対峙したためと考えられる。ただし、一部の伝統技術を保持した画家ないしは絵師らにとって重要だったのは、むしろ国内ではなかった可能性があり、その領域での顕著な活躍を考えることができる。すなわち、輸出にこそその技術発揮の活路が認められるのである。その顕著なジャンルが工芸だった。第4章で詳述するが、工芸は幕末明治期を通じて、日本の貴重な外貨資源獲得ツールであり、また日本というイメージを欧米に発信する花形の存在だった。工芸というと立体のためその形態に眼がいきがちだが、その実、それを形作る要素となる絵画技術ももっと注目されてよい。工芸の下絵という扱いだったため、さほど注目されてこなかったが、しかし、その下絵、図案とみなされる要素は伝統技術が認められ、それが西洋圏にはない美的価値として肯定的に評価された。特に花鳥画主題が好まれ、肉筆画や錦絵、図案集まで副次的に拡散した点が、明治らしさとして注目できる。

実のところ、新技術も伝統技術も、純粋にそれぞれだけで成立することは明治期にあって稀だった。多くの場合、どちらかに依拠しつつも、対立軸の刺激をうけ、変質を免れなかった。一時的な隆盛をした洋画も土着化を迫られ、日本画はその誕生から西洋絵画を意識し続けた。純粋ないずれかを至高ととらえずに、その混交のニュアンスを丁寧にとらえ楽しむことこそ、明治美術を楽しむひとつのコツである。

さて、本章で紹介する作品は、主に絵画である。最初の章解説として、新旧の技術の対立や混交を総論的に述べ、工芸にまで話を広げた。絵画、平面造形は、立体造形の基礎的な位置づけでもあったからだ。そのためもあってか、絵画は美術の各ジャンルのなかでも特権的な位置づけに据えられ、明治末には官設展覧会のなかでその地位はさらに明確化されていった。

本章ではその前史となる部分を重視して紹介している。すなわち、西洋絵画の技術を学んだ諸相をその歴史的展開の最初と位置づけている。模倣的に受容し、土産物として販売した横浜絵。そこから発展した、本格的な洋画家集団となる五姓田派が軸である。彼らのように西洋絵画技術の学習とは、模倣から次第に本格化していくが、東京―横浜以外の地方の詳細はほとんど語られてこなかった。本書では、名古屋の明治期の洋画受容の実態として、野口華年（57―59頁）と河野次郎（135―142頁）を特集し、その実像に迫ることを試みる。

五姓田派（ごせだは）

雨の日の家
五姓田義松　明治10年頃

五姓田派は、初代五姓田芳柳（1827―92）とその息子義松（1855―1915）ら五姓田家を中心に、山本芳翠、平木政次らが集った集団である。その特徴は、西洋絵画を擬似的に模した伝統技術、そして本格的な西洋絵画技術を同時に実践し、国内へ普及させた点にあり、幕末から明治前期という時代相を代表する存在である。その理由は、主に三点挙げられる。第一に、輸出に対応した点。第二に、明治皇室及び政府に重用された点。第三に、洋画普及に貢献した点が挙げられる。それぞれについて述べてみよう。

輸出への対応は、新旧の技術がそれぞれ対応した。西洋絵画の陰影やプロポーションを模し、表面的な表現を伝統技術で来日外国人らの肖像を描くことで初期五姓田工房は栄えたと考えられ、初代芳柳《西洋老婦人像》（21頁）はその代表的作例である。初代芳柳は幕末においていち早く洋画の重要性を直感したのだろう、わずか10歳の息子を横浜居留地に住む英国人画家チャールズ・ワーグマンに入門させた。幸い、義松はその指導を素直に吸収し、鉛筆画、水彩画、油彩画と階梯を踏まえ、本格いまだ洋画を購入する人物も少なく、また貨幣価値からしても外国人向けに販売した方が多くの収入を得ることが的な洋画技術を身につけた。

　早くも明治４年、義松はわずか16歳で居留地内の外国人向けに洋画を実作販売したと資料からわかる。国内ではいまだ洋画を購入する人物も少なく、また貨幣価値からしても外国人向けに販売した方が多くの収入を得ることができた。そして、この西洋絵画を模した技術が評判をよび、明治７年、初代芳柳は宮内省の命をうけ、明治天皇の肖像を描いた。これが契機となり、以後、五姓田派は皇室と縁を深めていく。その代表的な画家がまた義松であり、明治11年には明治天皇の北陸東海御巡幸に供奉し、天皇のまなざしの代理をつとめるほどだ（１６８頁）。

五姓田義松渡仏記念集合写真　明治13年撮影

　この技術と名声をたよりに、全国から多くの画家たちが工房に集った。芳翠はその最初期のひとり。明治13年、義松が渡仏する際の記念集合写真がのこされているが、この頃が最盛期だろう。義松渡仏以後も弟子たちが入門し、彼らは洋画普及に努めた。画家として活動するばかりでなく、図画教員、版画工房、写真館など多方面での活躍が知られている。本格的な洋画ばかりでなく、初代芳柳譲りの絹絵肖像画も継承されており、中山年次も弟子の一人（32頁）。五姓田派の活動は洋画普及の地道な一歩一歩となったのである。

西洋老婦人像
初代五姓田芳柳　慶應年間 - 明治初頭　絹本著色　神奈川県立歴史博物館

初代五姓田芳柳による「横浜絵」の数少ない作例。写真をもとに、柔らかく付された陰影が特徴。

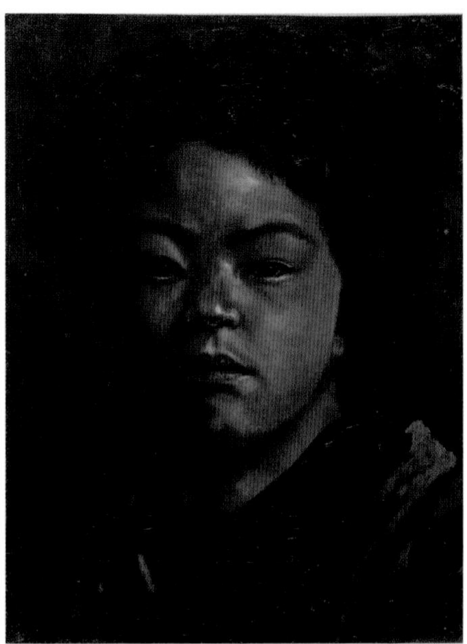

自画像（十三歳）
五姓田義松　明治元年　油彩、画布
東京藝術大学

五姓田一家之図
五姓田義松　明治５年頃　油彩、紙　神奈川県立歴史博物館

五姓田義松、明治5年頃の２点。13才の自画像と伝わるが、その年齢にはまだ油彩をはじめていなかったと史料から判明する。《五姓田一家之図》右端に座る妹登女を描いたと考えられる。

家族肖像画

五姓田義松　明治３年頃　水彩、紙　神奈川県立歴史博物館

明治３年頃の五姓田一家の集団肖像画。家族という主題は、日本絵画史を通覧しても貴重。

制作風景（「丹青雑集」より）

五姓田義松　水彩、紙

個人蔵（團伊能旧蔵コレクション）

制作風景

五姓田義松　明治５年頃

水彩、紙　神奈川県立歴史博物館

義松工房を描く二つの作品。初発の１点制作とかつては考えられていたが、このたび、團伊能旧蔵コレクションが発見された。在外作品を含めると３点、同じ図様が現存する不思議。

入沢恭平像

初代五姓田芳柳　明治19年　絹本著色
神奈川県立歴史博物館

池田謙斎像

初代五姓田芳柳　明治19年　絹本著色
神奈川県立歴史博物館

医学者、軍医を描いた肖像画。軍、医師は、五姓田派のパトロンでもあった。五姓田派の肖像画は、外国人、明治天皇を経て、軍人、医師、富裕層へ展開していった。

渡部角藏像
初代五姓田芳柳　明治 15 年
絹本著色
神奈川県立歴史博物館

藻谷伊作君息故民女真像（部分）
初代五姓田芳柳　明治 15 年
絹本著色　神奈川県立歴史博物館

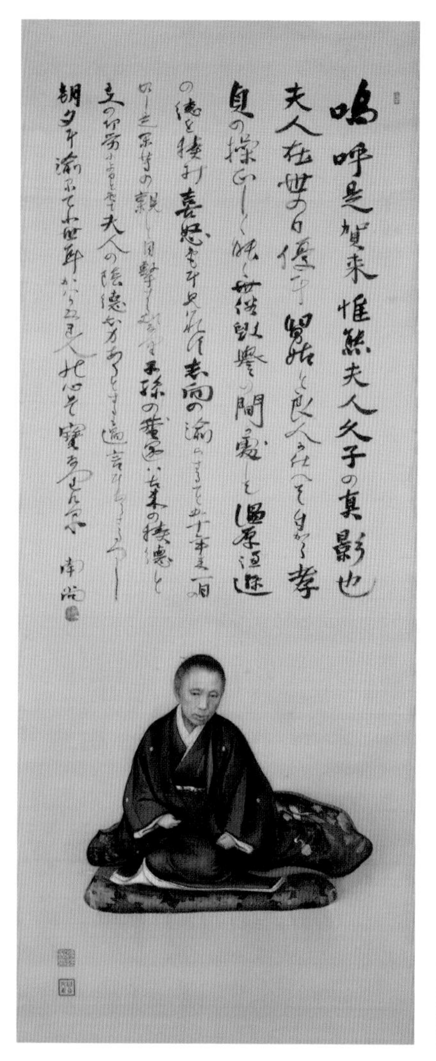

賀来夫妻像

渡辺幽香　明治10年代　絹本著色　神奈川県立歴史博物館

初代五姓田芳柳の長女渡辺幽香の肖像画。その迫真的な描写は、父以上の技術力である。左頁は、二世芳柳ら弟子たちの作例。次第に陰影が薄塗の柔らかさから、油彩のような濃厚さに変質する。

吉高院殿肖像
徳永柳洲　明治 30 年代
絹本著色　個人蔵

十三世長谷川勘兵衛像
平木政次　明治 26 年　絹本著色　個人蔵

男女の肖像
二世五姓田芳柳　制作年不詳
水彩、絹　神奈川県立歴史博物館

三代・九代愛知県令安場保和像像（部分）

初代愛知県権令井関盛艮像（部分）

四代愛知県令国貞廉平像（部分）

二代愛知県令鷲尾隆聚像（部分）

二世五姓田芳柳　明治19年頃か　絹本著色　愛知県公文書館

column

愛知県令（知事）と肖像―維新後の愛知県政

明治20年11月18日の『金城新報』に維新後の愛知県令知事に言及した記事があるので内容を紹介しよう。

最初の井関盛良（1833-90）は旧宇和島藩士で明治4年11月から6年6月まで権令を務める。新聞は、士族授産、断髪等旧慣弊習を洗うことに熱心で様々な創業に携わったが、在職日数が少なく、成就したものが少ない、としている。

第二代の鷲尾隆聚（1843-1912）は公家の出で明治6年6月から8年（1875）10月まで県令を務めている。師範学校を創立し、名古屋に県庁を置くことを許可するなど、事業は概ね成就したというが、これも少なかったという。

第三代の安場保和（1835-99）は肥後細川藩出身、明治8年11月から13年3月に元老院議官に転じるまで県令となっている。「鋭意治民」を任として、県庁を新営、博物館を新設している。また、県税、県会、地方税を起し、中学校、銀行会社を創立、農工商の事業を奨励するなど功績は最も多かったと評されている。さらに、従前は三河の人民を度外視する傾向があったが、これも改めてしばしば巡歴し、最も人望があったという。

第四代県令の国貞廉平（1841-85）は長州藩出身で、明治13年3月から18年1月まで就任している。安場県令が創設した事業を継承し、完結させることを任とし、人民休息を心掛けたという。また文雅を好んで文学の士が集まり、絵画共進会を創立したことも評価されている。

以上は当時の一新聞の評価であり、現代では認識が変わっているかもしれない。これらの4人については二世芳柳と記名のある肖像画が残っている。明治19年9月15日の『扶桑新報』に「〇油画　又先頃県庁にて五姓田芳雄に画せられし当県設置以来の県令井関盛良鷲尾隆聚安場保和國貞廉平の各君及び管内老農古橋盛田の両氏等の油画額を（※筆者注　愛知県博物館の）第二の館正面へ掲げられしと聞く」と記されており、現存の肖像のことと推測される。「芳雄」は二世芳柳の通称であり、肖像画はこの時に制作されたものの可能性が高い。ちょうど二世芳柳が号を先代より継承した時期であり、この意味でも興味深い肖像である。ちなみに、第五代県令以降は写真肖像が残されている。

和服姿の米婦人
矢内舎柳村　明治時代　絹本著色
神奈川県立歴史博物館 丹波

鶴沢作次郎肖像
矢内秀嶺　明治 20 年代　絹本著色
神奈川県立歴史博物館

五姓田工房が横浜から去った後、横浜絵の最大の担い手となったのが矢内楳秀・秀嶺ら。初代楳秀は花鳥画を専門とし、秀嶺は油彩肖像画も手掛けたという。

押絵「和装西洋人」
明治時代　絹本著色　クリスチャン・ポラックコレクション

顔と手の部分は、絹本著色の横浜絵。衣装は生地仕上げ。首を像主にあわせて交代できる。
来日外国人本人が和服を着た姿を描く絹絵肖像画や写真などが土産品として人気が高く、
本作はその延長線だろう。まさに現代の「コスプレ」である。

中田伊兵衛翁肖像
伊藤快彦　明治33年　絹本著色
神奈川県立歴史博物館寄託

肖像
中山年次　明治10年代　絹本著色
神奈川県立歴史博物館寄託

五姓田派の絹絵肖像画は、全国的に展開していく。伊藤快彦は京都で活躍した洋画家として著名。

観音図
松本民治　明治 29 年　油彩、絹　個人蔵

阿羅漢図
二世五姓田芳柳　明治後期　絹本著色
神奈川県立歴史博物館寄託

宗教画でも、新旧技術が混交していく。羅漢図は二世芳柳の作で、陰影の濃さがインド由来の仏教を連想させる。観音図の背景が西洋風景に見えるのは、油彩で描かれたためだろう。

洋画──内国勧業博覧会

油画縦覧所看板
明治９年

西洋絵画への憧れは、江戸時代に既にあらわれていた。司馬江漢の銅版画、秋田蘭画の肉筆など様々なかたちや地域、絵師らに認められるが、しかしいずれも限定された情報による単発的な表現に終った。そのためもあってか、開国を迎えたとき、その技術の獲得は渇望といってもよいほどだった。

洋画と一口に言っても、大きな広がりがある。画材としては、鉛筆画、水彩画、油彩画とステップアップしていくのが当時は一般的だった。また視点を変えれば、上記の肉筆に加えて、銅版画などの印刷物も西洋由来の絵画として認識されもした。さらに表現としては、特に黒色の階調による陰影法、色彩の濃度による陰影法、そして透視図法があり、それらにより二次元平面に三次元を知覚させる点に、洋画の大きな特色を見いだせる。また、特に油彩画によって、物質の質感表現の達成が容易となる。対象を見えるがままに描くという「写実」は、江戸時代以前から東アジア文化圏でも実践されていたが、西洋由来の技術はその正確性をさらに突き詰めたといえる。

よって、その本格的な学習と定着そして展開には、十分な情報を与えてくれる存在が必要だった。江戸時代には挿絵のある図書の閲覧、あるいは技法

諸流畫家
浅艸茅町　松本楓湖
本郷竜岡町　橋本雅邦
神田山本町　川端玉章
小島町　川邊花陵

洋畫及肖像
神田　黒田清輝
本郷春木町　五姓田芳柳
下谷　亀井至一
森川町　渡辺文三

明治新撰東京四大家一覧（部分）
東京開運堂　明治32年

書の解読などと制約があったから、外国人画家からの直接の技術指導を多くの者が欲したのである。その状況に登場し、今日もその名が知れ渡るのが英国人画家チャールズ・ワーグマンである。ただ本展でも紹介するとおり、彼以外にも来日し活動した画家や技術者も存在する。しかし歴史の荒波に多くの情報が失われた結果、ワーグマンばかりが注目されるようになった。

そのワーグマンに習った二人の画家、五姓田義松と高橋由一はともに明治前期の洋画家の代表であり、また洋画技術の二つの特徴を示唆する存在でもある。義松は動勢のある人物やその群像を描くこと、湿潤な大気を含む大きな空間を描くことに長けていた。鉛筆画と水彩画にこそ彼の高い技量が発揮されている。一方、由一は油彩画技術の習得に集中し、物質の質感表現の達成に強い関心を示した。また、その油彩画を主とする洋画技術の社会的有用性を重視し、私塾の展覧会など数々の普及事業を展開した。

彼ら二人が競い合い、日本に洋画が根付き始め活況を呈した頂点が、明治10年の第一回内国勧業博覧会である。国内の産品を一堂に会した同会では「美術」も大いに注目され、なかでも二人の作品は高い評価を得たのである。

その後、明治10年代半ばから、洋画排斥運動が高まり、洋画普及は下火となる。ただ、その間も普通教育などを通じて社会には次第に洋画が浸透し、版画や印刷物なども通じて洋画由来の視覚への変質が促されていった。黒田清輝が東京美術学校西洋画科におさまった背景には、明治20年代後半ともなると、洋画の社会的な定着がある程度認められたという事実も指摘できる。

街道
チャールズ・ワーグマン　明治５年　油彩、画布　神奈川県立歴史博物館

宿場
チャールズ・ワーグマン　明治５年頃　油彩、画布　神奈川県立歴史博物館

チャールズ・ワーグマンの大作２点。彼自身、日本国内で仏人らと交流して技術向上に努めた。

「スケッチブック」より
五姓田義松　水彩、紙　個人蔵（園伊能旧蔵コレクション）

日本風俗
五姓田義松　明治30年代　水彩、紙　個人蔵

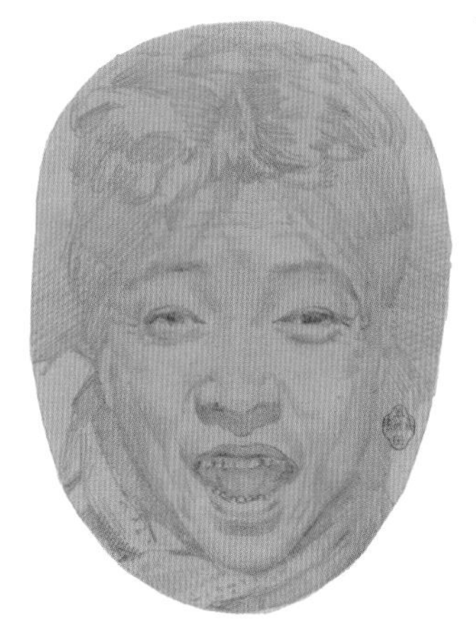

六面相　表情　笑い
五姓田義松　明治6年頃　鉛筆、紙
神奈川県立歴史博物館

近年発見された《スケッチブック》（上）は夕焼けや朝焼け、闇の連作が実験的に描かれる。おそらく同時代の写真との差異化を狙ったためだろう。そのような写真では不可能な、湿潤な大気、動きなどを捉える点に特徴がある。《日本風俗》もまた横浜絵の典型、和装と自然景の美しさが多くの外国人を魅了した。《六面相》は、五姓田義松の修業時代の自画像。表情、感情を複数に分けて鉛筆で描いたうちの1点。

弾琴図

若もの

瓶花

刺青

五姓田義松　水彩、紙　神奈川県立歴史博物館寄託　齋藤俊吉氏旧蔵コレクション

水彩スケッチ（「丹青雑集」より）

五姓田義松　水彩、紙　個人蔵（團伊能旧蔵コレクション）

《丹青雑集》と表紙に題簽がある、五姓田義松自選の作品集。最下段の富士図は、明治10年第１回内国勧業博覧会出品作と同題。その出品作の構想段階の可能性が大いにあり得る。

国府台風景図屏風

二世五姓田芳柳　明治 15 年　水彩、紙　神奈川県立歴史博物館

墨田河畔

初代五姓田芳柳　明治 18 年　絹本著色
神奈川県立歴史博物館

芭蕉と月

初代五姓田芳柳　制作年不詳　絹本著色
神奈川県立歴史博物館

金閣寺

初代五姓田芳柳・二世五姓田芳柳　明治 15 年　絹本著色　個人蔵

五姓田派は、肖像画ばかりにあらず。風景画も絹や紙に描いた。二世五姓田芳柳は、若い頃から大画面、広大な空間を捉えることに長けていた。後年のパノラマ制作に通じる造形感覚である。

油彩スケッチ（「丹青雑集」より）
五姓田義松　油彩、紙
個人蔵（團伊能旧蔵コレクション）

婦人像
五姓田義松　油彩、板
個人蔵（團伊能旧蔵コレクション）

《丹青雑集》にある２点の油彩風景画は水彩画と通じる、変化する空の表情をとらえる意識が顕著。一方、初公開の《婦人像》はワーグマンに通じる空間の浅さが特徴的。

老母図

五姓田義松　明治８年　油彩、紙　神奈川県立歴史博物館

五姓田義松の最高傑作との呼び声も高い《老母図》。病に伏せり、死にゆく最愛の母を鬼気迫る筆で描く。かたちを正確に把握する技術や意識は新しいかもしれないが、人の姿を残したいという欲望は普遍的でもある。

山内市郎治像
渡辺幽香　明治 11 年　油彩、画布　神奈川県立歴史博物館

渡辺幽香による油彩肖像画２点。絹絵同様、皺や立体感の追求は五姓田派随一である。

西脇清十郎像
渡辺幽香　明治 14 年
油彩、漆製額
神奈川県立歴史博物館

風景
横山松三郎　明治15年頃　油彩、画布
神奈川県立歴史博物館

婦人像
横山松三郎　制作年不詳　油彩、絹
個人蔵（團伊能旧蔵コレクション）

薔薇
横山松三郎　明治14年頃　油彩、画布　個人蔵（團伊能旧蔵コレクション）

東山暮雪図
田村宗立　明治前期　油彩、紙　神奈川県立歴史博物館

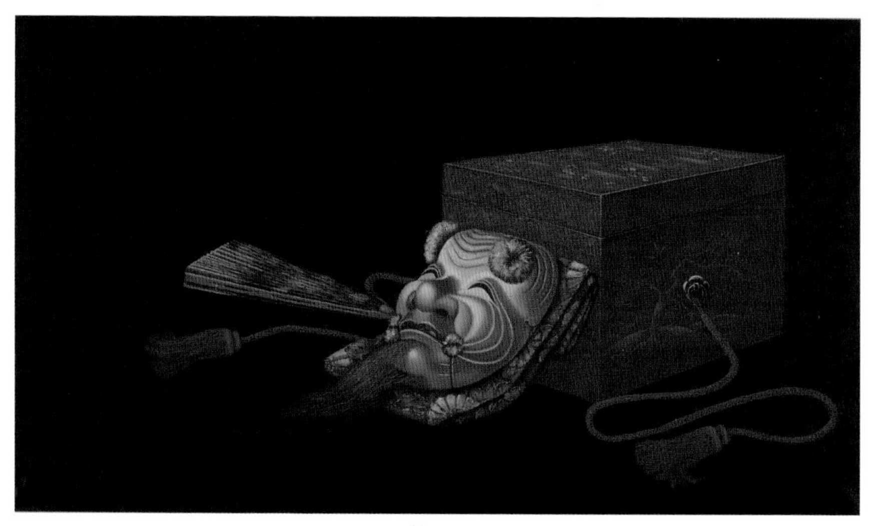

能面図
逸名画家　明治時代　油彩、画布　神奈川県立歴史博物館

明治油彩画の諸相。京都の洋画家田村宗立、そして今では名のわからない画家も含め、様々なレベルの技術が混在していた。特に地方への伝播にも疎密があり、結果的に、技術や主題選択など豊かな多様性が認められる。

column

留学

観山ロンドンより母上に送りし便り
下村観山　明治 37 年

近代日本美術にとっての留学というと、西洋の最先端の技術や思想を学習するため、現地へおもむき、現地の教師らに学ぶ場合が多い。幕末明治初期は公的な目的がなければ渡航すら難しく、そのため別目的で西洋へ出向いた者たちが余暇で画技を身につけた者もいた。百武兼行はそのひとりである。次の世代になると、正式に美術学習を目的に渡航する者があらわれる。五姓田義松、松岡壽はその例である。

初期の留学生たちにとって技術習得という明確な目的はあるものの、海外での実生活を含めてそのハードルはきわめて高かった。日々の生活を安定させるための語学力、描く対象となる現地の風物ばかりでなく、宗教を含む歴史や文化などの理解も不可欠だった。国内で予習をして渡航できる部分があってもわずかで、貨幣価値が異なることもあり、近代日本を概観しても、留学し技術を完全に習得し帰国した者は決して多いとはいえない。現地で知り合った者たちは、その苦難を分かちあうことで、強固な絆で結ばれた点も特筆される。たとえば、黒田清輝と久米桂一郎はその例である。

美術を主目的として、官費で留学するシステムが確立されるのは、東京美術学校の開校を待たねばならない。洋画では岡田三郎助、日本画では下村観山が官費留学生として、岡田はパリ、観山はロンドンで学んだ。興味深いことに、観山は日本画家ながらロンドンで水彩画研究に励んでいる。

井田磐楠像
五姓田義松　明治 15 年
油彩、画布
神奈川県立歴史博物館

月下の裸婦
山本芳翠　明治 25-29 年頃　油彩、画布　愛知県美術館

五姓田義松と山本芳翠はパリを経験したが、その目的は異なる。義松は挑戦、芳翠は学習だった。ここに紹介する義松作は生活費を稼ぐための肖像画、芳翠作は技術鍛錬のための模写である。芳翠作はシャルル・ジョシュア・シャプラン《雲の上で眠るセレーネ》の模写でもある。芳翠は滞欧中に日本の洋画家志望者のために一枚でも多くの参考作品をもたらそうと考えていた。

裸婦

百武兼行　明治 14 年頃　油彩、画布　神奈川県立歴史博物館

百武兼行はイタリアで洋画を学んだ。生硬な女性裸体には、その学習成果の一端が認められる。

不忍池

高橋由一　明治 23 年頃　油彩、画布　愛知県美術館

双眼写真「不忍池」

宮下欽　明治時代　鶏卵紙　個人蔵

厨房具
高橋由一　明治 20-21 年　油彩、画布　愛知県美術館

甲冑図

高橋由一　明治 10 年　油彩、麻布　靖國神社遊就館

内藤耻叟により明治 10 年の内国勧業博覧会に出品され、翌年の名古屋博覧会で褒賞を受けた。明治 12 年に内藤及び安田善次郎により靖国神社に奉納されたという。

鮭（「丹青雑集」より）
五姓田義松　油彩、紙
個人蔵（團伊能旧蔵コレクション）

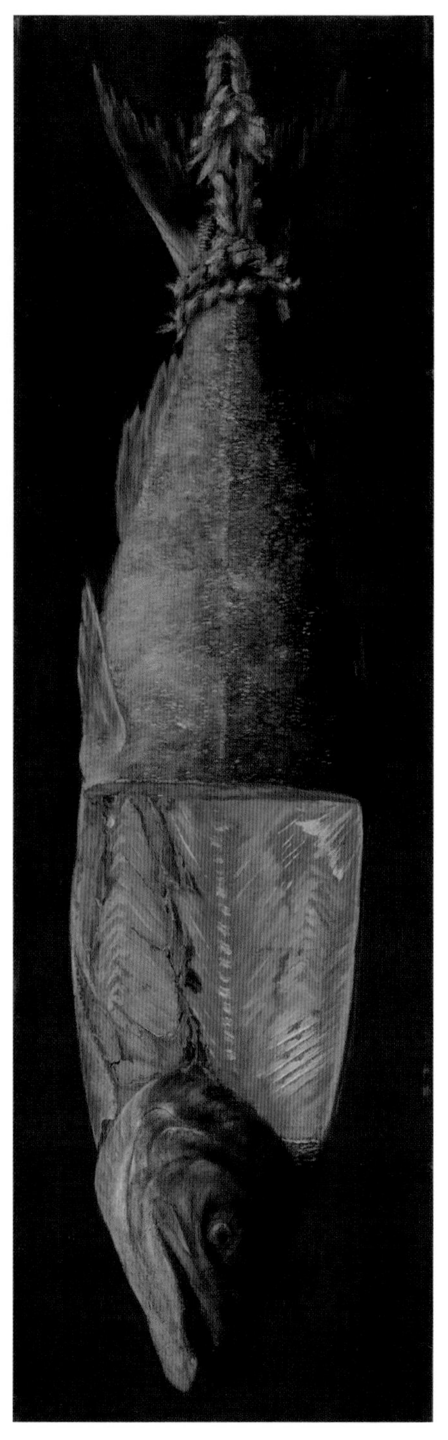

川鱒図
池田亀太郎　明治中期　油彩、板
神奈川県立歴史博物館

海景図
彭城(さかき)貞徳　明治 33 年　油彩、板　神奈川県立歴史博物館寄託

54 頁に紹介する五姓田義松《鮭》は新出作品。小ぶりながら、高橋由一《鮭》に匹敵する描写力を示す。池田亀太郎の作例もあるように、明治期には多くの「鮭」が描かれた可能性があり得る。主題の共有は広く認められ、海景、富士などもその一例で、比較するポイントとなる。

富士山

山本芳翠　明治30年代　油彩、絹　神奈川県立歴史博物館

絹に油彩で描かれた作品。油彩画の伝統が薄いからこそ、技術的な様々な実験・実践が、明治には認められる。絹に油彩や油彩の掛軸は、洋画普及の試みでもあったのだろう。

富士
野崎華年　明治 40 年　油彩、画布　郡山市立美術館

富士
野崎華年　制作年不詳　水彩、絹　郡山市立美術館

愛知県洋画の草分け的存在である野崎華年は、河野次郎に学び、名古屋を拠点に洋画普及に努めた。大河内存真・伊藤圭介兄弟、奈良阪源一郎など学者・文人との交流も知られる。

武具
野崎華年　明治 28 年　油彩、紙　愛知県美術館

大河内存真像（部分）
野崎華年　制作年不詳　絹本著色　名古屋市鶴舞中央図書館

衣冠人物図
野崎華年　明治 43 年以降　油彩、紙（カルトン）　名古屋市美術館

日本画・南画・俳画

日本画とは西洋画に対する語として、明治10年頃から認識されるようになった語である。洋風画あるいは洋画と呼ばれた西洋画法による絵画に対し、日本の伝統的な画法による絵画が日本画である。第一回内国絵画共進会にて、この日本画を描く画家の流派は、巨勢派、宅間派、春日派、土佐派、住吉派、光琳派、狩野派、南宗画、北宗画、南北合宗、浮世絵画派、円山派、四条派、それ以外に分けられた。彼ら諸流派から日本を代表する統一的な画風を作ろうとフェノロサ、岡倉天心指導の下、さまざまな実験的な作品が作られた。この時に中心的な役割を担ったのが狩野芳崖と橋本雅邦であった。本展出品作品では、《秋景山水図》(65頁)は、狩野派の山水画形式を土台に洋画表現を混合しようとした作品である。

南画は中国絵画の画風を学んで描かれた日本の絵画のことで、江戸中期以降に制作された。江戸中期、多くの知識人と絵師が中国趣味の流行により明清画や来舶画譜、来舶清人に学び、狩野派などの漢画に対してその原点である中国絵画に立ち返り、新たな絵画を描こうとした。南画の由来は柔らかい筆線を多く用いた中国南宗画だが、実際は南宗画以外の中国絵画も積極的に受容している。明治期においても、前述の南宗画、北宗画の区分が中国絵画のそれに対応しているとは思えず、南北合宗の区別も難しい。ただ、第一回内国絵画共進会における南画の出品者数は1302名で、これは出品者総数が2048名のうち半数以上を南画家が占めており、また全国より出品されていることから明治における南画の流行が見て取れる。明治初期の洋画学習において、重要な役割を果たした川上冬厓、中丸精十郎、山本芳翠らがもともと南画を描いたことも不思議ではない。
　俳画とは、俳諧の本質を基調として発生した絵画をさす。江戸中期頃には、与謝蕪村が「はいかい物之草画」、渡辺崋山は「俳諧絵」と呼んでいる。代表的な人物としては、松尾芭蕉、森川許六、彭城百川、英一蝶、与謝蕪村、呉春などが挙げられる。明治期に入り、中村不折と正岡子規によって、俳画が再び注目されるようになった点で俳画は近世的文芸世界を継承しつつ、また近代的でもあった。不折は著書『俳画論』において、俳画制作の心得を記しており、句と同内容を描くだけでは稚拙であることや、あえて下手に描くことなどを挙げている。明治43年には夏目漱石序、高浜虚子訳注、河東碧梧桐著、中村不折画『不折俳画』も出版された。

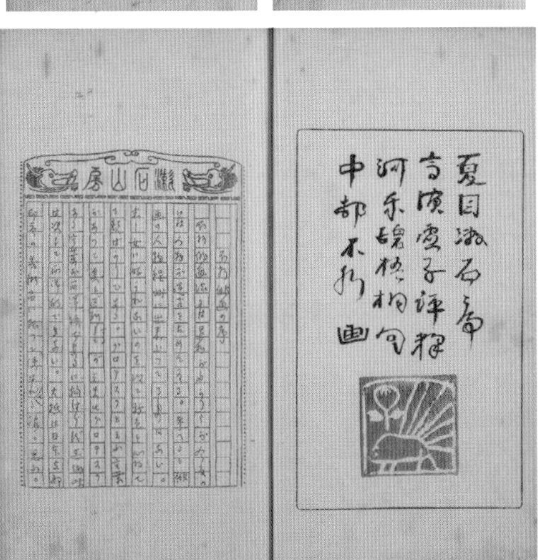

『不折俳画』
中村不折　明治 43 年

霊山図
中丸精十郎　明治４年　絹本墨画
神奈川県立歴史博物館寄託

虎図
中丸精十郎　明治３年　絹本墨画
神奈川県立歴史博物館寄託

◀左頁上：夕陽　明治初期　中：異国風景　明治初期
下：ナイル河畔　明治中期
中丸精十郎　油彩、画布　山梨県立美術館

中丸清十郎は、幕末明治初頭は南画家として活躍した後、洋画を習得した。そのような軌跡の画家は明治初期に多いが、双方で高い水準を示す者は少ない。中丸は、その貴重なひとりである。

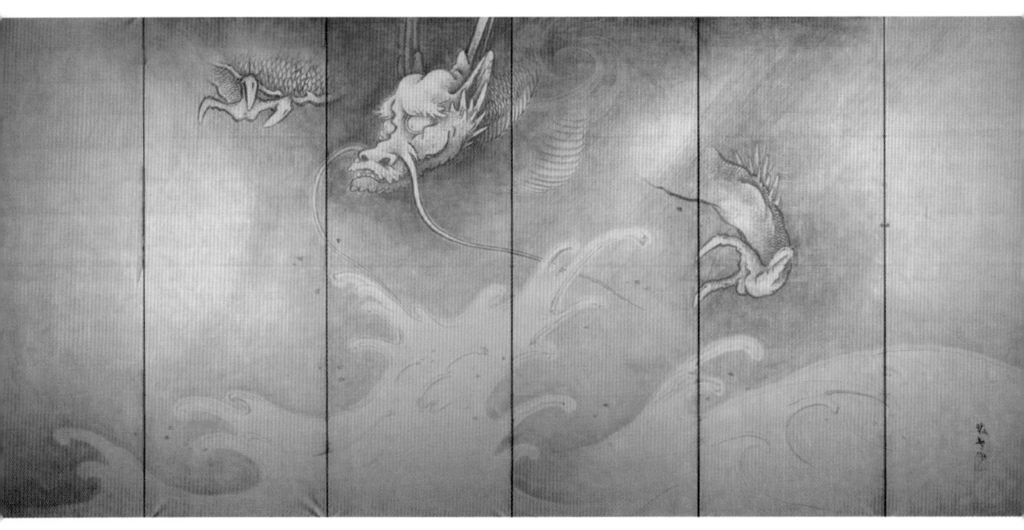

双竜図屏風
橋本雅邦　明治 30 年代前半　紙本著色・六曲一双　神奈川県立歴史博物館

水雷命中図
橋本雅邦　明治時代　油彩、画布
東京国立博物館（Image: TNM Image Archives）

秋景山水図
橋本雅邦　明治 20 年　紙本墨画淡彩　愛知県美術館

狩野芳崖とともに狩野派を代表する絵師として評価された橋本雅邦は、長く海軍で製図の仕事に就いた。アーネスト・フェノロサ、岡倉天心らの指導もあり、洋画にも興味を示している。

龍門之図
川端玉章　明治 34 年頃　絹本墨画淡彩　愛知県美術館

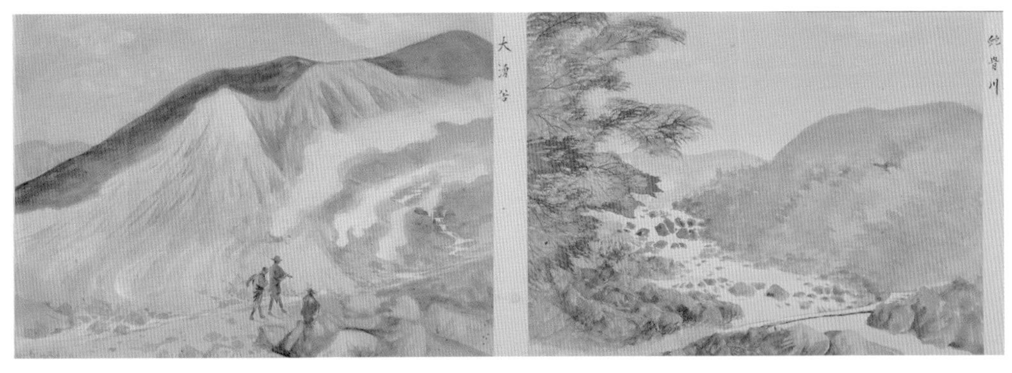

函嶺景巻

川端玉章　明治６年　水彩、紙　神奈川県立歴史博物館

屋上月

久保田米僊　明治８年　油彩、板　京都市美術館

狸
荒木寛畝　明治10年頃　油彩、画布
東京国立博物館（Image: TNM Image Archives）

日本画家として知られる川端玉章、久保田米僊、荒木寛畝は、その画業の初期である明治前期に油彩画を学んでいた。

芦辺游鴨図
荒木寛畝　大正元年　絹本著色　東京国立博物館（Image: TNM Image Archives）

菊池容斎著『前賢故実』の影響

江戸と明治を繋ぐ重要な役割を果たした絵師のひとりが菊池容斎（1788―1878）である。有職故実に明るく、武者絵を得意とし、さまざまな歴史的主題を取り上げた作品を制作した。後進への影響は弟子の育成よりも、明治元年に出版した『前賢故実』十巻二十冊の普及によるところが大きい。この絵入版本は、絵画作品から浮世絵、教科書にいたるまであらゆるものに引用された。

『前賢故実』は天保14年に初編二巻四冊が出版されたのち、数回出版されたと考えられており、明治元年に大幅に増補改訂された完全版が出版された。そして、それが明治天皇に献本されたこともあって高く評価されている。本書は、大和国草創の初代神武天皇の時代から、欠史八代を除き崇神天皇以降、おおむね全ての朝廷の偉人を挿図付きで掲載している。初編では、平城天皇朝までの99名だったが、最終的には後亀山天皇朝まで571名が掲載されている。容斎が記した本書の序によれば、製作の目的は幼い子供の勧戒教育にあるという。たしかに初編では、それぞれの人物や重要な地名にフリガナが振られているが、明治版ではこれらが無くなっている。そのほか神功皇后朝の消去、目次での「真人」「朝臣」「宿禰」「連」などのいわゆる「八色の姓（やくさのかばね）」の省略、『日本紀竟宴和歌』引用の消去、巻二「道君首名（オホヂノキミオフトナ）」の挿図の変更が行われた。

大日本史略図会　巨勢金岡（『大倉孫兵衛旧蔵錦絵画帖』六より）

こうして製作された『前賢故実』に、本展で展示された月岡芳年も影響を受けた一人である。《大日本史略図会　第八十壱代高倉天皇》（73頁上）に描かれた平清

大日本史略図会　塩谷高貞妻（『大倉孫兵衛旧蔵錦絵画帖』六より）

盛は、『前賢故実』巻七から図様が借用されている。また、《曽我時致乗裸馬駆大磯》（73頁下）は、『前賢故実』巻八の駆ける馬に乗る曽我祐成の姿が引用されており、芳年の図様では水墨の力強い筆線を利用した馬の描写に独自の表現が表れている。また、安達吟光の描いた大倉孫兵衛旧蔵錦絵画帖六《大日本史略図会》でも多くの部分を本書に基づいている。(1)

『前賢故実』は江戸時代に出版された初編の段階で、神武天皇以降の朝廷を歴史の軸としてとらえ、そこに偉人を当てはめていく構成で作られていた。人物のさまざまなポーズや有職故実を収録した絵手本としての優れた機能に加え、朝廷を正史とした構成が明治の画家に広く受け入れられる要因となったのだろう。

（1）「　」内に大倉孫兵衛旧蔵錦絵画帖六の題、（　）内に『前賢故実』該当部分の巻数と人物名を記した。「壱　皇祖神武天皇」（巻一「可美真手命」）／「二　野見宿禰」（巻一「野見宿禰」）／「三　日本武尊」（巻一「日本武尊」）／「五　水江浦島の故事」（巻一「水江浦島子」）／「八　厩戸皇子」（巻一「厩戸皇子」）／「十三　阿部仲麿」（巻二「阿部仲麻呂」）／「十八　巨勢金岡」（巻五「巨勢金岡」）／「二十五　小野道風」（巻五「小野道風」）／「二十六　紫式部」（巻五「紫式部」）／「三十一　清少納言」（巻五「清少納言」）／「三十二　藤原保昌」（巻六「藤原保昌」）／「四十三　太政入道清盛小松内大臣重盛」（巻七「平清盛」「平重盛」）／「四十五　長谷部信連」（巻七「長谷部信連」）／「四十六　筒井明秀」（巻七「但馬房修定」）／「四十八　薩摩守忠度」（巻七「平忠度」）／「五十　宇治川先登」（巻八「佐々木高綱」）／「五十二　鞆繪御前」（巻七「鞆繪」）／「四十九　那須余一宗隆」（巻八「那須宗隆」）／「五十七　源平屋島合戦」（巻八「佐藤忠信」・巻七「平教経」）／「六十五　日野阿新」（巻九「阿新」）／「六十六　大塔宮護良親王」（巻九「護良親王」）／「六十七　児島高徳」（巻九「児島高徳」）／「七十　鹽谷高貞妻」（巻十「塩谷高貞妻」）／「七十三　新田義興」（巻十「新田義興」）／「七十四　宇野正寛」（巻十「宇野正寛」）

『前賢故実』
菊池容斎　明治中期
愛知芸術文化センター・
アートライブラリー

前賢故實

巨勢金岡

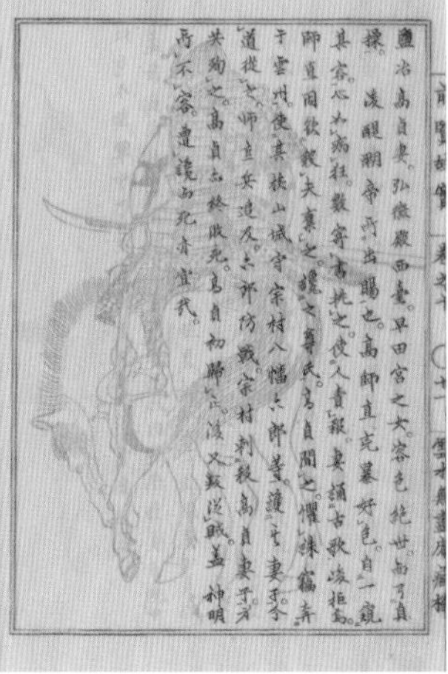

塩谷高貞妻

大日本史略図会
第八十壱代高倉天皇
月岡芳年　明治 13 年
大判錦絵三枚続
神奈川県立歴史博物館 丹波

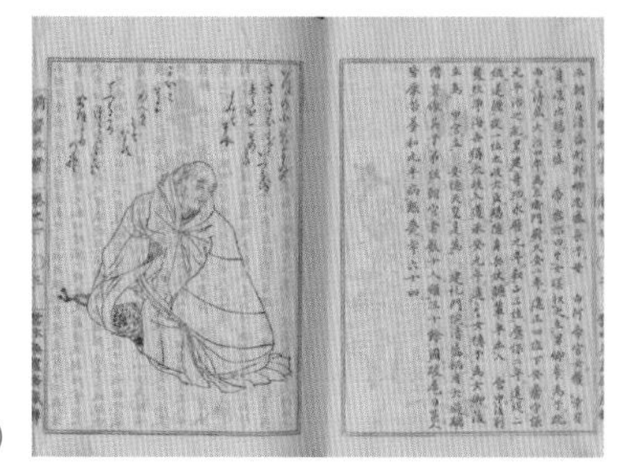

平清盛（『前賢故実』より）

曽我時致乗裸馬駆大磯
月岡芳年　明治 18 年　大判錦絵三枚続
神奈川県立歴史博物館 丹波

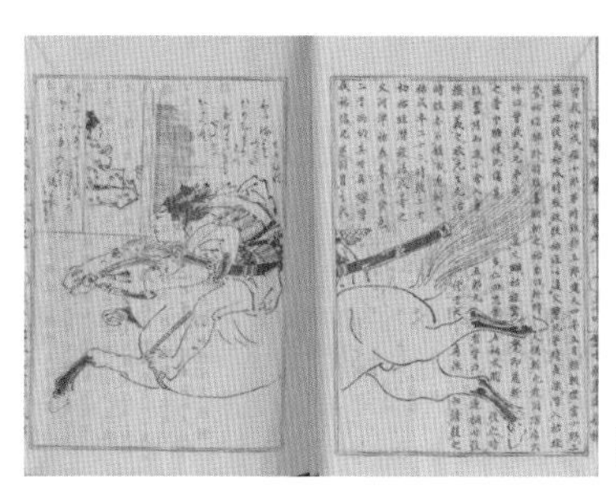

曽我祐成（『前賢故実』より）

column

書画会・展覧会

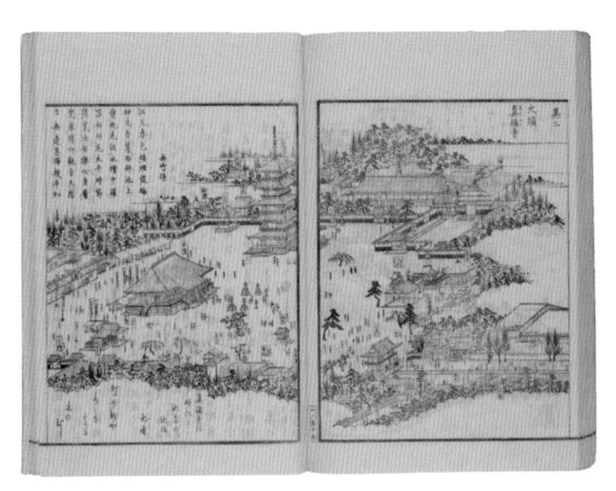

尾張名所図会
小田切春江　天保 15 年

書画会とは、江戸時代中期以降に始まった集まりで、文人墨客たちが観客の前で席画をし、作品を展観した。会場は寺院や料亭が多く、客は料金を払ってこれを見た。引き札もつくられ、酒宴が開かれることもあり、大いに流行したという。書画会の中には物故作家だけでなく新書画を並べた展覧会の形式をとるものもあり、展観会とも呼ばれる。江戸では中村楼の書画会が有名で、力士を取り合わせた二代歌川国輝画《中村楼書画会》といった作品もある。

江戸末期に至るにつれて、徐々に酒宴を中心とした興行的な性格が強くなる書画会だが、名古屋においては、寺院での展観会の方が主流だったようである。

名古屋では、大須観音のある真福寺や長福寺で書画展観会が開かれ、人気の会場であった。明治 7 年には東本願寺名古屋別院で名古屋博覧会が開催され、名古屋城の金鯱から始まった会場では、書画だけでなく陶器、刀剣、面、扇、七宝に加えて、家具、宝石、食品、動物、植物も展示された。同 11 年には、南門前町に博覧会場が作られ、会場の様子は小田切春江画『明治十一年　愛知県博覧会独案内』に詳しい。

内国絵画共進会

「洋法ノ畫ヲ除クノ外流派ノ如何ヲ問ハス總テ許スト雖モ…（後略）」(1)

内国絵画共進会は、明治15年10月、同17年4月の二回、東京上野公園で開催された。冒頭は、第二回内国絵画共進会の太政官布達「第二回内國繪畫共進會規則」第四条に記された出品条件である。第一回の規則では、「西洋畫ヲ除クノ外…」(2)と始まるのに対し、第二回では「洋法ノ畫」と、より広範な西洋画風の絵画を除外している。「ト雖モ…」のあとには、「洋法ノ畫」以外の絵画における出品条件が具体的に示された。

内国絵画共進会　褒状

この規則に表れているように、内国絵画共進会は日本古来の絵画技法が用いられた作品の展観を目的としていた。本会では、同時に古画の名品が陳列されたことからも、その性格が裏付けられる。『源氏物語絵巻』『鳥獣人物戯画』『信貴山縁起』『伴大納言絵巻』のほか江戸時代中期の絵師に至るまで、国宝級の作品を含む605点が同時に展示された(3)。これらの作品が、後進の鑑識を広げ、また制作の助けとなり、更にその技術を磨くことを期待されたのである。

創設の趣旨は、本会開催の緒言などに明らかなように(4)、伝統絵画の技法が衰えている近年の状況を憂い、日本の絵画を救済することにあった。明治初年以降、専門家のあいだで危惧されていた国画の衰退に対する復興の機運が、ウィーン万国博覧会、第一回内国勧業博覧会を経て、具体的な形となって表れたと言える。また、この二回の展観によって受賞した画家たちのほとんどが、明治18年の明治宮殿造営に参加したとされ、この展観はその選抜のためだったという意見もある。(5)

第一回では橋本雅邦、狩野探美、田崎草雲、森寛斎が最高位の銀印を受章、第二回では守住貫魚が金賞を受賞した。本展出品作品の川崎千虎《佐々木高綱被甲図》（78頁）は第二回内国絵画共進会にて褒章を受章している。また、小田切春江の著書『奈留美加多』（259頁）も褒章を受章しており、著作物についても後進の奨励に功労あるものには褒章が与えられた。

（1）『法令全書』明治16年、内閣官報局、明20–45。国立国会図書館デジタルコレクション https://dl.ndl.go.jp/pid/787963（参照2023-01-29）
（2）『法令全書』明治15年、内閣官報局、明20–45。国立国会図書館デジタルコレクション https://dl.ndl.go.jp/pid/787962（参照2023-01-29）
（3）『内国絵画共進会古画出品目録』、農商務省、明15・10。国立国会図書館デジタルコレクション https://dl.ndl.go.jp/pid/851281（参照 2023-01-30）
（4）「明治十五年内國繪畫共進會事務報告」（『明治美術基礎資料集　内国勧業博覧会／内国絵画共進会（第一・二回）編』1975年、東京国立文化財研究所、571～578頁）
（5）関千代「解説　内国絵画共進会」（『明治美術基礎資料集　内国勧業博覧会／内国絵画共進会（第一・二回）編』1975年、東京国立文化財研究所、25～30頁）

帝釈試三獣図

幸野楳嶺　明治 18 年　絹本著色　京都市美術館

内国絵画共進会において、円山派と四条派、その他の流派の審査員を務めた幸野楳嶺は、京都府画学校で日本画の指導にあたり、多くの後進を育成した。

佐々木高綱被甲図
川崎千虎　明治15年　絹本著色　愛知県美術館

佐々木高綱被甲図画稿
川崎千虎　明治 15 年　紙本著色
愛知県美術館

菊地奮戦図画稿
川崎千虎　明治 17 年頃　紙本墨画淡彩
愛知県美術館

軍隊と美術――須用なる図学教育

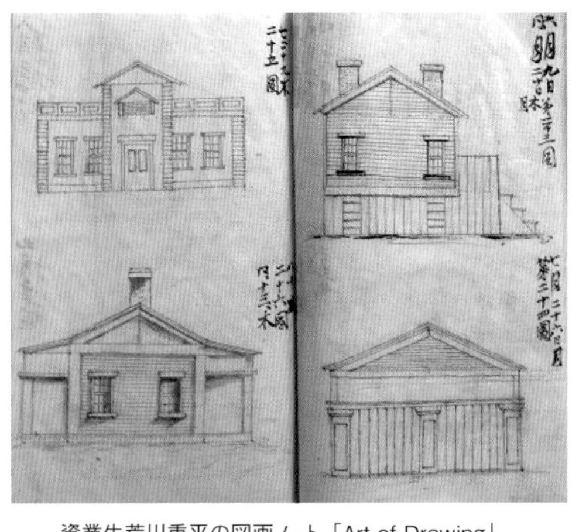

資業生荒川重平の図画ノート「Art of Drawing」
荒川重平　明治 2-4 年

静岡藩（徳川家）により明治2年に開校した沼津兵学校はでは陸軍将校を養成することを目指したが、教授陣には昌平黌ではなく、開成所の出身者が多く、西洋の知識や技術を念頭に置いた学校であった。軍隊で地形の見取り図、地図を作成することは重要であり、写生や製図の技術を教える図学の授業も実践されていた。学生であった荒川重平の明治2年から4年のノートからは、系統だった授業の様子がうかがえる。絵図方の教授には川上寛（冬崖）がいたが、実際に中心となったのは榊綽（ゆたか）であった。榊は蘭学を学び、あわせて洋画も研究、開成所で印刷術、写真術を教授していた。幕府の陸軍で大砲の図面を引いていた小野金蔵も教鞭をとった。

海軍では幕末より絵図方として海図製作に従事してきた岩橋教章が明治3年より海軍操練所（後に海軍兵学寮）に出仕する。製図掛では、橋本雅邦（明治4年から19年まで海軍に出仕）を始めとする狩野派の絵師たちも所属したが、専門とする岩橋などの専門技術者のようにはいかなかったようである。卓越した技能を有する岩橋の海軍への功績は多大であった。ちなみに明治5年に岩橋は、閉校した沼津兵学校を辞して海軍省に出仕していた榊綽とともに正院地誌御用掛を命じられている。

一方、陸軍では明治4年に東京市谷の尾州徳川邸跡に移転した兵学寮において図画が教授された。教師は川上冬崖、小山正太郎、近藤正純、石川富五郎、伊藤真秀などであった。明治5年に石版印刷を開始、明治7年には新たに陸軍士官学校となり、図画科主任にアベル・ゲリノーが来朝する。フランス・パリ生れで水彩画と建築学を得意としたゲリノーは、川上冬崖、小山正太郎、近藤正純、横山松三郎、河北道介、榎本正忠、鈴木雪村、小平狭山、久保嘉門、五姓田義松等を採用。陸軍士官学校という場所に当時では珍しかった西洋画家たちが多数で一堂に集まり、ともに活動する事となったことは特筆すべきことであろう。陸軍文庫として明治7年に川上寛、近藤正純による『写景法範』、小山正太郎、五姓田義松らによる『東京近傍写景法範』、明治9年に中丸精十郎らによる『西洋画式』という教科書が発行され、教育に用いられている。

『西洋画式』第４号　第四版
明治９年

このように、明治初年に図画教育を担ったのは、正確な製図の作成という具体的な必要に迫られた軍隊であった。ということは、非常に興味深い。

馬図
初代五姓田芳柳　明治９年　鉛筆・水彩、紙　神奈川県立歴史博物館

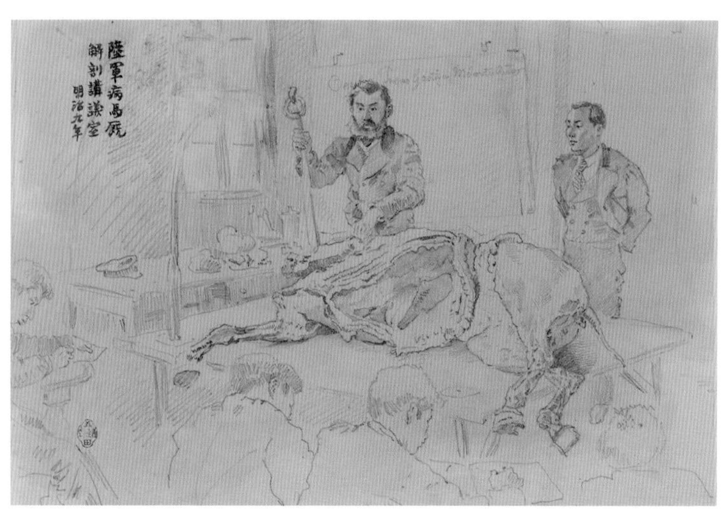

解剖図（「丹青雑集」より）
五姓田義松　水彩、紙　個人蔵（團伊能旧蔵コレクション）

初代五姓田芳柳は、陸軍病馬厩すなわち軍馬の獣医学を教授する機関に所属した。教育用絵画を描いたが、義松もまた同行し手術風景などを描いたと判明する。日本獣医学の原点でもある。

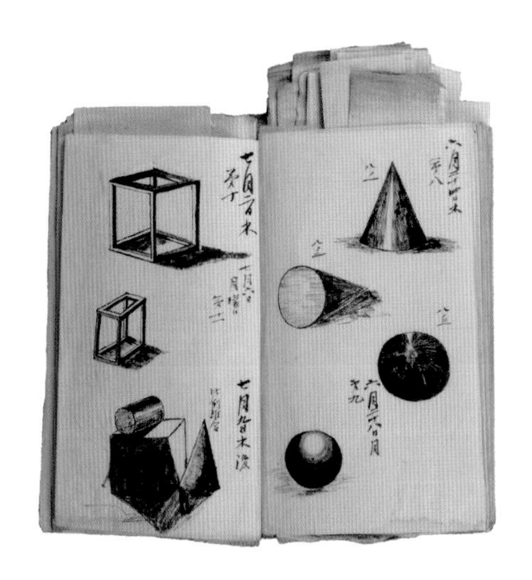

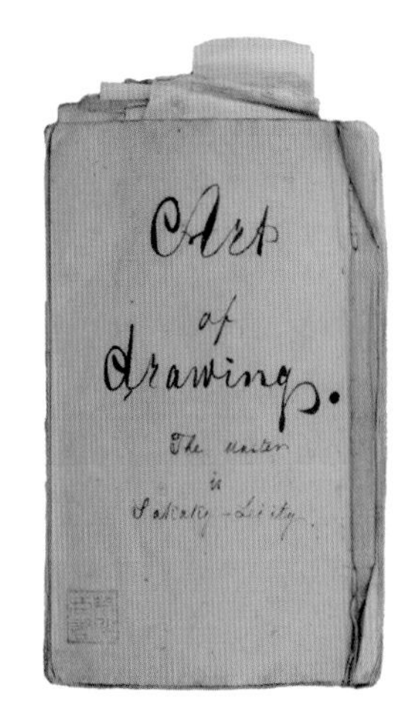

資業生荒川重平の図画ノート「Art of Drawing」
荒川重平　明治 2-4 年　鉛筆・墨、紙　沼津市明治史料館

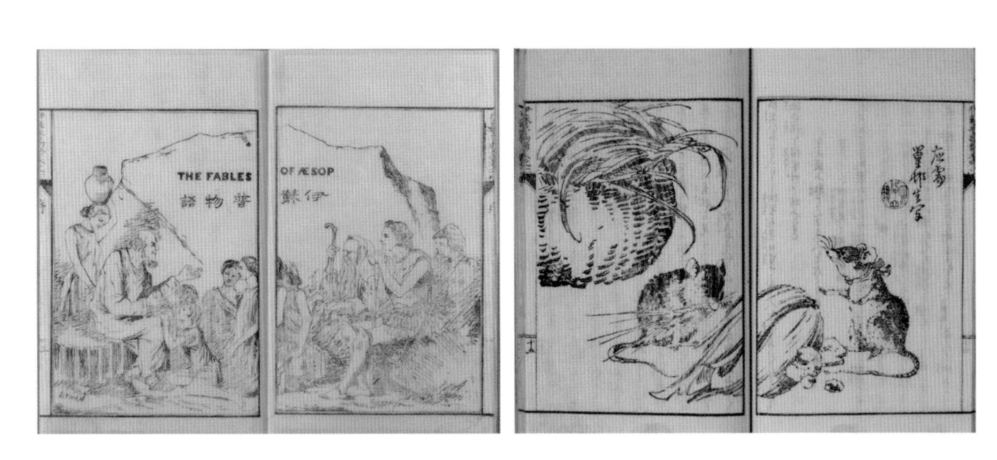

『通俗伊蘇普物語』
渡部温訳　明治 5 年　沼津市明治史料館

『通俗伊蘇普物語』はイソップ物語を英語版から日本語に訳した最初のもの。翻訳した渡辺温、挿絵を描いた榊綽（篁邨）・藤沢次謙（梅南）・河鍋暁斎は、いずれも沼津兵学校や沼津にゆかりがある。

井田譲像
初代五姓田芳柳　制作年不詳
絹本著色　神奈川県立歴史博物館

井田譲像は初代五姓田芳柳作、譲の子息磐楠像は五姓田義松作（49頁）。各世代の競演である。

『東京近傍写景法範』
小山正太郎・五姓田義松　明治８年　石版、紙　個人蔵（團伊能旧蔵コレクション）

アベル・ゲリノー　江戸城　「ヴェイヤール旧蔵アルバム」より
明治6-9年頃　水彩、紙　クリスチャン・ポラックコレクション

横浜　フランス領事館
「ヴェイヤール旧蔵アルバム」より
明治6-9年頃　鶏卵紙
クリスチャン・ポラックコレクション

ヴェイヤール肖像写真
明治6年頃　鶏卵紙
クリスチャン・ポラックコレクション

column

「ヴェイヤール旅行記」

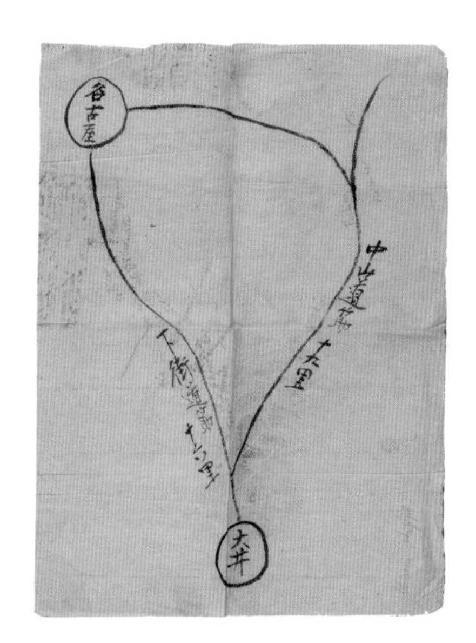

ヴェイヤール旧蔵資料　地図

仏軍人ヴェイヤール（Ernest Antonin Vieillard, 1844 — 1915）は、明治６年に来日、第二次遣日フランス軍事顧問団のひとりだった。明治６年、東京から陸路で中山道を通り、京都を目指した。途中、下街道を経由して愛知、名古屋入りを果たしたことが手書きの略地図から判明する。彼の手帖には、名古屋で骨董品や陶器、七宝焼の店を巡ったとも記され、明治初頭の名古屋の活況も伝えられている点は重要である。

ヴェイヤールが集めた作品などをまとめたアルバム（85 頁）は、日本での活動記録であり土産品だったのだろう。そのなかは大きく古写真と横浜絵に大別される。古写真は、鶏卵紙に撮影された横浜、東京を中心とした明治初頭の風景が大半である。現在、横浜のフランス山公園の地にあったフランス領事館の全景写真も含まれている。横浜絵は、閑山と落款はあるがその詳細は不明。伝統技術で絹地に描かれた風俗画は、五姓田派も含め、多くの絵師たちが手を染めたといい、その貴重な一例である。さらに興味深いのは、陸軍士官学校の画学教師ゲリノーの作品を含む点である。ゲリノーの作品をつぶさに見ると、軍人による風景描写らしく、丁寧にかつ明確に空間把握に努めている点が特徴である。そして明るい色彩にあふれている点も、大きな魅力となっている。

『戦時画報』
近時画報社　明治 37 年　神奈川県立歴史博物館 青木

我艦隊浦潮斯徳を砲撃す
（『戦時画報』 5 巻より）

東郷・上村両提督の凱旋
（『軍国画報』第二年第三巻より）
二世五姓田芳柳　明治 38 年
多色石版、紙　個人蔵

戦争報道は大衆の関心をつよくひいた。結果、ビジュアル重視の雑誌、グラフ誌が勃興し、『戦時画報』はその代表例。カラー写真はまだ実現せず、絵画が重宝された。

『絵本台湾征討記』
牧金之助　明治28年
銅版、紙
神奈川県立歴史博物館 青木

『ビスマルック（世界歴史譚　第4編）』
小坂象堂　明治32年　神奈川県立歴史博物館 青木

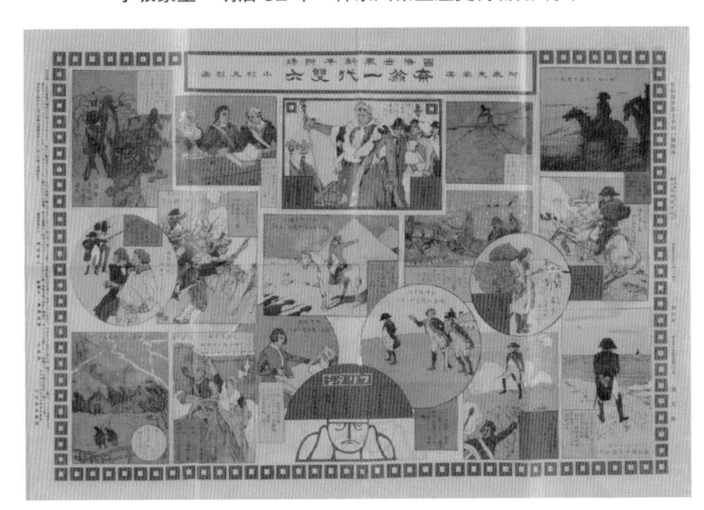

冒険世界新年附録　奈翁一代双六
小杉未醒　明治44年　多色石版、紙　神奈川県立歴史博物館 青木

富国強兵は美術の側面でも進められた。古今東西の戦争・戦闘主題の一般書籍とその挿絵、画集、伝記、子供向けの絵本、果ては双六まで、そのイメージは多様に展開していた。

『日清戦争実況写真』第二号
宮下守雄　明治 28 年
鶏卵紙　個人蔵

『従軍三年』
中村不折挿絵
明治 40 年　多色石版、紙
神奈川県立歴史博物館 青木

『征従画稿』
浅井忠　明治 28 年
多色石版、紙
神奈川県立歴史博物館 橘

大兵士
二世五姓田芳柳　明治32年　油彩、麻布　名古屋市美術館

パノラマ

パノラマとは、円筒形の建物の内側に掛かったひと続きの絵画を建物中央から眺めることで、観客がその絵の中に入り込んだかのような錯覚を体験するエンターテイメントである。英国の画家ロバート・バーカーが発明し1794年には興行を実現させた。18世紀末から19世紀前半にかけて、パノラマの流行はロンドンからヨーロッパ全土に広がった。

パノラマ制作風景
(西田武雄編『近代日本美術家写真アルバム』より)
明治後期

日本では明治23年に第三回内国勧業博覧会の開催に合わせて上野公園に上野パノラマ館が建設され、同年4月には浅草公園に日本パノラマ館が開館した。明治24年1月に大阪・難波、7月に京都・新京極、9月に愛知・名古屋とパノラマ館が相次いで建設され、東北や九州なども含め、明治時代を通じて全国各地でパノラマが興行されていった。

日本パノラマ館の例でいえば、観客は暗い通路を歩いて建物中央まで進み、階段を昇って観覧台に出ると、明るい光のもと眼前にひと続きの風景が広がる場所に立つことになる。観覧台上に庇を設け、床には人形や草木などを配置したいわゆるジオラマを作り、絵画と天井・床面との境目を曖昧にして観客の没入感を高めようとする仕掛けだっ

た。このようなパノラマ興行に掛ける絵画の制作や設計には油彩技術を習得した明治の画家たちが関わっており、二世五姓田芳柳、東城鉦太郎らが上野パノラマ館に携わり、小山正太郎は日本パノラマ館のパノラマ制作に尽力した。舞台装置の改良という点では山本芳翠がその嚆矢となった。

パノラマ興行に掛かる絵画の画題は戦争が多かった。上野パノラマ館開業時は矢田一嘯の『奥州白河大戦争図』、日本パノラマ館は米国から輸入した『南北戦争図』、名古屋の浪越公園や門前町高院境内のパノラマ館に掛けられたのは、野村芳国がアメリカ南北戦争と西南戦争を描いたものである。さらに日清戦争、日露戦争といった社会情勢とも合致して、パノラマは大衆の戦争に対する関心をかき立てた。明治29年に日本パノラマ館に掛けられた小山正太郎の『日清戦争平壌攻撃図』は大盛況を呼び、同年に上野パノラマ館でも野村芳国の『旅順港陥落』が興行された。全14面の掛図で構成される矢田一嘯『元寇大油絵』の興行は九州の博多で始まり、日清戦争勝利の機運にも乗って全国を巡回した。

パノラマは、日本では江戸時代以前から続く見世物の文化とも繋がりながら大衆の娯楽として受け入れられた。その人気も明治時代後半には衰退していくが、短期間ながら全国的に広がったパノラマの隆盛は、まさしく明治時代の象徴的な事象のひとつだったといえるだろう。

浅草公園・日本パノラマ館　日露戦争南山大激戦パノラマ
写真データ提供：坂東市立資料館

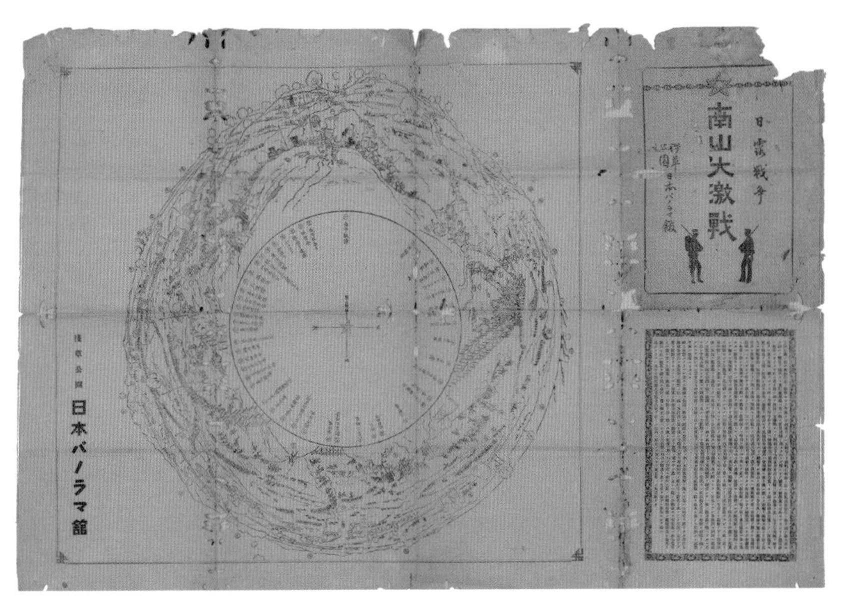

浅草公園日本パノラマ館日露戦争南山大激戦
明治 37 年　石版、紙　神奈川県立歴史博物館 橋

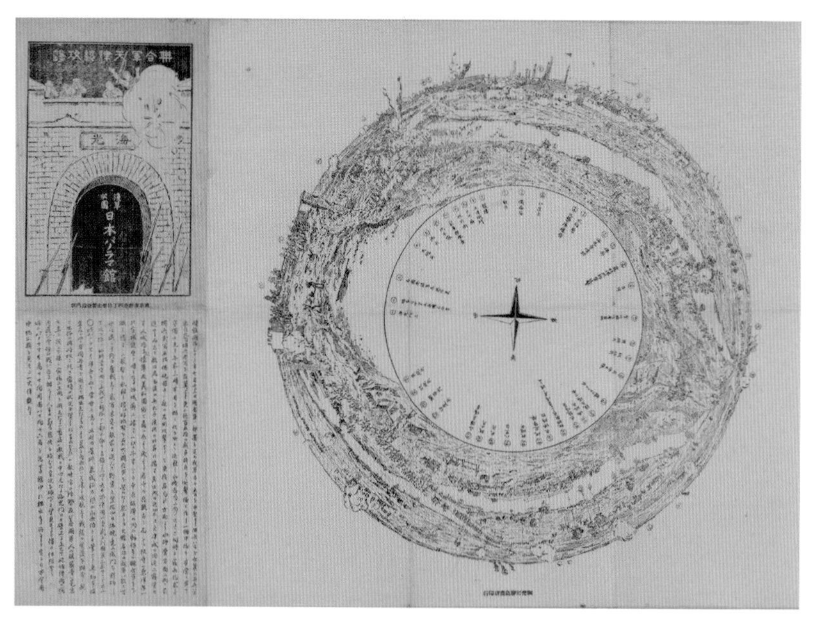

日本パノラマ館連合軍天津総攻撃
明治 34 年　石版、紙　神奈川県立歴史博物館 橘

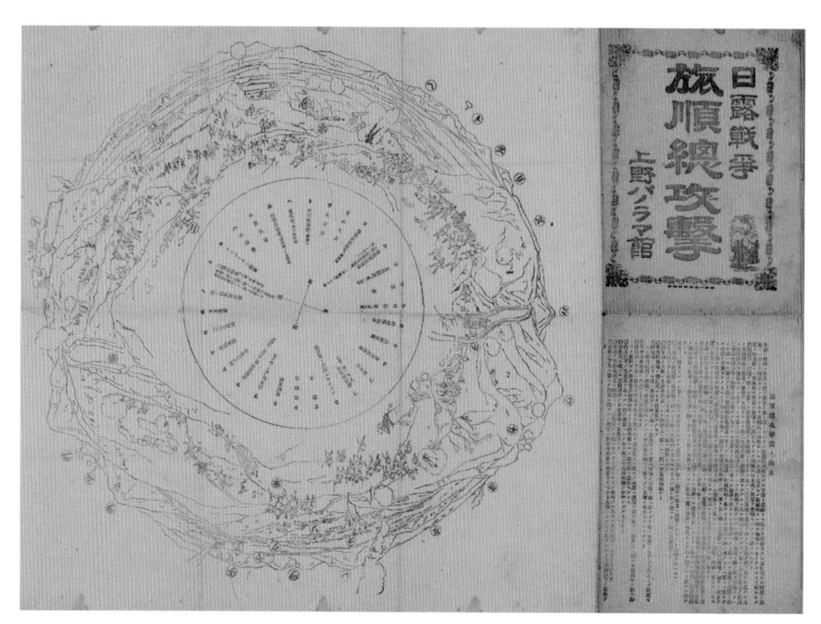

上野パノラマ館日露戦争旅順総攻撃
明治 38 年　石版、紙　神奈川県立歴史博物館 橘

第2章

学校と図画教育

近代に入ってから、日本に西洋の教育制度に倣った学校という教育機関が登場する。明治前期の図画教育もまた西洋の教育制度を参考にしていた。当時の図画は事物を正確に記録し、視覚的な画像としてあらわす術(すべ)だった。そのため、明治時代には様々な種類の学校で、新しい学問・技術として図画が教えられた。

西洋の図画技術を学ぶことは、軍事研究や洋学研究の中でも行なわれていた。西洋の情報や文物が流入し始めると、日本は西洋の科学技術レベルの高さを知ることとなり、江戸幕府は海外との軍事・外交にそなえ、西洋諸科学を研究するため蕃書調所を設置する。ここでは蘭学や英学といった洋学教育・翻訳事業などを行なっていた中で、絵画や製図、印刷の技術なども研究された。蕃書調所が洋書調所と改称されたあとに設置された開成所でも、外国語や地理・数学・化学といった諸科目の中に画学があった。

図画の技術は、様々な分野で多様に機能した。正確な測量図・製図・設計図・地図製作など、実践的な需要があったということである。蕃書調所で洋書の読解を通じて洋画や石版印刷術を研究し、『西画指南』などを著した川上冬崖は、維新後は沼津兵学校、文部省、陸軍省などで西洋の図画を教えた。このように冬崖が次々と所属を変えながら公的な組織で図画を教えていたことも、その技術に需要があり、重要視されていたことを示す一例だろう。西洋の図画技術は、日本の近代化に必要な技術として取り入れられ、学ばれていくことになる。

西洋絵画を学んだ者たちが、明治初頭に次々と画塾を開く。初代五姓田芳柳は明治元年に横浜で画塾を開き、東京では明治4年開設の川上冬崖の聴香読画楼、明治6年開設の高橋由一の天絵社や横山松三郎の通天楼、明治7年開設の国沢新九郎の彰技堂などがある。高橋由一は蕃書調所画学局や開成所に出仕していた。国沢新九郎は土佐藩の命によりイギリスへ渡航、3年弱の滞在中に西洋画を学習し、帰国後に彰技堂を開いた。海外で絵画技術を学んだ指導者の草分け的存在である。
画塾での私的な教育に対して、公的な教育機関としては、明治9年に工部美術学校が開校した。西洋の技術移植による殖産興業政策の中心・工部省の管轄下に設置され、政府主導で西洋美術教育が行なわれた初の官立学校である。予科・画学科・彫刻科があり、教師としてイタリアから建築家カペレッティ、画家フォンタネージ、彫刻家ラグーザが招かれた。入学者には既に私塾で学んでいた者が多く、川上冬崖の聴香読画楼から小山正太郎・松岡壽・中丸精十郎、国沢新九郎の彰技堂から浅井忠、高橋由一の天絵社から柳源吉、初代五姓田芳柳門下から五姓田義松、山本芳翠らが入った。また、女性の入学も許可した。
工部美術学校は、ヨーロッパのアカデミーに倣って建築・絵画・彫刻を組織的に教える初めての機関だったが、明治16年に開校後わずか7年で閉鎖される。背景としては、明治10年代半ばから台頭した、アーネスト・フェノロサの提言による日本の伝統美術の再評価と国粋主義の影響を受けたことも大きい。
明治20年に文部省下に作られた東京美術学校は、同校設置の中心となった伝統美術改革派のフェノロサと岡倉覚三（天心）の思想を体現し、教科の設定にもそれが表れていた。絵画と彫刻、美術工芸の三科を設け、このうち絵画は日本画に限り、彫刻は木彫に、美術工芸の金工、漆工のうち金工は彫金に限定していた。つまり、工部美術学校が西洋美術教育を行なったのに対して、開校当初の東京美術学校のカリキュラムは、日本画、木彫、美術工芸という日本の伝統技術のみで構成され、西洋画や塑造彫刻が無視されていた。しかし開校から7年後の明治29年に西洋画科が新設され、その三年後には西洋塑造を教える塑造科も設置された。以後、東京美術学校では日本系と西洋系、両者の美術が並存する体制となる。
京都では、明治13年（１８８０）に京都府画学校が開校する。これは東京美術学校設立より7年も早かった。画学校の教科は東西南北の四宗からなり、東宗では写生派とやまと絵、西宗では西洋画、南宗では南画（文人画）、北宗では狩野派など漢画系の絵画を教えた。

開校当初から西洋画科を設けていた京都府画学校だったが、やがて東京で台頭した国粋主義の影響を受けることになる。明治22年に西宗廃止を巡る議論がおこり、翌年廃止が決定した。当時の東京美術学校に西洋画科はなく、このとき、日本における西洋絵画の公的教育がいったん止まることになった。西洋絵画教育が再開されるのは、昭和20年に京都市立美術専門学校と改称してからのことである。その間の京都の洋画教育は、田村宗立の明治画学館、浅井忠の聖護院洋画研究所や関西美術院といった、私塾が担っていた。

ここまでは専門教育の視点でみてきたが、明治の美術教育は、一部の美術家養成のためだけに行なわれたわけではない。小学校をはじめとする普通教育の場で、より広い範囲での国民を対象とした図画教育が実施されていく。

明治初期の図画教科書をみると、西洋絵画技法の基礎の習得が念頭に置かれていたことが窺える。ものの形を正確に把握することや、それに付随する陰影表現が、手本となる図形や図版で示された。宮本三平編『小学普通画学本』（127頁）は、刊行した文部省の奨励もあって翻刻による地方版が多数制作され、愛知県でも図画教科書として採用された。手本として掲載された図像には、西洋由来のもののなかに日本の景物に取材したものも含まれている。鉛筆画教科書が多かった明治初期を経て、明治20年代には毛筆画教科書が登場し、西洋化に寄っていた図画教育に伝統的な価値観も混在・並存していくことになる。

教科書の編集には、小山正太郎や本多錦吉郎、浅井忠など、専門的な西洋美術教育を受けた人物が関わっていることが多いが、一方で、全国的にはほぼ無名の画工・絵師が、地方の図画教科書に関わっている例もある。愛知関係でいえば、『小学普通画学本』とともに愛知県の図画教科書として採用された、『画学階梯』を編集している河野次郎、『毛筆水墨画』（130頁）を著した奥村石蘭などが挙げられる。

蕃書調所

美術の教育というと、今日では学校教育に組み込まれている。近世の状況を考えると、ひとつは狩野派など家業と結びついたタイプと、家業とは別に工房などで学ぶタイプに大別され、いわゆる学校教育というシステムではなかった。近代の美術教育は、近世的状況から現在的状況をつなぐ役割があったといえる。その改革のポイントは学校教育を主体とする点にあり、また特に義務教育課程において洋画教育が主体となった点にある。明治初期の洋画教育の展開を考えるとき、その指導者と指導書に注目してみるとよい。というのも、その時期には指導者も指導書も不十分だったからで、洋画がいまだ国内で完全に受容し、定着していなかったからである。

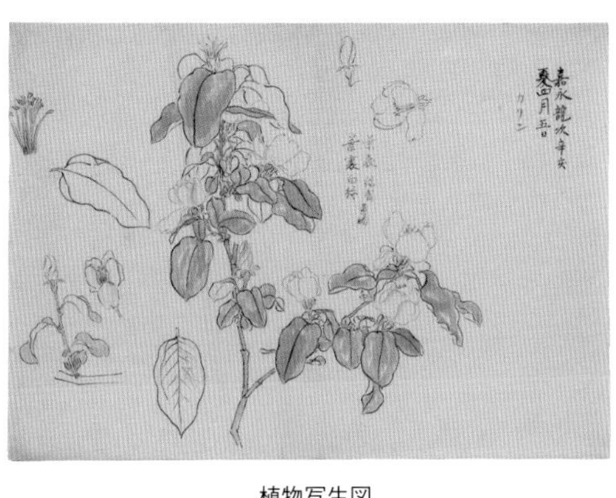

植物写生図
作者不詳

小山正太郎は、自分自身も明治期の洋画家として活躍し、明治初期の洋画の流れを学理派と実地派の二つの系譜に大別して語り残している。学理派とは徳川幕府の洋学研究機関だった蕃書調所、その画学研究部署である画学局から続く系譜、もう一つがチャールズ・ワーグマンに直接技術を学んだ系譜である。前者の代表が、川上冬崖、近藤正純だった。小山は、その冬崖の弟子にあたる。そして後者の代表が、五姓田義松、山本芳翠だった。なお、この理解だと高橋由一はふたつの系譜に列なる画家となる。
　その学理派に分類された冬崖ら画学局の面々が、その後の洋画教育を主導していく。もともと幕末から洋書などを翻訳し、手探りのなかで技術を実験し理解することが日常業務だった。そして洋学研究所の一組織として洋画を学問として探究し、その研究公開として作品制作や書籍発行が成果公開だったろうから、教育はその一環だったと考えられる。幕府の終焉によりその事業は中途で終るが、明治政府内部での継続、また私塾等での展開が確認できる。

『西画指南』原画
川上冬崖

　本展で初公開となる洋画技術を駆使した写生図（101頁）は、蕃書調所の活動を示す一群の可能性が高い。また初期の洋画指導書『画学規範』の肉筆原画が含まれていること（102頁）、その片隅に「近藤」と朱印が捺されていつころから、近藤正純の筆と考えるのが素直である。それらを含む團伊能旧蔵コレクションの中には、本邦初の洋画指導書となる川上冬崖の『西画指南』の肉筆原画（104頁）も含まれており、本作品群は幕末・明治初頭の洋画学習を考察する上で重要な存在と考えられる。『西画指南』はやや専門的で、その後の洋画指導者の育成に寄与する教科書だった。また彼らは一般書などで庶民への洋画普及の役割も果たし、冬崖らが関わった『輿地誌略』（155頁）はその代表例である。

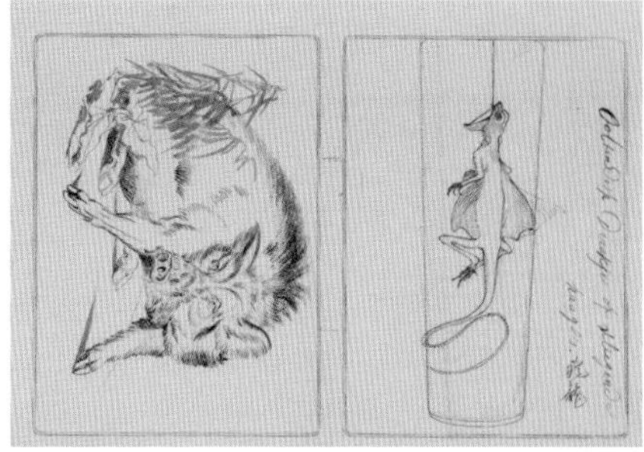

『博物図譜版本下絵類』
作者不詳　水彩、紙

模写類
作者不詳　水彩、紙

『博物図譜版本下絵類』
作者不詳　墨、紙

模写類
作者不詳　水彩、紙

写生図・模写
個人蔵（園伊能旧蔵コレクション）

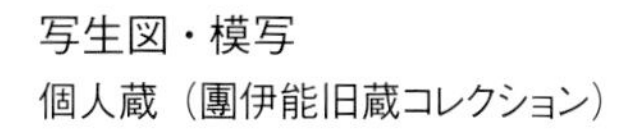

新出となる作品群。内容は西洋絵画の初学の色合いの濃い写生や模写など。和紙に筆で描かれたものが多い。次頁と同じ伝来となるため､旧蔵者は近藤正純か。近藤は､川上冬崖や高橋由一らと幕末以来、西洋絵画を学習したひとり。このたび、彼に関連すると思しき下絵や画稿類が新発見されたが、その詳細な研究が今後の課題である。

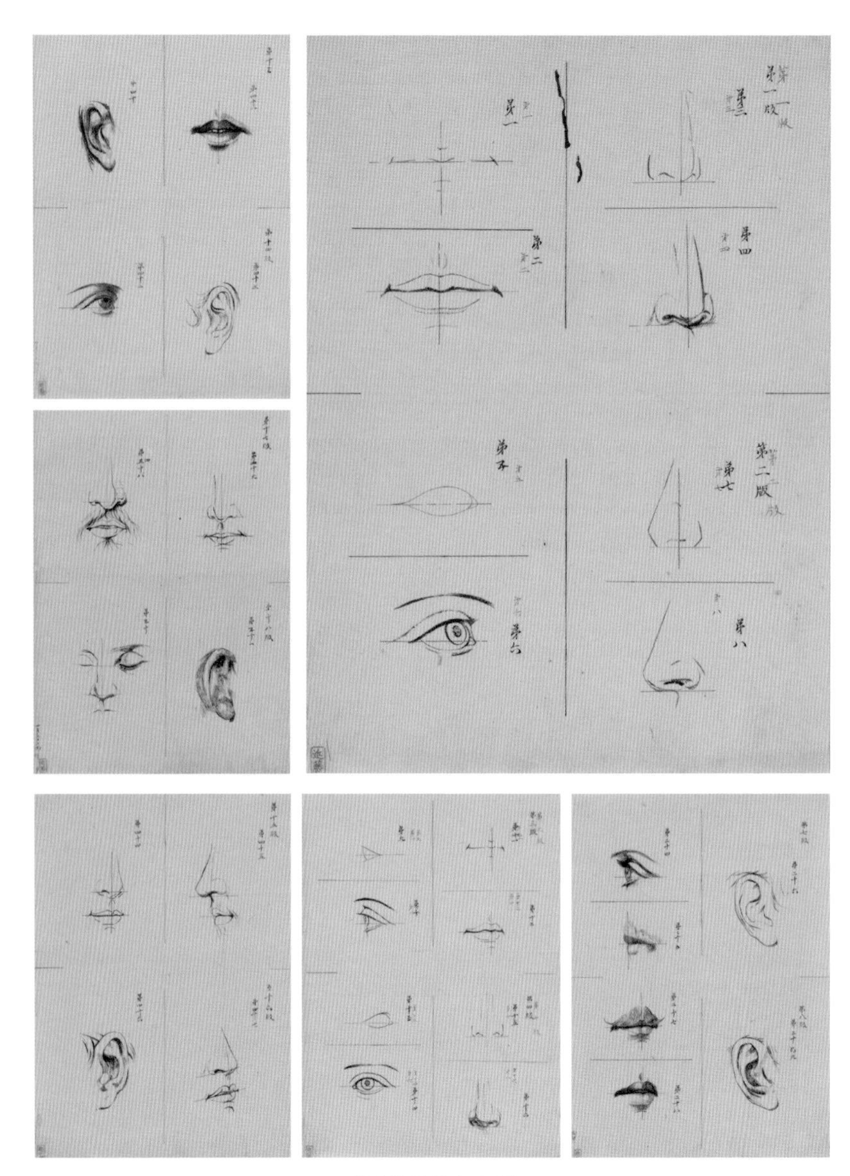

『写景法範』下絵

近藤正純　水彩、紙　個人蔵（團伊能旧蔵コレクション）

近藤らが著した図画教科書『写景法範』（明治7年）の下絵となる肉筆画。西洋の図画教本から丁寧に写し取っているが、画材は毛筆に和紙という伝統画材だった。

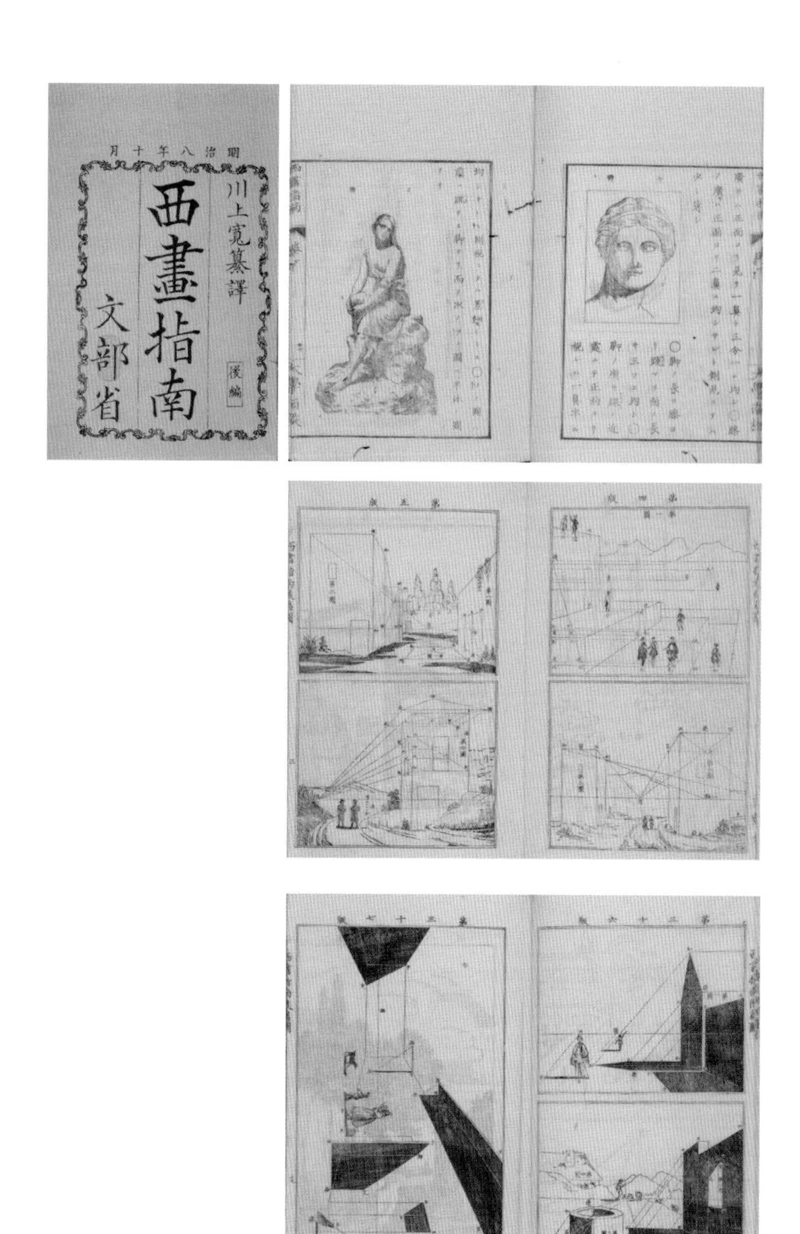

『西画指南』

川上冬崖　明治4年・8年　木版、紙　神奈川県立歴史博物館 橘

冬崖が著した、本邦初の洋画教科書となる『西画指南』。著述による説明と、図版からなるが、その図版は景物よりもパースペクティブに関連する内容が多い。

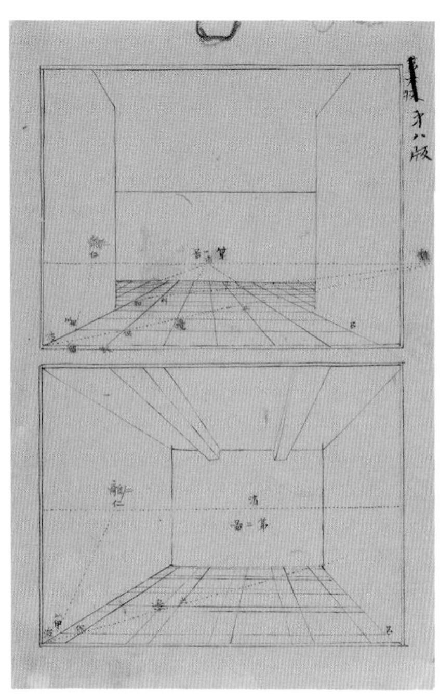

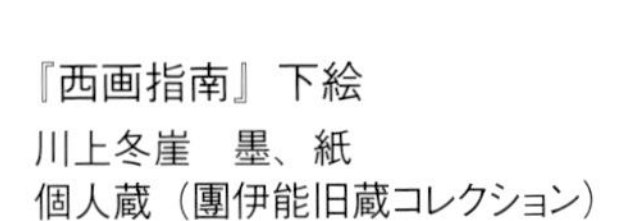

『西画指南』下絵

川上冬崖　墨、紙
個人蔵（團伊能旧蔵コレクション）

『西画指南』下絵や試刷。冬崖の明らかな洋画は少ないため、冬崖筆か短絡的な判断は避けられるべきだが、下絵ながらこの存在は貴重。

column

近代の学校制度

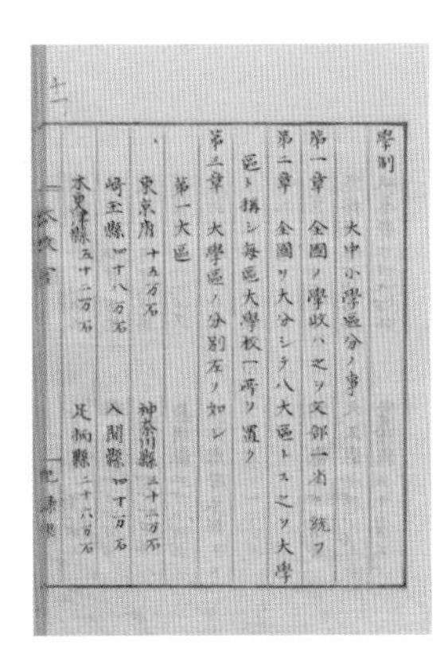
學制　大中小學區分ノ事
第一章　全國ノ學政ハ之ヲ文部一省ニ統フ
第二章　全國ヲ大分シテ八大區トス之ヲ大學
區ト稱シ毎區大學校一所ヲ置ク
第三章　大學區ノ分別左ノ如シ
第一大區
東京府　十五万石　神奈川縣　三十二万石
埼玉縣　四十八万石　入間縣　四十万石
木更津縣　五十二万石　足柄縣　二十六万石

『学制発行／儀伺』明治５年

明治４年の廃藩置県までは基本的に幕末の教育が継承されたが、同年に文部省が設置され、明治５年８月に欧米の教育制度を範と下学制が公布されると、小学校に注力すること、女子男子均しく教育すること、師範学校を設立することなどが目指された。全国を大学区に区分し、各府県では中学区、小学区を定めることになったが、実際には当時の行政区画である大区・小区制度を基礎に定めるものが多かった。小学校は下等（4 年）、上等（4 年）、中学は下等３年、上等３年、大学の年限に規定はなかった。明治８年には全国に約 24,500 小学校が開校し、就学率は約 35％であった。校舎は寺院や民家を利用する学校が大半を占めていた。これらの小学校の教員を養成するために東京に師範学校がおかれ、明治６年―７年には各大学区本部に官立師範学校が設置された。明治９年の愛知県下等小学の教科書一覧には算数や地理、文字、歴史等の教科書の中に画学書が含まれたが、「近刻」と記されおり、当時の小学教育における画学の位置をあらわしている。

明治 12 年に学制は廃止され、中央集権化を改め、地方の自由に任せる教育令が出されるが、教育の混乱を招いたため翌年改正され、府県の権限が強化された。明治 19 年に森有礼は学校種別ごとに学校令を制定し、小学は尋常小学校（4 年）、高等小学校（4 年）その上に公立尋常中学校、高等中学校、帝国大学としてこの制度が基本的に昭和前期まで続くことになった。

球と多角柱
松岡壽　明治17年　コンテ、紙　東京藝術大学

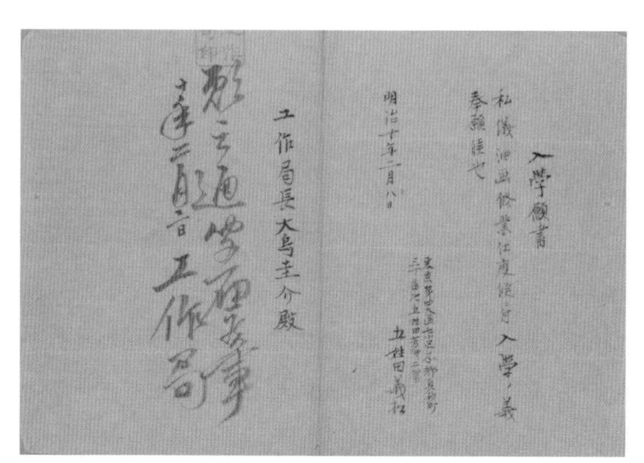

入学願書
私儀油画修業仕度候ニ付入学ノ義
奉願候也
明治十年二月八日
五姓田義松
工作局長大鳥圭介殿

入学願書
明治10年　墨・朱墨、紙　神奈川県立歴史博物館 橘

五姓田義松の工部美術学校入学願書。この半年後、耳鳴りを理由に退学している。

裸体人物
中丸精十郎　制作年不詳　赤茶チョーク、紙　東京藝術大学

裸体人物
中丸精十郎　制作年不詳
赤茶チョーク、紙
東京藝術大学

工部美術学校と愛知

日本で最初の官立による美術教育専門機関と言えば、多くの人は現在の東京藝術大学である、東京美術学校のことを想起するのではないかと思う。明治20年に設立された同校は確かに画期的な出来事であったが、それより7年前の明治13年に京都府画学校が開設されている。更にその4年前の明治9年に設置されたのが工部美術学校である。工部省工学寮に設置された同校は、画学科と彫刻家で構成され、画学はフォンタネージ、彫刻はラグーザという2人のイタリア人が教鞭をとった。お雇い外国人が直接教授する本格的な西洋美術教育がこの時期に始まったのは驚くべきことであるが、学校の名が示す通り、西洋の技術を導入するための美術教育という、殖産興業政策を念頭においた施策であったことは明白である。画学では小山正太郎、中丸精十郎、原田直次郎、五姓田義松、山本芳翠、山下りん、神中糸子らが、彫刻では大熊氏広、藤田文蔵、佐野昭などが学んでいる。しかし工部美術学校は明治16年にわずか6年余りで閉鎖されることになった。

短命に終わったとはいえ、同校の出身者が絵画、彫刻、建築など多様な分野で活躍していることは、前述の生徒名を確認いただければわかることであろう。しかし、この工部美術学校の出身者が愛知県の工芸等に足跡を残していたことは、余り知られていないため、ここで確認しておきたい。

常滑は陶器の産地として土管製造などで知られていたが、工部美術学校彫刻科出身の菊地鋳太郎、内藤陽一、寺内信一は明治16年設立の常滑美術研究所の教員として後進の指導に当った。彼等は「日本における西洋風建造物を

破牢　大熊氏廣　明治15年

建設するための人材育成」を課題としてギリシア・ローマの建築装飾を手本とした技術指導が行われていた工部美術学校の指導を踏襲し、画学、幾何学、遠近法、解剖学、石膏模型、彫塑を教えた。また、それまで木型や土型が中心であった成形法に石膏型を加えて、複雑な浮彫の複製を可能とし、輸出陶器の技術を向上させた。

瀬戸では工部美術学校彫刻科出身の小栗令裕、村上恒が明治15年4月に瀬戸村美術学校で教鞭をとっている。瀬戸の陶工たちが前年の内国勧業博覧会における工部美術学校彫刻作品に衝撃を受け、同校出身者を招聘したのが始まりである。瀬戸村、赤津村から十数名が集まり、格段の技術の進歩を見せたというが、不景気で生徒の退校が相次ぎ、翌年5月に閉鎖した。しかし六代川本半助や松風嘉定がここで技術を磨いたことは特筆すべきことであろう。

もう一人、中村経太郎という人物も名古屋に関係している。中村は工部美術学校彫刻科を卒業、明治32年にパリ万博出品用に名古屋の松村陶器製造所の依頼でパラント生地磁器製の狆（二尺三寸）を制作、更に瀧藤萬次郎よりヴィーナス愛の神全身立像の陶製彫刻（四尺三寸）制作を依頼されたという。同年岐阜県土岐郡立陶器学校に赴任し、模型、彫刻、洋画を指導、明治37年設立の岐阜陶友会の審査員も務めている。明治42年10月には朝鮮京城工業伝習所技手となっている。

欧州婦人アリアンヌ半身
小栗令裕　明治12年　石膏　東京大学大学院工学系研究科建築学専攻

明治14年第2回内国勧業博覧会に工部美術学校彫刻生徒作品として出品されたものと思われる。展示に触発された瀬戸の職人の要請で小栗は瀬戸で教鞭をとる。

無題（肖像浮彫）
内藤陽三　明治14年　石膏　東京大学大学院工学系研究科建築学専攻

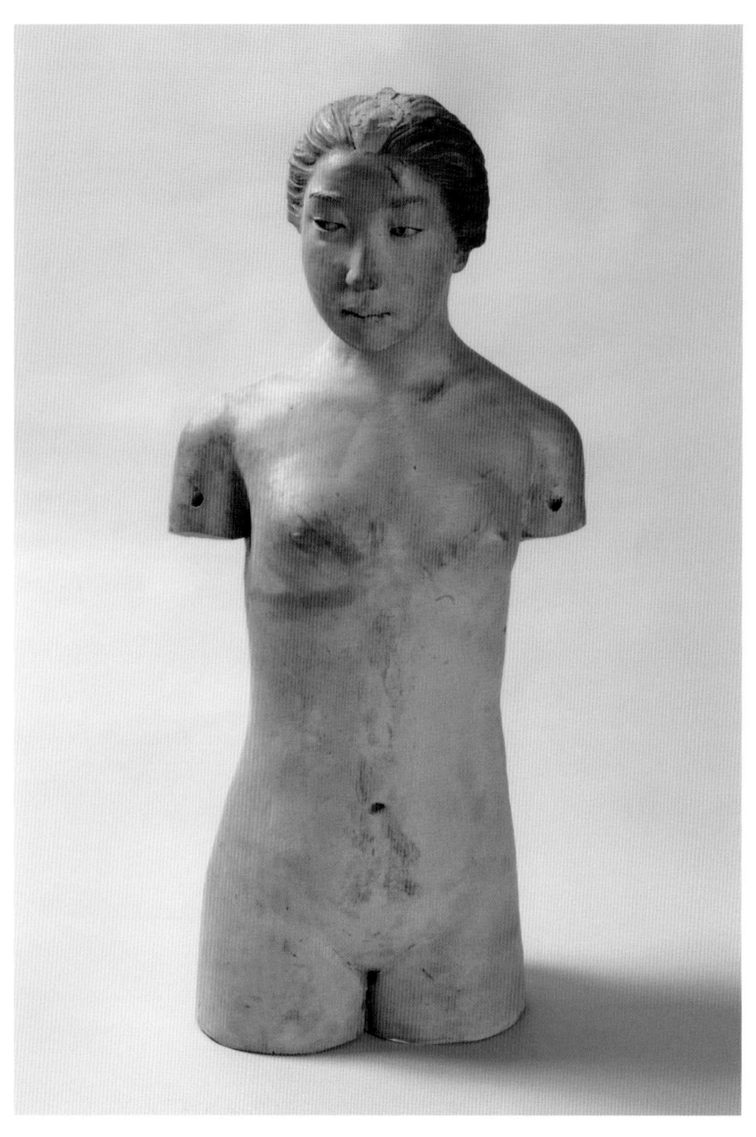

裸婦像

寺内信一　明治17年　陶　とこなめ陶の森　常滑市指定有形文化財

近代では最古の部類に属するこの裸体彫刻は、工部美術学校卒業後常滑に赴任した寺内が陶で制作した。

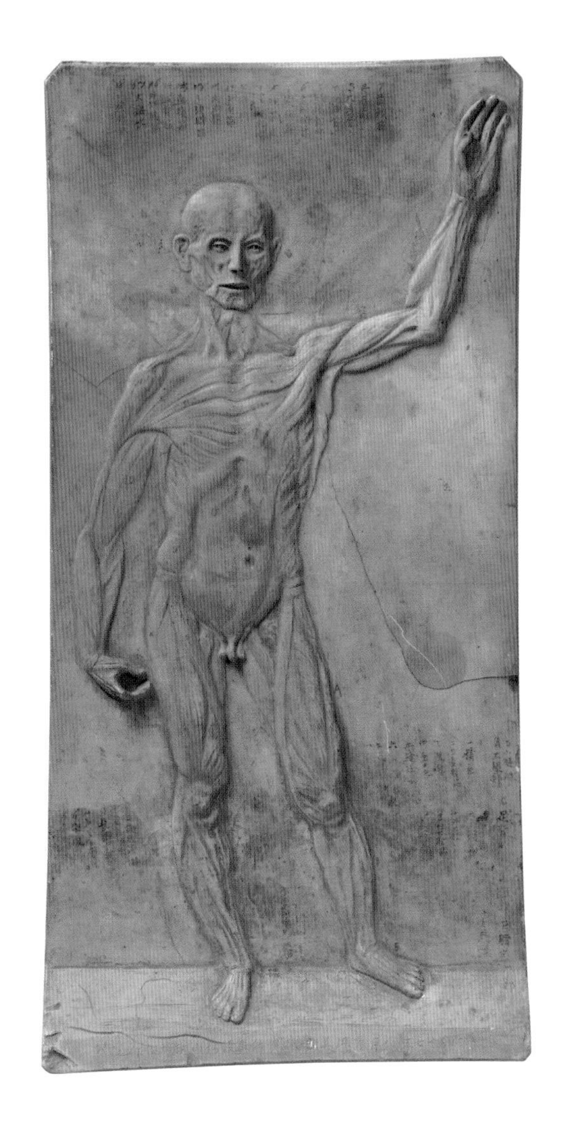

筋学像

松山政太郎　明治17年　陶　とこなめ陶の森

常滑美術研究所で内藤陽三、寺内信一に教えを受けた松山は博物館で粉本研究に勤しむなど、研究熱心な生徒であったという。筋肉を題材とした非常に珍しい像である。

鯉江方寿翁胸像
内藤陽三　明治18年　陶　とこなめ陶の森

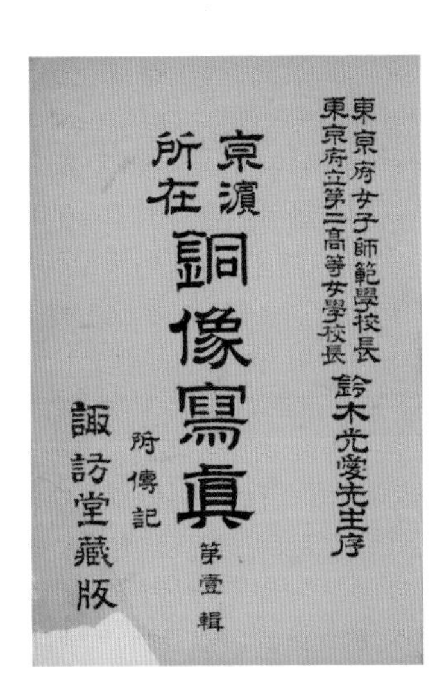

東京府女子師範學校長
東京府立第二高等女學校長 鈴木光愛先生序

京濱所在銅像寫眞 第壹輯

附傳記

諏訪堂藏版

故北白川宮殿下銅像

故廣瀬海軍中佐及杉野兵曹長銅像

『京浜所在銅像写真』
人見幾三郎編　明治43年
神奈川県立歴史博物館 橘

明治期、東京府内を中心に多くの銅像が建立された。しかし、太平洋戦争下の金属供出などで、その多くが現存しない。本書などを通じて、その実存を把握するばかりである。

東京美術学校

美術教育の歴史を国家規模で考えると、明治22年開校の東京美術学校（現東京藝術大学）は、大きな一歩だったといえる。明治9年の工部美術学校が国家規模での建設建築を支えるための美術という分野に限定されていたのに対して、純粋美術から応用美術までひろく高等教育として提供する機関としてスタートした意義は大きい。開校当初は日本画、木彫、金工、漆工の四科、のち西洋画、図案、塑像が加わり、以後再編整備が継続した。

その開校時のカリキュラム編成を担った岡倉天心の構想から、西洋由来の技術は排除されていた。天心らは明治十年代半ばから伝統技術保護とそこに立脚した新興美術の創成を目論見、すなわち「日本画」の誕生を急いでいた。

橋本雅邦使用筆・刷毛

狩野芳崖、橋本雅邦らがその役割を担い、鑑画会などでその成果があらわれていた。そのような動向とも連動して開校した東京美術学校初期は、漢画とやまと絵など旧来の画派による分類で学生らも分かれながら学び、また旧来の指導法をおよそそのまま採り入れたという。その意味では近世から継続する工房・徒弟制を継承する部分もあり、芳崖・雅邦らに幼少より学んだ下村観山の手元には、雅邦使用の筆や羽織が伝わっている。

「木挽町画所」 橋本雅邦
『国華』3号、明治22年

やや脱線し、天心の活動にここで触れておくと、東京美術学校開校の明治22年という時点で、彼が今日まで続く美術システムの大要を決定したといえる。ひとつが、国立博物館である。当時の天心は、同館副館長として関与しており、今日の文化財保護と活用の基礎を形成した。加えて、美術研究雑誌『国華』創刊もこの年10月だった。現在も継続刊行される同誌は、東アジア美術全般の学術研究の、最高峰の発表媒体だった。

さて、開校時点では採用されなかった西洋画教育は、明治29年の黒田清輝の着任によってはじまる。黒田は蕃書調所以来の幕府―政府主導の美術教育に学んだ画家ではなかった点も特徴的といえ、いわゆる明治洋画の旧派が衰退する大きな契機ともなった。黒田は同校での指導のほか、同時に白馬会も主催し、学生らの発表の舞台ともなり、以後の洋画家供給の拠点となっていく。

絵画二分野に加え各学科を配した構成は、明治期に基礎が築かれ、同校以外の高等美術教育機関の祖型となった。その学科構成と関連させて重視されるのが、明治40年の図画師範科の設置である。美術教育の研究と美術教師の育成が課せられたことによって義務教育を担いつつ、同時に、作家養成としての高等教育も実践する組織体制が整えられていったのである。

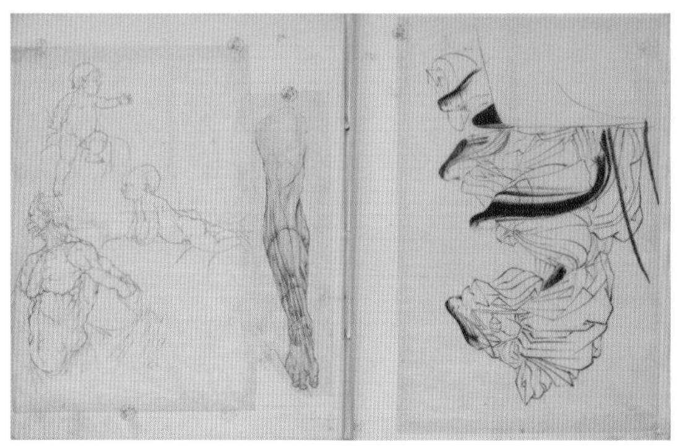

画稿貼込帖
下村観山　明治20年代前半
紙本著色
神奈川県立歴史博物館 観山

下村観山旧蔵の本帖は、東京美術学校在学期のもの。狩野芳崖、橋本雅邦に学んだ観山は、東京美術学校ではやまと絵の教室で学習した。その事実がわかる模写、スケッチブックにあたる。

下村観山肖像
和田英作　明治30年　油彩、画布　神奈川県立歴史博物館 観山

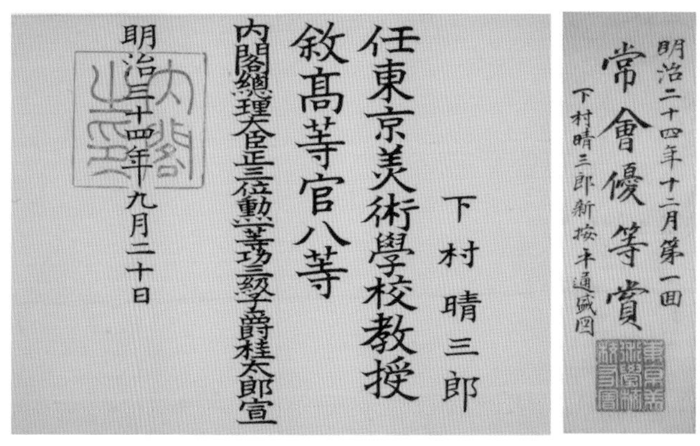

下村晴三郎
任東京美術學校教授
敍高等官八等
内閣總理大臣正三位勲一等功三級子爵桂太郎宣
明治三十四年九月二十日

常會優等賞
明治二十四年十二月第一回
下村晴三郎 新按平通盛図

叙任状　　褒章

下村観山を描く和田英作の肖像画。ジャンルをこえた、青年画家たちのつながりが興味深い。文書史料からは、同世代の横山大観や菱田春草よりも評価されていたとわかる。

レンブラント作《羽帽子をかぶった自画像》模写
黒田清輝　明治22年
油彩、画布
東京藝術大学

ベルナルディーノ・ルイニ作《小児と葡萄》模写
久米桂一郎　明治25年　油彩、画布　東京藝術大学

黒田、久米が海外留学時に模写した作品。手本となる西洋絵画が日本にほとんどなかった時代、現地で実物を模写した油彩画は技法研究の資料として重宝され、東京美術学校に西洋画科が設置されると積極的に収集された。

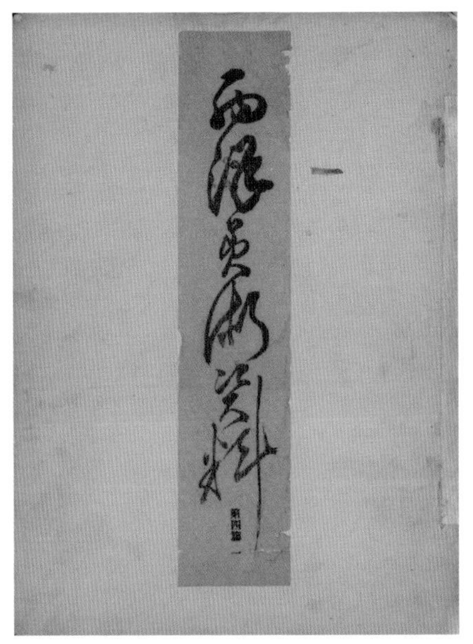

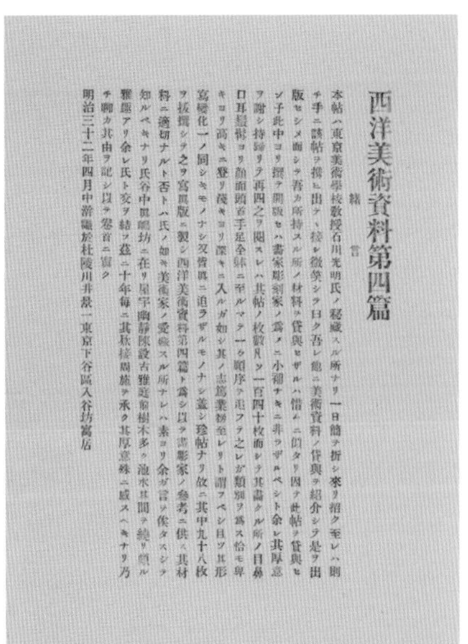

西洋美術資料第四篇

緒言

本帖ハ東京美術學校教授石川光明氏ノ秘蔵スル所ナリ一日簡ヲ折シ來リ稍ク宅レハ則チ手ニ該帖ヲ携ヘ出テ、接レ微笑シテ曰ク吾レ能ニ美術資料ノ貸與ヲ紹介シテ是ヲ出版セシメ而シテ吾カ所持スル所ノ材料ヲ貸與セザルハ惜ムニ似タリ因テ此帖ヲ貸與セン子此中ヨリ撰テ開版セハ書家彫刻家ノ爲メニ小補ナキニ非ラザルベシト余レ其厚意ヲ謝シ持歸リテ再四之ヲ閲スレハ其帖ノ枚數凡ソ一百四十枚而シテ其畫クル所ノ目鼻口耳鬚髯ヨリ顔面頭首手足全躰ニ至ルマテ一々順序ヲ逐フテ之レガ類別ヲ爲ス恰モ卑キヨリ高キニ登リ淺キヨリ深キニ入ルガ如シ其ノ志篤業務至レリト謂フベシ且ツ其形寫變化一ノ同シキモノナシ叉皆眞ニ逼ラザルモノナシ蓋シ珍帖ナリ故ニ其中九十八枚ヲ抜擢シテ之ヲ寫眞版ニ製シ西洋美術資料第四篇ト爲シ以テ畫彫家ノ參考ニ供ヘ其材料ニ適切ナルト否トハ氏ノ如キ美術家ノ愛翫スル所ナレハ素ヨリ余ガ言ヲ俟タスシテ知ルベキナリ氏谷中眞嶋坊ニ在リ屋宇幽靜陳設古雅庭前樹木多ク泉水其間ヲ繞リ頗ル雅趣アリ余レ氏ト交ヲ結ブ茲ニ十年毎ニ其款接周旋ヲ承ク其厚意殊ニ感ズヘキナリ乃チ聊カ其由ヲ記シ以テ卷首ニ冒ク

明治三十二年四月中澣識於杜陵川井景一東京下谷區入谷坊寓居

『西洋美術資料』第四篇一

川井景一編　明治32年　神奈川県立歴史博物館 橘

彫刻科を担当した石川光明所蔵書籍の複製。教師たちは自身の蔵書などを講義資料として活用した。また次頁『西洋近世名画集』のように教師たちは優品を書籍のかたちで紹介し、教育と普及に同時に努めた。

『西洋近世名画集』
黒田清輝他撰　明治38年　神奈川県立歴史博物館 橘

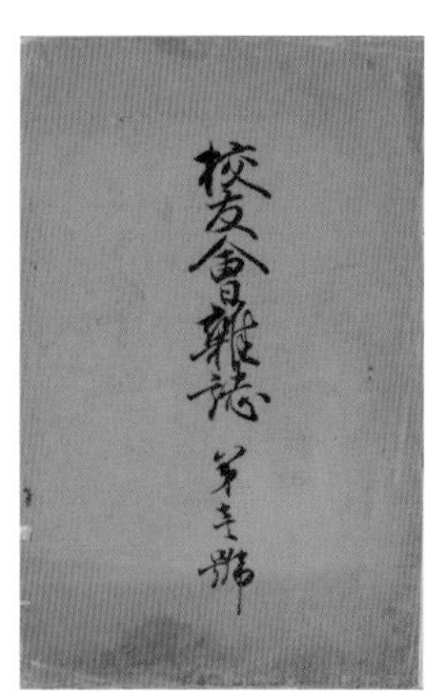

『校友会雑誌』
明治32年　神奈川県立歴史博物館 橘

校友会は東京美術学校のＯＢ組織の刊行物。卒業生らの結束が、美術界を大きく支えもした。

column

美術史

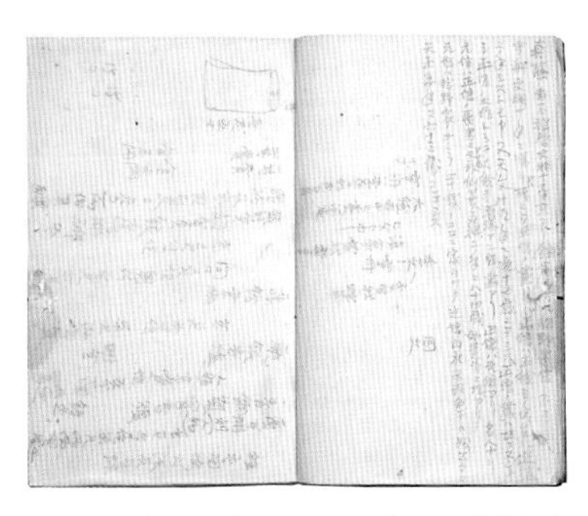

写生帖（日本美術史ノート）　下村観山
明治22年　鉛筆、紙

美術という言葉が明治初頭に造語され、その理念形成や分類がおこなわれた。同時に、その美術の歴史を、近代国家という単位で形成することが求められた。それもまた対外的に自国の文化的優位性を示すための手段のひとつだった。他方で、中近世においても、過去の作品や作家の詳細を描き残す仕事は存在し、特に国学者たちの傾倒による研究蓄積があったことも見逃せない。

日本美術史という総体を夢想し、叙述しようと試みた活動は数多いが、その代表が岡倉天心である。彼が東京美術学校で講義した内容をメモ的に書き留めた下村観山《写生帖（日本美術史ノート）》は、美校第一期生の記述としても重要であり、今日の理解と重なる部分が大きい。また、天心は歴史を編みつつ、同時代の最新の美術を指導した点も特異である。

明治33年のパリ万国博覧会にあわせてフランス語版で、はじめてその体系が示され、翌34年にその日本語版の帝国博物館編『稿本日本帝国美術略史』が農商務省より刊行され、ひとまずの帰結を示す。

ただし、「日本美術史」は歴史叙述であるため、研究の進展により絶えずアップデートされ続ける存在でもある。その修正を目指し、個別作家や作品の研究、あるいは時代や技法、地域別の美術史が、数多く編著された。

教科書

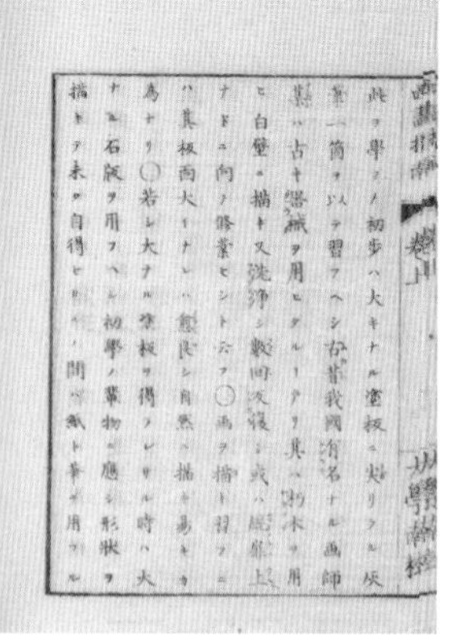

『西画指南』
川上冬崖　明治4年・8年

現在の小学校教育で、美術教育科目は「図画工作」と呼称される。その基礎が整備されたのが明治だった。西洋から移植された「美術」が制度として成立していくのと同時に、新時代の「美術」教育もまた、明治の新制度の中で行われていく。明治政府の方針は、そこで採用された教科書内容にも現れている。

明治政府が力を入れた美術教育とは、西洋絵画技術の基礎を習得することだった。洋画の基礎を初等教育に取り入れたのは、洋画の技術が社会の様々な分野で重要とみなされた結果だろう。点と点を線でつなぎ、幾何学図形を描き、線遠近法を習得し、陰影を使用し、三次元の二次元化につとめ、器物、動物、建築、風景、人体を描くことができるようになること。科目名に「図画」や「手工」という名称が付されたことからもわかるように、制作主体のもので、教養としての美術史や鑑賞教育ではなかった。

明治初期に刊行された教科書は、そのほとんどが臨画（模写）のた

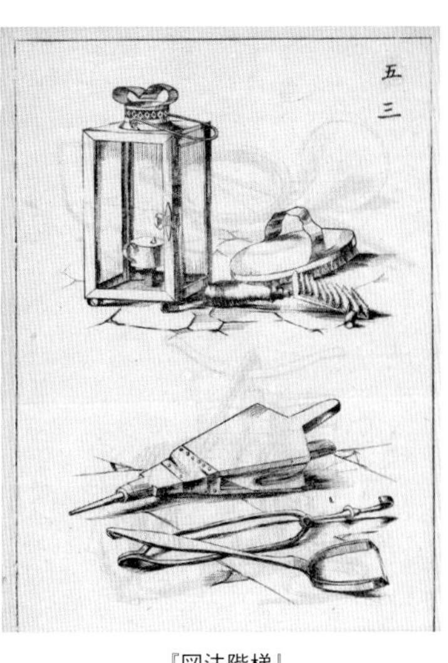

『図法階梯』
宮本三平・狩野友信・山岡成章　明治５年

めの手本集であり、絵画を中心としていて、しかも洋画に関するものが多い。明治4年に出版された『西画指南』は、西洋画の教科書・啓蒙書として最初期に属する。明治5年に出版された『図法階梯』は模写主体の仕様を提示する最も早い時期の教科書で、以後の図画教科書には、この形式が多く踏襲された。習得する技術のなかには、鉛筆の使用も含まれていた。

明治10年代半ば頃から、伝統美術保護の大義名分のもと、東アジアの伝統的な絵画技術の復権が主張され始めた。図画教育での鉛筆画・毛筆画の採択を巡る西洋派と国粋派の対立は、洋画式教育＝鉛筆画と、伝統的な教育＝毛筆画の二項対立的な対立、ひいては洋画と日本画の代理戦争の様相も呈していた。明治20年代から30年代初めにかけては、初等（小学校）から高等（美術学校）に至るまで、毛筆画教科書の全盛期となる。それは、西洋化一辺倒の教育の修正が図られるようになったともいえるし、教育現場の実際的な問題もあったようだ。つまり、鉛筆は、当時まだ生徒全員が容易に購入し、授業のために準備できるほどには安価なものではなかった。それに比べて毛筆は、明治以前から使用されている身近な道具で入手しやすく、さらに、書の授業と併用できる利点があった。このような状況が、毛筆画の授業・教科書が採用され普及する背景にあったと考えられる。明治35年の図画教育調査委員会設置後は、鉛筆・毛筆の併用が図られ、それに基づく国定教科書が編纂されて、教育カリキュラムの統一が図られるようになった。

『図法階梯』
宮本三平・狩野友信・山岡成章
明治５年　石版、紙
神奈川県立歴史博物館 橘

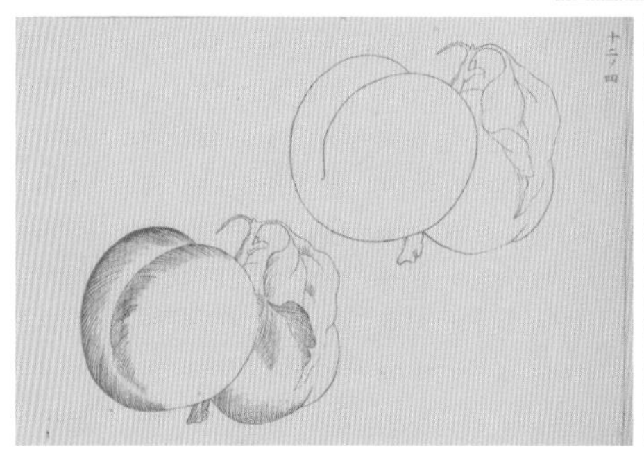

『西洋画譜』
高橋由一　明治７年　石版、紙
神奈川県立歴史博物館 橘

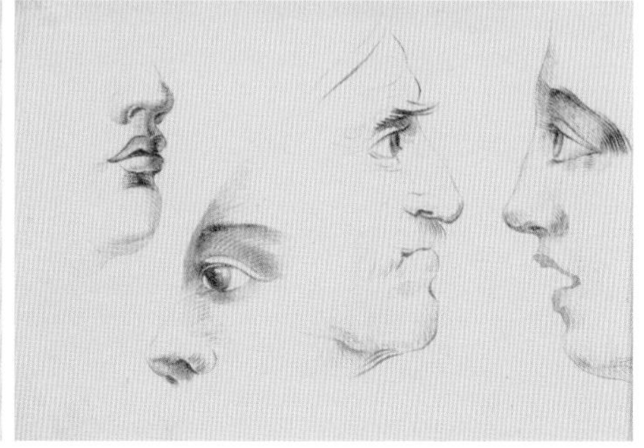

明治10年代以前の図画教科書は、西洋からの書籍をそのまま引用した図が多い。その後、次第に、国内の景物が描写対象となっていった。

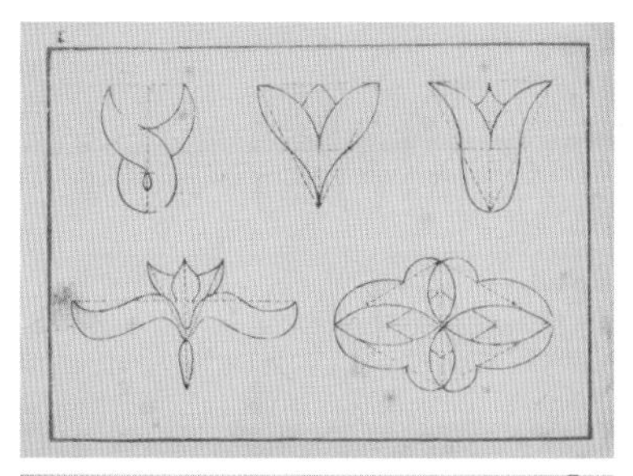

小学 普通 画学本 甲之部 第1-3
宮本三平著、文部省出版　明治11年
愛知芸術文化センター愛知県図書館・神奈川県立歴史博物館 橘

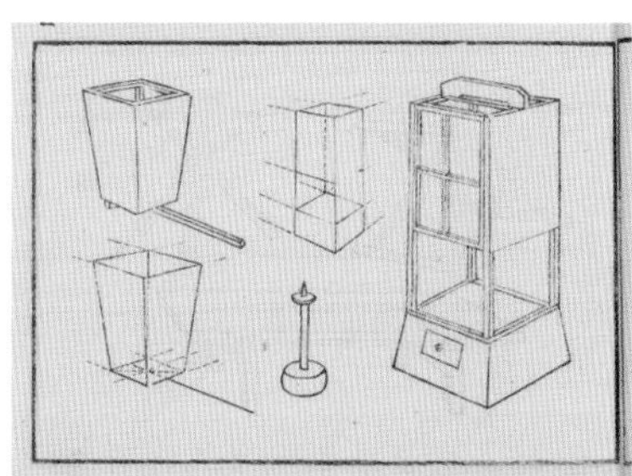

小学 普通 画学本 乙之部 第1-3
宮本三平著、文部省出版　明治11—12年
愛知芸術文化センター愛知県図書館・神奈川県立歴史博物館 橘

『習画帖』
浅井忠・柳源吉　明治15年　石版、紙
神奈川県立歴史博物館 橘

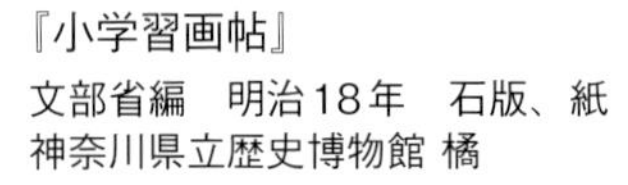

『小学習画帖』
文部省編　明治18年　石版、紙
神奈川県立歴史博物館 橘

『小学習画帖』は、明治前期図画教科書のひとつの到達点。体系的な学習を経て、最後に高度な風景画の習得へ至る。同書は浅井忠・柳源吉『習画帖』を基礎としている。

『小学画手本』
本多錦吉郎　明治20年　石版、紙
神奈川県立歴史博物館 橘

『画学類纂』
本多錦吉郎　明治23年　石版、紙
神奈川県立歴史博物館 橘

明治10 年代後半の図画教科書は、今日でも著名な画家たちの制作である場合が多かった。当時の現代美術と美術・図画教育の距離は近く、教科書の絵に魅了されて画家を志す若者もいた。

『毛筆水墨画』
奥村石蘭　明治16年　愛知芸術文化センター愛知県図書館

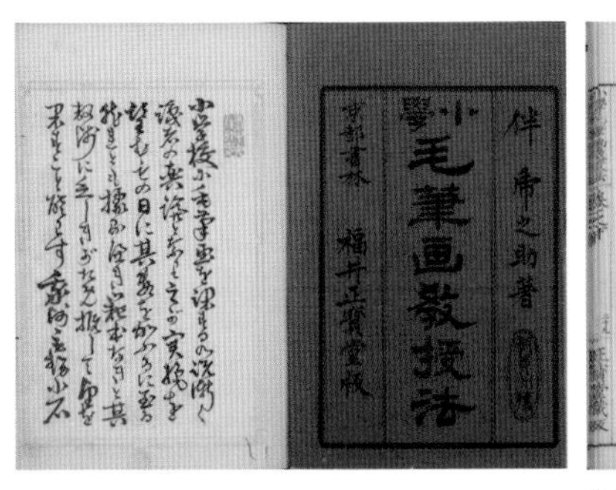
伴虎之助著
小學毛筆画教授法
京都書林　福井正寶堂梓

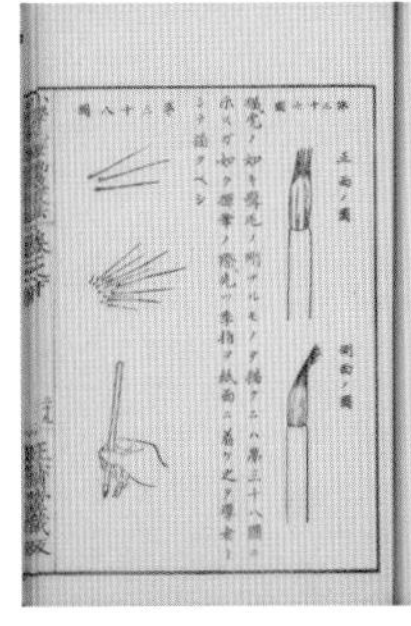

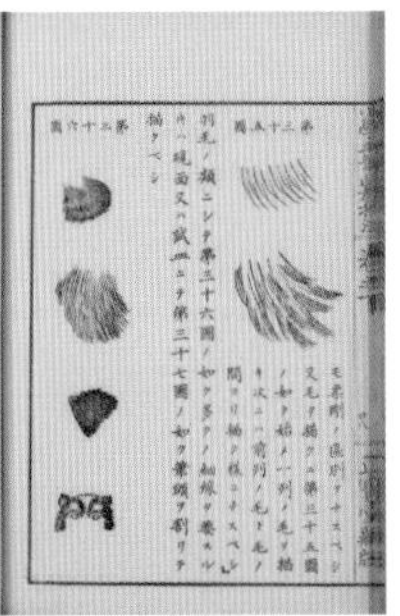

『小学毛筆画教授法』
伴虎之助　明治24年
愛知芸術文化センター愛知県図書館

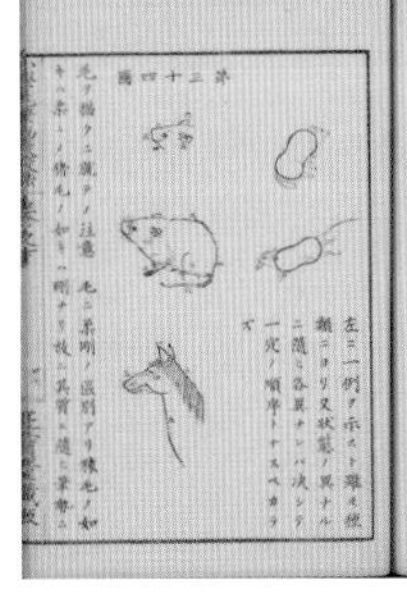

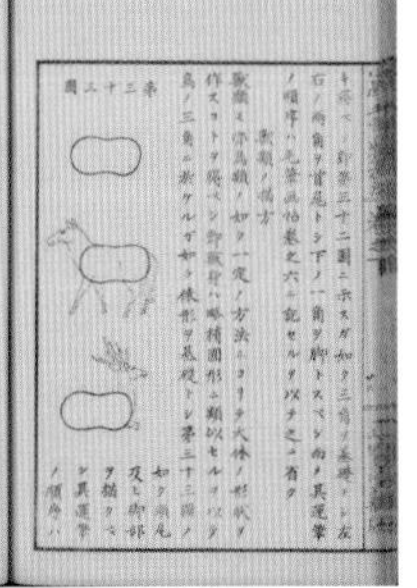

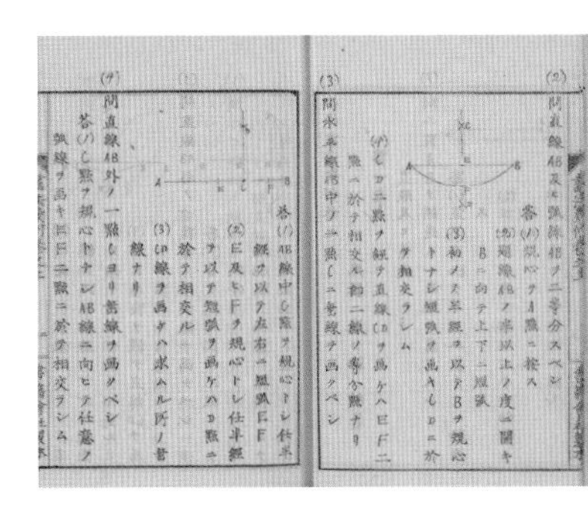

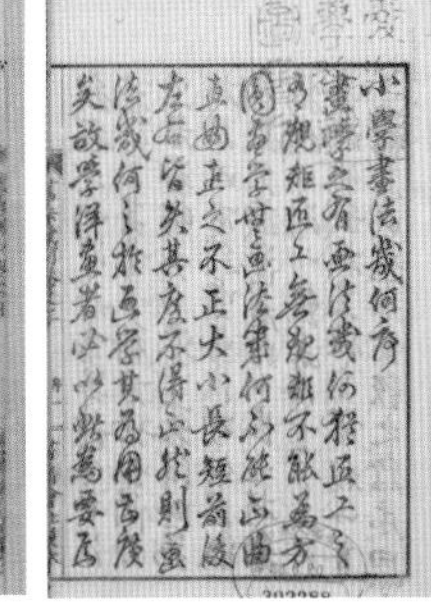

溝口幹編纂
小學畫法幾何
尾張書肆　書籍會社發兌

『小学画法幾何』
溝口幹　明治20年
愛知芸術文化センター愛知県図書館

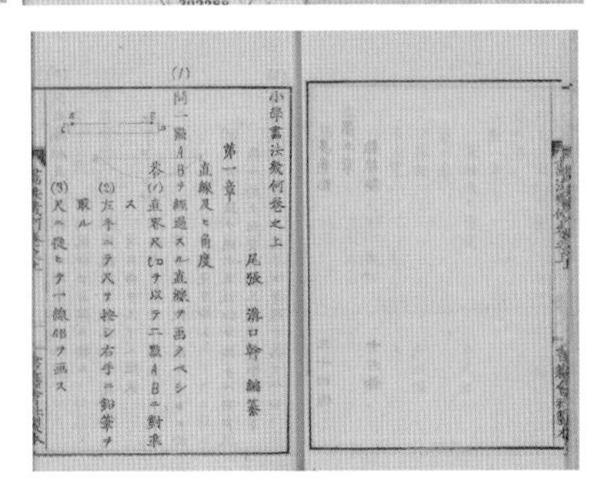
小學畫法幾何巻之上
尾張　溝口幹　編纂
第一章
直線及ヒ角度

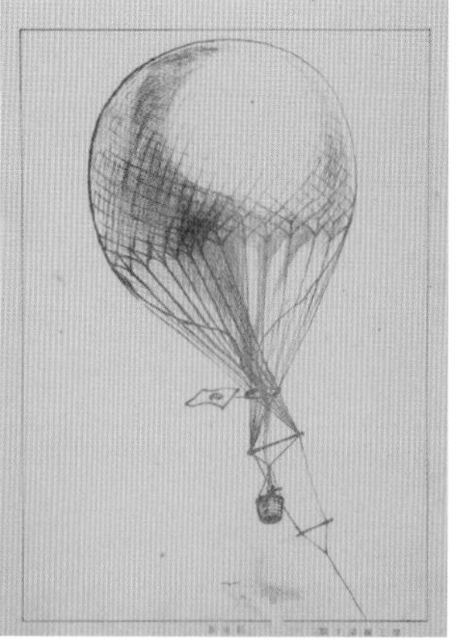

『中等臨画』
小山正太郎　明治33年　石版、紙　神奈川県立歴史博物館 橘

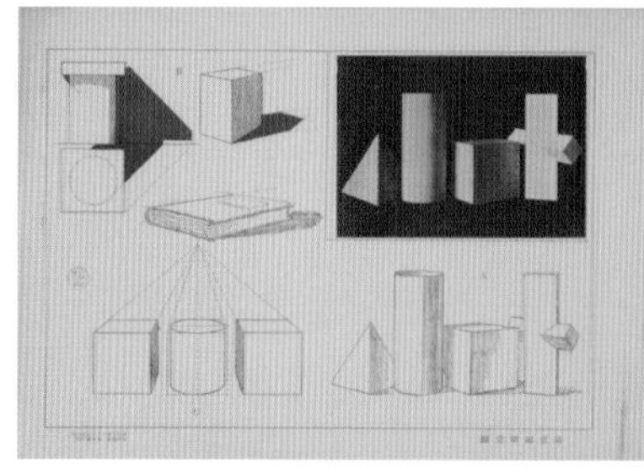
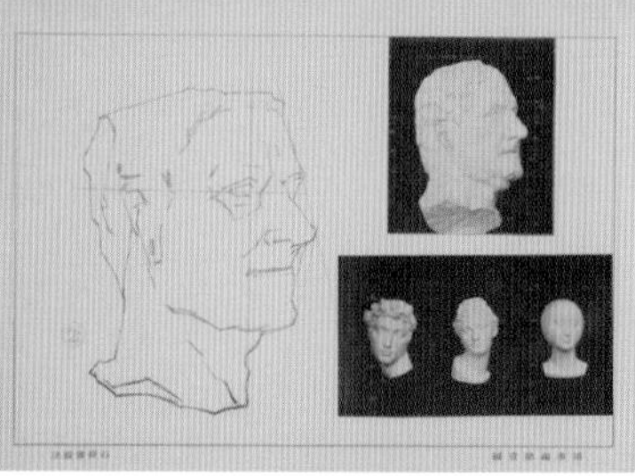

『訂正浅井自在画臨本』
故浅井忠編、都鳥英喜・渡邊審也編　明治42年　多色石版・網版、紙
神奈川県立歴史博物館 橘

明治30年代になると、鉛筆画毛筆画論争もひと段落して、両立でき、かつ高度な学習内容を含む教科書が増えていく。写真や多色刷の使用など、豪華とも形容すべき内容である。

『高等小学鉛筆画帖』　大正元年　神奈川県立歴史博物館

『高等小学毛筆画手本』
明治38年　神奈川県立歴史博物館

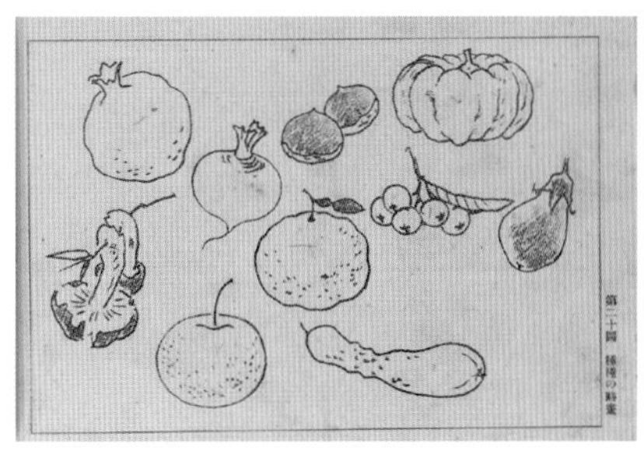

『尋常小学鉛筆画帖』
明治43年　神奈川県立歴史博物館

『高等小学毛筆画手本』　明治38年　神奈川県立歴史博物館

明治36 年、検定教科書制度が施行される。結果、より統一的画一的な指導が展開され、それを担ったのが国定教科書である。教育用の図絵が提供され、毛筆と鉛筆という画材の差が緩和される傾向も認められる。

column

鉛筆と筆

習作　五姓田義松

鉛筆は幕末に西洋からもたらされた最先端のツールだった。それまで筆と墨を筆記具の主体として文字も絵も記してきた文化に、新たに加わった。鉛筆はまた、筆記具ばかりでなく画材としても重宝された。筆よりも簡便に持ち運びができ、細い線を描くことができ、筆圧により肥瘦もつけられ、あるいは平行線を重ねて面を表現するなど、あらゆる面でメリットがあった。たとえば五姓田義松の十代半ばまでの作品の多くは、そのメリットを最大限に活用している。毛筆のような筆勢のある輪郭線と、陰影を示す斜線と濃淡を駆使し、明治初頭の風俗を義松は生き生きと捉えていく。

洋画は社会有用の技術であり、銅版画や石版画もそのひとつだが、その下絵を描く際に前提となったのも鉛筆だった。明治初頭の洋画家たちのなかで鉛筆に親しむものは少なく、義松の鉛筆画の豊かさがやや異質である。

近代の美術・図画教育でも、当然ながら、鉛筆が重視された。明治10年代から本格化する図画教育も、鉛筆画がその初歩として採用されたと多くの教科書から理解できる。しかし、鉛筆の国産化とその普及は、明治末を待たなければならず、その普及と実践には時間がかかった。美術の高等教育にあたる東京美術学校では、日本画科では毛筆の重視、また黒田清輝が帰朝後の西洋画科では木炭が積極的に採用されてもいる。そして鉛筆を日常使いするようになり、鉛筆の画材としての地位は相対的に低まったと考えられる。ただ、近代の大きな変化という点では、鉛筆が果たした役割は実に大きいのである。

ケシ
河野次郎　明治11年　鉛筆・水彩、紙
名古屋市美術館

ジンチョウゲ、レンギョウ
河野次郎　明治10年　鉛筆・水彩、紙
名古屋市美術館

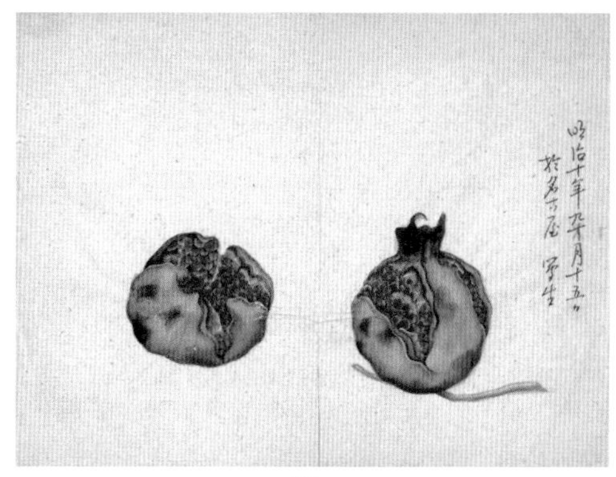

ザクロ
河野次郎　明治10年　鉛筆・水彩、紙
名古屋市美術館

サフラン［サフランモドキ］
河野次郎　明治11年　鉛筆・水彩、紙
名古屋市美術館

コウホネ
河野次郎　明治11年　鉛筆・水彩、紙
名古屋市美術館

スモモ
河野次郎　制作年不詳　水彩、紙　名古屋市美術館

模写類
河野次郎　制作年不詳　水彩、紙
名古屋市美術館

模写類
河野次郎　制作年不詳
鉛筆・水彩、紙　名古屋市美術館

女性像
河野次郎　制作年不詳
水彩、紙　名古屋市美術館

女性像
河野次郎　制作年不詳
油彩、紙　名古屋市美術館

西洋人物
河野次郎　制作年不詳　墨・鉛筆、紙
名古屋市美術館

西洋人物
河野次郎　明治９年　墨・水彩、紙
名古屋市美術館

猫
河野次郎　制作年不詳　鉛筆・水彩、紙　名古屋市美術館館

帆船
河野次郎　制作年不詳　鉛筆、紙　名古屋市美術館

帆船
河野次郎　制作年不詳　鉛筆、紙　名古屋市美術館

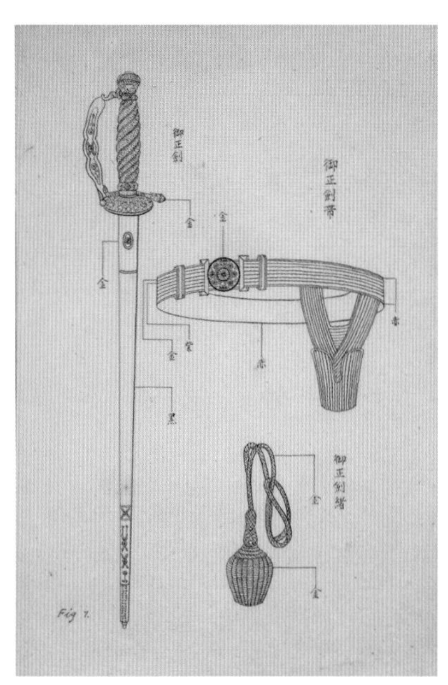

服制　御正剣 / 御正剣帯 / 御正剣緒
河野次郎　明治15年　インク、紙
名古屋市美術館

服制　御正衣
河野次郎　明治15年　インク、紙
名古屋市美術館

模写
河野次郎　制作年不詳　墨、紙
名古屋市美術館

LA SENŌRITA
多色石版、紙　調布市立武者小路実篤記念館

明治初頭に西洋絵画を学んだ河野は、愛知県立師範学校や中学校で画学教師を務め、愛知県の図画教科書『画学階梯』を編集した。海外の版画を模写したと思われる素描類からは、西洋の図像に対する河野の興味と実践がうかがえる。

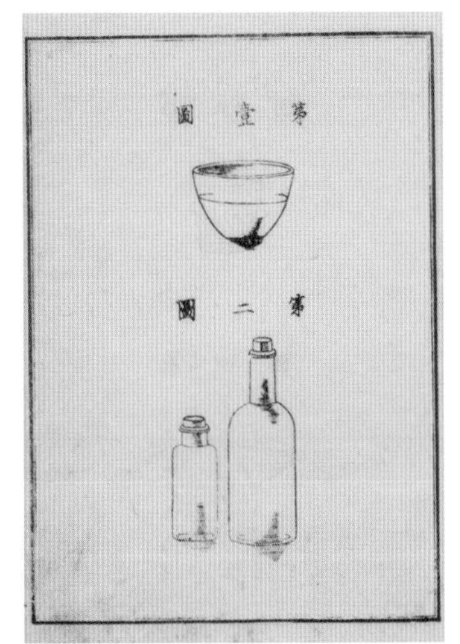

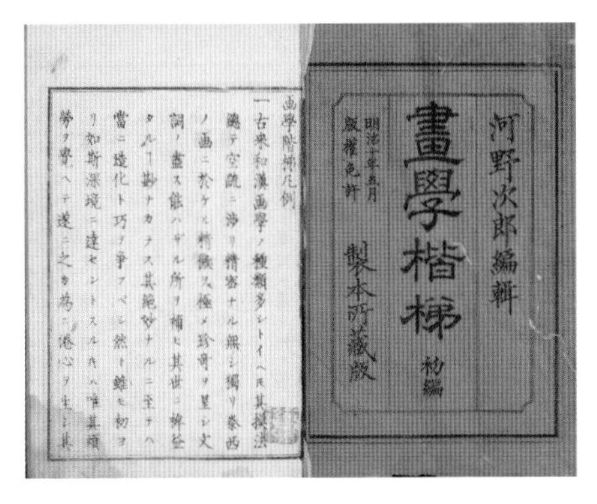

画學階梯凡例

一古來和漢画學ノ種類多シトイヘトモ其描法幾ト空疎ニ渉リ精密ナル無ミ獨リ泰西ノ画ニ於ケル精微ヲ極メ珍奇ヲ呈シ文詞ノ盡ス能ハザル所ヲ補ヒ其世ニ裨益タル一般ナカラズ其絶妙ナルニ至テハ當ニ造化ト巧ヲ争フベシ然トモ初ヨリ知斯深境ニ達セントスルモノハ唯其煩勞ヲ覺ヘテ遂ニ之ガ為ニ倦心ヲ生シ其

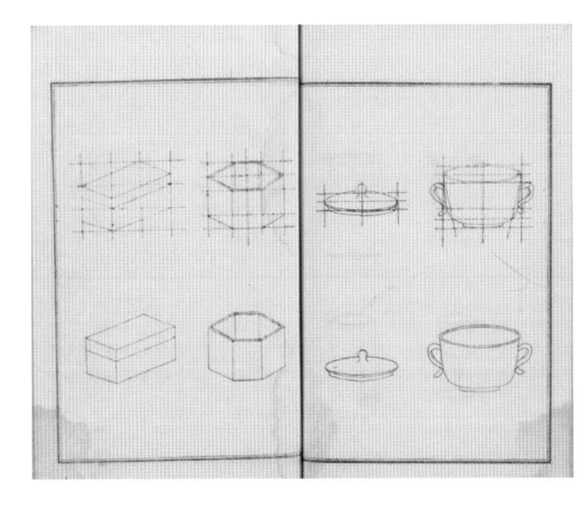

『画学階梯』
初編、二編、三編
河野次郎　明治10年・11年
銅版、紙／木版、紙
杜若文庫・金子一夫氏蔵

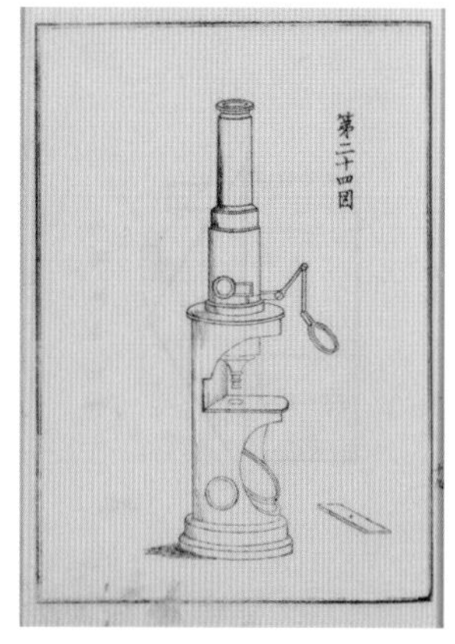

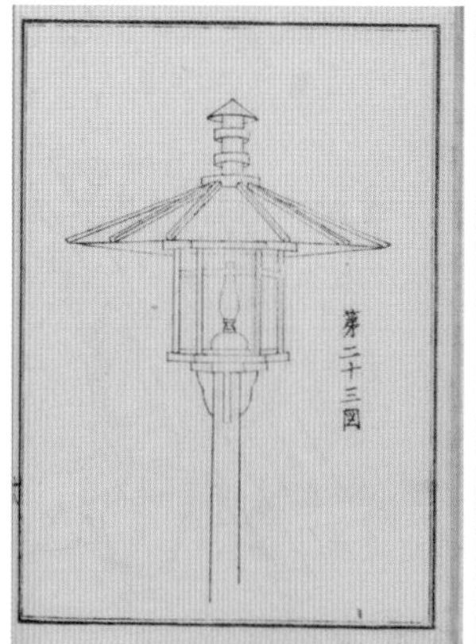

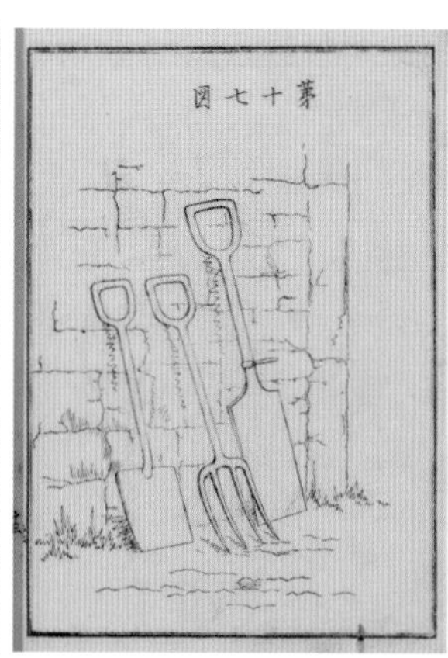

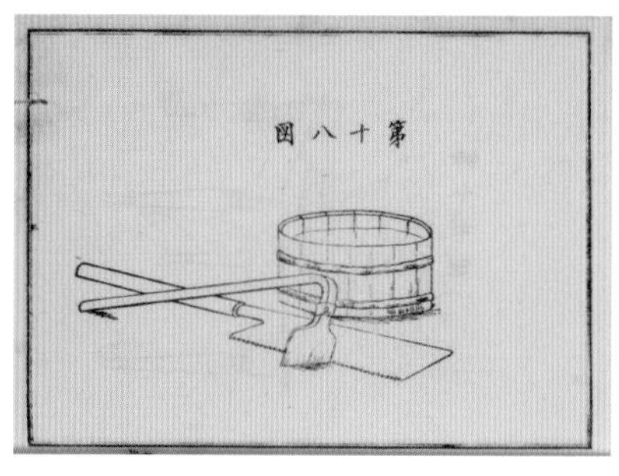

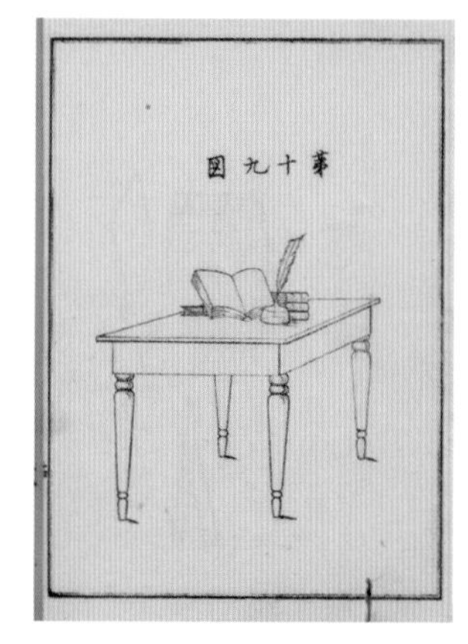

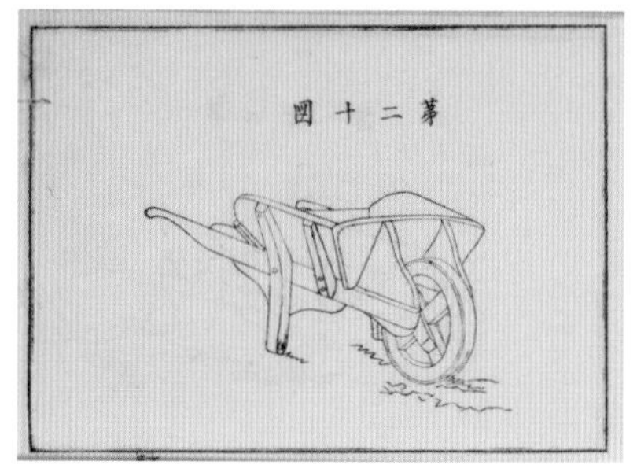

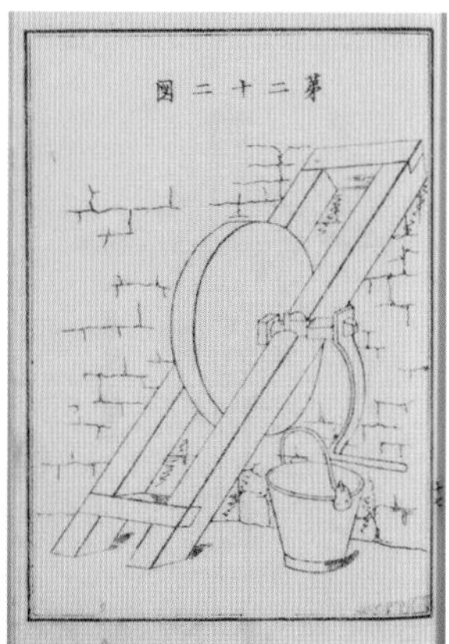

『画学階梯』 初編、二編、三編
河野次郎 明治10年・11年 銅版、紙 ／木版、紙
杜若文庫・金子一夫氏蔵

建築――旧横浜正金銀行本店本館を中心に

建築と美術の関係は密接である。特に近代日本において、従来の建築様式を改め、西洋式の建築を導入するにあたって、その基礎要件として西洋の技術＝美術があった。たとえば工部美術学校が諸建築を担う工部省により設置され、カリキュラムも建築という上位目的のもとに彫刻と絵画が位置づけられたことからも明らかである。

第一国立銀行（横浜写真アルバムより）

しかしながら、明治という時代に、日本の各地に西洋建築が建ったわけではない。今日、擬洋風建築という言葉があるように、その意匠や一部の工法が採用された過渡的な建築も存在した。特に東京や横浜などの明治初頭にその存在が多く認められるものの、震災や戦災により失われ、今は古写真などのなかにその偉容を偲ぶばかりである。ここに紹介する第一国立銀行もその一例である。新旧の技術や理念が混交する点は美術と同様といえる。

本格的な西洋建築はお雇い外国人や初期の留学生らを中心に設計され、建築された。その代表的な建築家が辰野金吾で、日本銀行本店（明治29年竣工）や東京駅丸の内駅舎（大正3年）などが代表作となる。彼のもとで、次世代の建築家が学び、全国へ展開していった。

旧横浜正金銀行本店本館現況写真

さて、その辰野と並び立つ存在だったのが、妻木頼黄である。その妻木の代表作が、旧横浜正金銀行旧本店本館（明治37年竣工）で、現在は神奈川県立歴史博物館として活用されている。現在、国指定重要文化財及び史跡となるその建築は、横浜居留地内、馬車道に面している。横浜正金銀行は、明治13年、外国との金融の円滑化、貿易増進を目的として福澤諭吉や時の時の大蔵卿大隈重信らの支援により開業した。その目的もあって、当時の横浜で地盤のよい港に近い立地だった。

地上3階地下1階の建物は、外壁には石材を使用しているが、その軀体の大部分が煉瓦造りである（補強煉瓦・石造）。その意匠は、石造の柱頭装飾をもつコリント式の大オーダーと、正面屋上に据えられた巨大なドームが特徴で、ネオ・バロック様式とされる。地上階は営業室など、大正12年の関東大震災により、1階から3階の内装とドームが焼失、後に復旧工事が果たされ、戦後まで銀行として使用されていた。昭和42年から神奈川県立博物館の建築として活用されることになり、ドームが復元され現在に至る。かつての地上階は営業室等で活用され、現在では展示室となっている。また地下は金庫室ほかがあり、現在でもかつての姿を偲ぶことができる（非公開）。建築にあたっては、実用と堅牢を目指したといい、内部構造も典型的な銀行建築である。震災や戦災をこえた、貴重な明治の建築である。

横浜グランドホテル
(「横浜写真アルバム」より)
日下部金兵衛　明治前期
手彩色、鶏卵紙
神奈川県立歴史博物館

旧愛知県庁
愛知県庁

双眼写真「東京銀座市中」
宮下欽　明治７年　鶏卵紙　個人蔵

（現況）

横浜正金銀行本支店建築写真アルバム
明治34年　銀塩写真　神奈川県立歴史博物館

横浜正金銀行本支店建築写真アルバム
明治34年　銀塩写真　神奈川県立歴史博物館

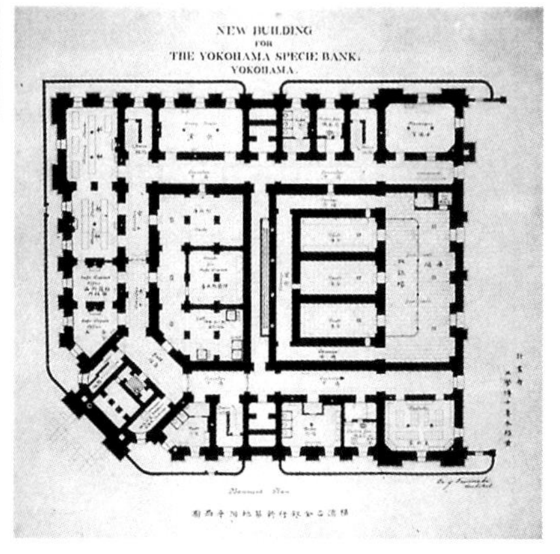

『横浜正金銀行建築要覧』
明治34年　神奈川県立歴史博物館

第3章

印刷技術と出版

明治以前より開港地横浜では多くの外国人が居留し、その外貌を急速に変えていった。明治に入って更に変化の速度を高める中で、浮世絵師は横浜や東京の姿を色彩豊かに描きあげ、人気を博した。横浜絵、開化絵などと呼ばれるそれらには濃い赤が多用され、新時代を象徴する色となった。博覧会や鹿鳴館などが新奇な題材として江戸期から一般に親しまれた木版画により取り上げられた。一方銅版印刷も司馬江漢、亜欧堂田善らにより江戸期から行われていたが、普及はしなかった。明治を迎えて精緻な表現を必要とする紙幣や証券、切手、印紙など政府系印刷に銅板印刷が用いられ、松田敦朝、梅村翠山らが技術を担った。

明治前期から中期にかけて印刷業界を席巻するのは石版印刷であった。木版や銅版のように版を彫ることなく、図柄を自由に描き、グラデーション表現に富む石版印刷は瞬く間に普及した。幕末から画集などによって石版印刷は知られ始めたが、本格的に研究されるのは明治6、7年頃のこととなる。川上冬崖や近藤正純は印書局のボイントンに教えを受けて印刷を開始し、紙幣寮刷版局石版部も石井鼎湖を中心に玄々堂と協力して印刷を始めている。民間では、前述の梅村が門下の打田新太郎（霞山）、中川長次郎（耕山）をアメリカに派遣し、同地で石版印刷普及の様子を彼らが確認して、石版製版者スモリックと印刷工のポラックを招聘した。梅村は銀座四丁目に彫刻会社を起して彼らを雇い、石版印刷を始めている。

一方、文字については江戸初期に活字を版に組む活版印刷が用いられるようになったが、崩した続け字を用い、絵も多用される書籍に活版は都合が悪く、木版印刷が主流となっていた。明治2年に長崎製鉄所附属の活版伝習所が設立され、技師ガンブルの教えを受けた本木昌造が活版印刷を実用化する。明治3年には日本初の日刊新聞『横浜毎日新聞』が創刊されるが、それまで主流であった木版印刷ではなく、木活字を用いて洋紙に両面印刷するものであった。以後、片面印刷しかできない和紙ではなく、洋紙に両面に活版印刷を行うことで、素早く大量に印刷することが可能となる。雑誌や書籍だけでなく新聞も和紙袋綴じによる和装であった木版時代から、洋紙両面印刷、洋装の活版印刷への移行は、新聞というメディアを世間に急速に浸透させることとなった。

とはいえ、単線的に印刷技術が淘汰されるわけではない。絵草紙屋「萬屋」に生まれた大倉孫兵衛は明治7年に錦栄堂を興し、19年には大倉書店を興すが、木版錦絵の輸出で利益を生み、森村組の陶磁器輸出へと繋げる。工芸への応用を踏まえての錦絵であるが、同時に色鮮やかなイメージで魅了する優秀な輸出品目であったということである。内田正雄編『輿地誌略』は福沢諭吉の『学問のすゝめ』、中村正直『西国立志編』と合せて「明治の三書」と呼ばれるベストセラーとなった世界地誌の書籍であるが、挿絵は川上冬崖原画の木版画、玄々堂及び慶岸堂による銅版画、玄々堂による石版画が混在している。さらに、活版印刷であるが、袋綴じの和装本の体裁であり、過渡期的出版物とも、また、各技法、形式の特徴を活かした出版物とも捉えられるであろう。明治5年に学制が発布され、教育を受ける人々が増加することは、読み物としての印刷物の需用を増加させ、また学校で使用するための多種多様な教科書の発行を促した。明治6年に森有礼らによって結成された明六社では明治7年から学術総合雑誌『明六雑誌』を刊行するが、年間で十万部以上を売り上げ大きな影響力をもった。これに対して政府は明治8年に「讒謗律」「新聞紙条例」により政府攻撃の芽を摘もうとした。

明治9年に工部美術学校が設立されると、画学科には洋画の私塾から多数の生徒が入学する。彼らはイタリア人教師の下で本格的な技術を学ぶが、一般の油画の需用が少なかったため、石版の画工として生活費を得ていた。新聞や雑誌の挿絵、図画教科書などの仕事も画家としては同様の意味を有していた。

明治10年の西南戦争は多量の錦絵が出回るとともに、時事報道メディアとしての新聞の発達を促し、朝野新聞、読売新聞、東京日日新聞の発行部数は一万部を超した。また、この頃から新聞に連載小説が掲載され、合わせて挿絵が登場して版下画工としての浮世絵師、版木の彫師が新聞社専属として採用されることとなる。東京だけでなく各地で新聞が発行されるようになり、これらが後の自由民権運動の基礎となっていく。

明治27・28年の日清戦争のときには銅版や石版に席巻されていた錦絵が復活した。博文館の『日清戦争実記』は写真版を採用して大評判となる。明治37年・38年の日露戦争においては写真印刷が一般化し、機械化も進んで多量の関連印刷物が刊行され、戦争報道ブームを呼び起こした。国家の盛衰を懸け、多数の人間の移動、軍需産業、そして戦没者を生む戦争という究極の事件は印刷出版メディアの発達をもたらしたと言えよう。

木版、銅版、石版

『輿地誌略』
明治10年ほか

古来、日本では木版が印刷の主流であり続けた。特に江戸時代においては江戸を中心に多色摺木版画が開発され、錦絵と称され絶大な人気を獲得した。長く続いたその木版画の歴史は、近代になり終わりを迎える。その理由は、近代社会を支える印刷として、表現・技術の細密性と発行部数の点で、西洋由来の銅・石版画が優位にたったからである。ただし、銅石版画であっても、原画制作者がおり、それを版に起こす・うつす画工がおり、さらに印刷を担当する者がいた。近世の浮世絵同様、手仕事性が強く、印刷工房・印刷会社に依拠した制作だった。

明治になると、社会的有用性の点で、証券紙幣あるいは地図などの分野で銅石版画が重用された。特に石版画は、版をつくる簡便さや、洋画特有の柔らかいグラデーション表現が魅力だった。最初期は外国人らの技術指導のもと、印刷局や陸軍などでも実験が繰り返され、ようやく定着にいたる。その最初期の一例が、小山正太郎と五姓田義松が描いた石版画集で、陸軍が発行した《東京近傍写景法範》（84頁）である。官庁での実践に対して、民官でも明治十年代ともなれば活況を呈するようになる。その拠点の一つが、玄々堂だった。美人画、風景画、歴史風俗画そして貴顕肖像画など多くの作品が生み出し、洋画家を支援した点も特筆される。銅版画もまた書籍の挿絵、特に小さな版型の図書等に活躍の場があったが、比較的、小品が多い。その硬質な描線はメリハリある画面を生み出すことに長け、都市風景画や子供向けの武者絵絵本などにも銅版画の新たな魅力が認められる。

生巧館（刻）二世五姓田芳柳（画）「動物園」

　ここまで概観したとおり、近代の印刷・版画はその原画がいわゆる洋画になり、その再現対応のため版種の選択が生じたと指摘できる。その点で、西洋式の木版画、木口木版画が明治期に導入されたのも自然なことだった。フランスに留学していた合田清が現地で学習して持ち帰り、生巧館として活動し、新聞挿絵など含め華やかに活動した。その原画を支えたのは、留学仲間の芳翠だった。一方で、伝統木版も明治前期はいまだ活況を呈し、洋画表現の学習などの成果も認められる。しかし、大勢は新技術受容へと加速し、およそ日清戦争を最後に木版画はその表舞台から姿を消した。ただ、趣味的な制作や模刻は継続し、その助走もあって大正期に新版画として復活するのである。

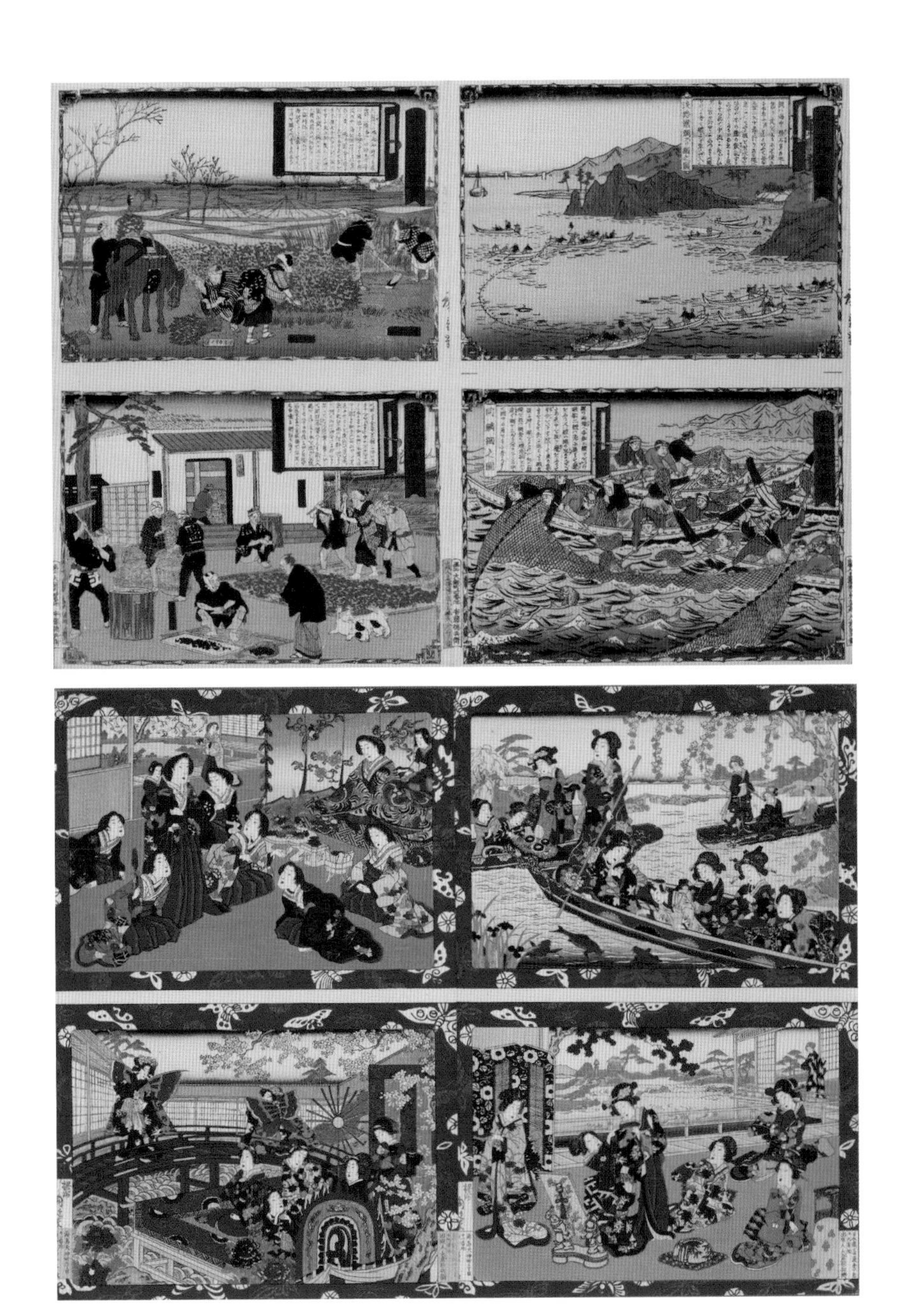

大倉孫兵衛旧蔵錦絵画帖

大倉孫兵衛　明治10年代　木版多色摺、折帖　神奈川県立歴史博物館寄託

近世末から明治にかけて活躍した版元萬孫、鍵万こと大倉孫兵衛の錦絵をまとめた画帖。上の錦絵には殖産興業の錦絵化という意図がある。明治を象徴する、赤、紫が印象的である。

上段右：東京名所三十六戯撰
　　　　隅田川白ひけ辺
上段左：東京名所三十六戯撰
　　　　元昌平坂博覧会
中段：博覧会諸人群衆之図　元昌平坂ニ於テ
(『大倉孫兵衛旧蔵錦絵画帖』より)
昇斎一景　明治5年　木版多色摺、折帖
神奈川県立歴史博物館寄託

鯱（「横浜写真アルバム」より）

日下部金兵衛　明治前期　手彩色、鶏卵紙
神奈川県立歴史博物館

明治5年、湯島聖堂で開催された博覧会は、現在につながる博物館や美術館、展覧会の原点だった。そのときの目玉作品が、名古屋城の鯱だった。

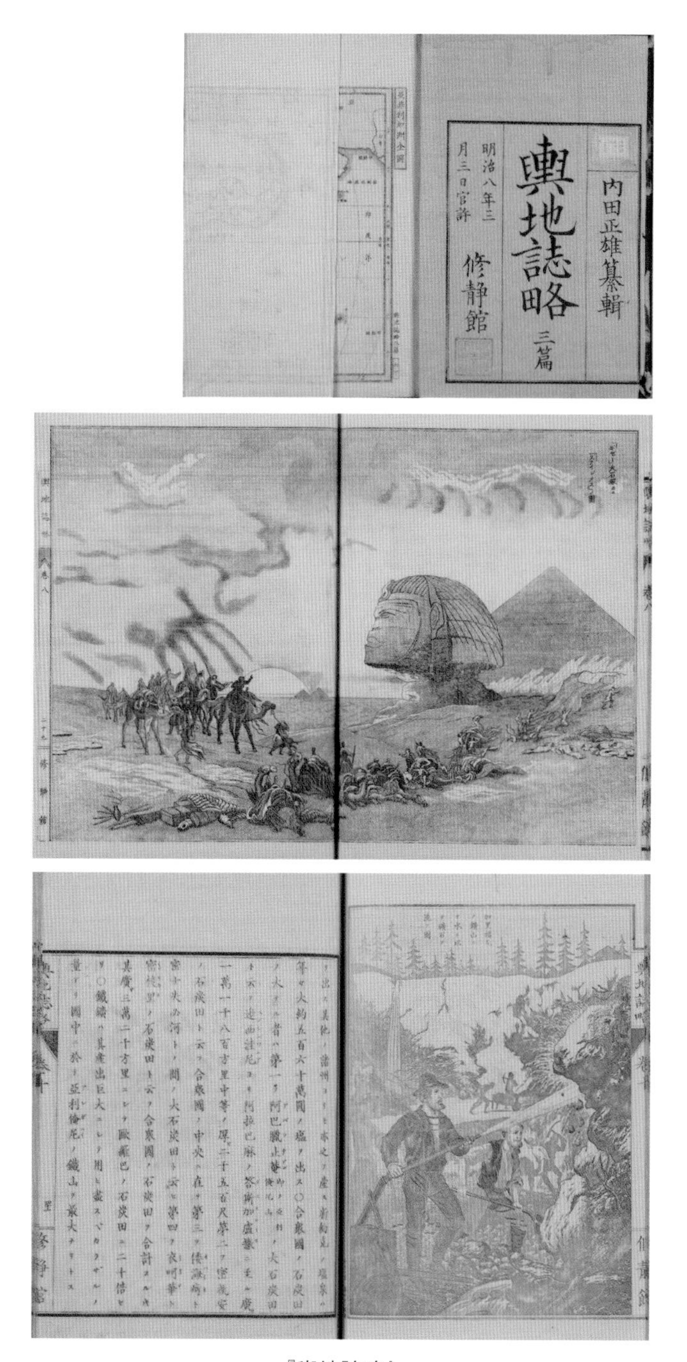

『輿地誌略』

明治10年ほか　木版・銅版・石版、紙　神奈川県立歴史博物館

『輿地誌略』は、世界各国を知るための啓蒙書。視覚情報を重視した内容であるため、玄々堂他、明治初期の有力な銅石版画工房がその挿絵や地図を担当した。異版も数多い。

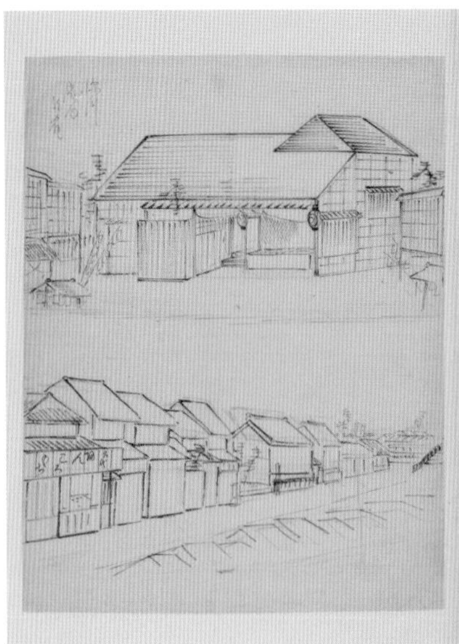

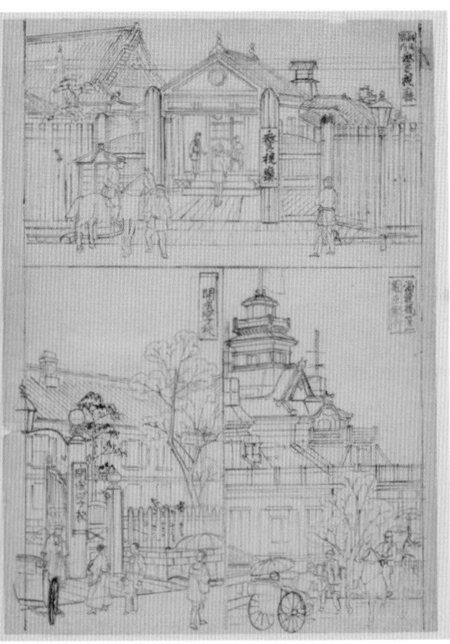

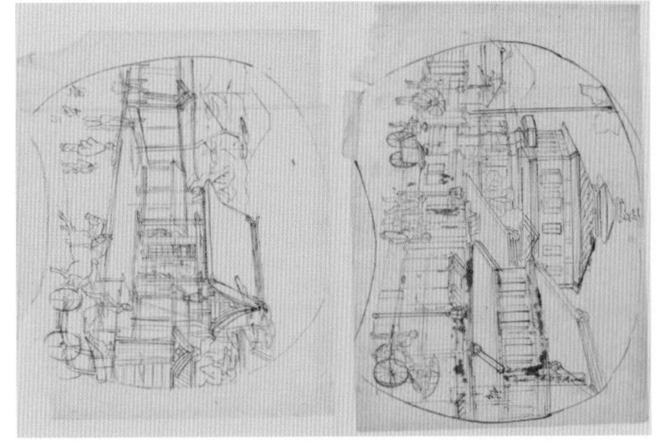

下絵画稿集
三代歌川広重
慶應年間-明治20年代
紙本著色、折帖
神奈川県立歴史博物館

近代の版画印刷というと、銅石版画などに意識がいくが、錦絵も明治前期までは活発だった。三代歌川広重の下絵帖には擬洋風建築などが認められ、新旧の混交が率直に認められる。

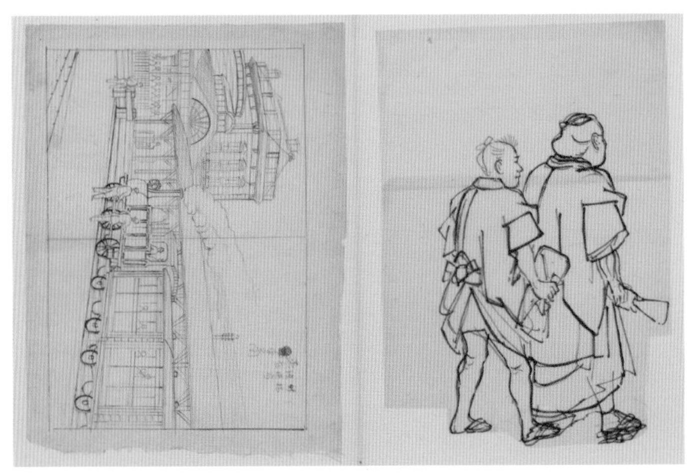

名古屋城
明治24年　石版・手彩色、紙　神奈川県立歴史博物館 丹波

金色夜叉
明治38年　石版、紙
神奈川県立歴史博物館 青木

角力遊
太田節次　明治25年　石版、紙
神奈川県立歴史博物館 青木

近世以来、版画は庶民の多様な要求に応えていた。風景は土産品となり、芝居の引き札ともなっていた。石版画は洋画技術と結び付き、新たな視覚を庶民に伝える重要な役割を担った。

上段：東京名所案内　向島
有島貞次郎　明治24年
石版・手彩色、紙
下段右：孝子安寿姫弟津志王丸ト訣別之図
信陽堂　明治22年　石版、紙
下段左：福沢先生
信陽堂　明治24年
石版、紙
所蔵はいずれも神奈川県立歴史博物館 青木

西洋絵画の現実再現能力は、人物にこそ発揮されやすい。そしてその印刷技術として、石版画が得意とするグラデーションの技術が有効だった。

上段：大日本風俗漫画
渡辺幽香（画）・玄々堂（製造）
明治20年　石版・銅版、紙　個人蔵

中段：『大日本帝国古今風俗 寸陰漫稿』
渡辺幽香（画）・玄々堂（製造）
明治19年　石版、紙・冊子
神奈川県立歴史博物館

下段："*A Pictorial Museum of Japanese Manners & Customs*"
浅井忠・柳源吉　明治20年
石版、紙・冊子　個人蔵

ここに紹介する版画集は、銅版画や石版画による。輸出用の版画集と考えられ、日本の風俗画がモチーフとなっている点は五姓田派、横浜絵と直結する性格である。

東海道懐古帖
亀井竹二郎（原画）、徳永柳洲（画工） 明治25年頃 石版、紙
神奈川県立歴史博物館

三県道路完成記念帖
高橋由一 明治18年
石版・手彩色、絹
個人蔵（團伊能旧蔵コレクション）

高橋由一は東北三県の新たに開発された道を主題とする。亀井竹二郎原画の石版画は、東海道の宿場を描いた名所絵的性格がある。近代に変わりゆく風景を主題とする共通性がある。

column

付　録

『東京日日新聞』一万号付録　五姓田義松　明治37年

近代の版画印刷を考えるとき、近世とは異なる受容形体がいくつもある。そのうち、本書では付録を数多く紹介している。

新聞や雑誌の付録とは、本体に付随する形でカラー印刷あるいはモノクロ印刷の版画が別途つくかたちがある。新聞の新年号、キリ番、祝祭事やイベントなどその理由は様々だが、購読者獲得の重要な手法だった。そのモチーフも多様で、貴顕肖像だったり、美人画だったり様々である。ここに紹介する五姓田義松作品は、東京日日新聞一万号のキリ番である。そして明治 37 年の日露戦争の戦勝記念の多色摺石版画と理解できる。国家のメモリアルな場面として、戦争画が描かれた、利用された、端的な事例でもある。

明治末頃になると、大型の多色摺石版画が数多く作られた。特に鑑賞目的で額に入れられ飾られやすい美人画などは、額絵とも称され、のちの美人画ポスターの源流ともなった。そのように購買者や読者の目を楽しまそうとした工夫のひとつが、口絵である。書籍や雑誌など、巻頭に一枚、カラー印刷の版画・印刷物が折り込まれ、その内容を想像させる場面が描かれることが多く、鏑木清方は木版画と石版画など版種によって表現を変えたとも証言を残している。

とりいれ　岡田三郎助

花うり　浅井忠

ゆきの日　渡部審也

すずみ　和田英作

時事新報創刊二十五週年記念画帖
時事新報社　明治40年　多色石版、紙
神奈川県立歴史博物館 青木

浅井忠を含む４人の洋画家たちの作品をひとつにまとめた企画。新聞付録のみならず、口絵や挿絵も、女性主題が数多い。鑑賞者・購買層の大半が、男性だったことを暗に裏付ける。

ゆびわ

岡田三郎助　明治41年　多色石版、紙　個人蔵

岡田三郎助は、近代の美人画に重要な示唆を与えたひとり。特に女性のしぐさ、身振りを表現することに長け、ファッションにも一家言をもっていた。

多色刷石版画

黒田清輝による多色摺石版画は珍しい。明治40年1月1日の付録だが、このとき黒田は東洋美術学校教授であり、洋画家のトップだった。豪華な付録は、新聞の売り上げを左右した。

おまちかね
山本芳翠　明治36年
多色石版、紙　個人蔵

春のしらべ
黒田清輝　明治40年
多色石版、紙　個人蔵

貴顕の肖像

大日本陸海軍貴顕肖像
熊澤喜太郎　明治22年

明治天皇が即位すると、天皇を題材とした浮世絵版画が多数刊行される。しかし初めのころは天皇の姿は描かれず、行幸などの情景描写によりその存在を示すのみであった。明治5年から天皇の全国巡幸が始まり、次第に天皇の姿は可視化されるようになる。世界に伍する国家として天皇の肖像は外交上必須であり、岩倉使節団からも要請が出ていた。また、国民国家統合のためにも元首の肖像が国民に普及する必要があった。内田九一は明治5年に束帯姿の天皇を撮影し、翌6年には軍服姿の天皇を撮影した。これらの写真は外交に用いられ、また、「御真影」として各府県に下賜されることとなった。

天皇の姿の普及に伴い、天皇や皇后の写真が店頭で売買されるようになったため、例えば明治7年には「東京府内に天皇の御写真を売買する者あるを以て、之を禁止す」という禁令が出されることとなる。政府は明治天皇と明記した肖像を処罰の対象としたため、多くの像は「貴顕」の肖像というような題名が付せられ、その売買は黙認されて

皇室御真影
黒木半之助　明治40年

いた。

様々なメディアで明治天皇像そして皇族の肖像が作られていくが、中でも石版画は明治十年代以降、多数の貴顕の肖像が制作された。明治天皇の肖像においては内田九一撮影の軍服像をベースにアレンジを加えたものが多くを占めている。貴顕の肖像では単体のものもあるが、複数人を掲載するものでは天皇、皇后、皇太后を中心に、周囲に皇族の肖像を配するもの、更に伊藤博文や大隈重信など重臣を合せたものもある。

別項で紹介する名古屋石版舎では、玄々堂の「明治十年三月大阪陸軍臨時病院へ御親慰ノ図」「練兵場行幸ノ図」を参照して、想像を加えた石版画を明治13年6月に販売したが、「擅ニ　至尊ノ御影ヲ摸造印刷シ販売スル科」で名古屋裁判所から懲役70日贖罪金5円25銭を言い渡されている。石版舎の言い分は、書画写真とは質を異にする石版摺に禁止の規制はなく、自由に印行できる筈というものであったが、裁判所は「万世一系皇統連綿タル我皇国ノ臣民タル者」が利益のために至尊の御影を印刷販売するのは情理において為すべからず、との理由を掲げた。やはり天皇や皇族と直接的にわかっては駄目だったのである。

明治21年『東京朝日新聞』創刊号が附録に「貴顕之肖像」を掲載し、明治31年に政府が販売、配布の禁を解いたため、より頻繁に新聞の附録に皇室の写真が使われるようになって、その人気の高さのために平常よりはるかに多くの発行部数を設定していたという。貴顕の肖像が印刷メディアに必須であったことを示す事例であろう。

明治天皇・昭憲皇太后肖像写真
明治前期　鶏卵紙　クリスチャン・ポラックコレクション

明治天皇・昭憲皇太后肖像写真
内田九一　明治６年　手彩色、鶏卵紙　神奈川県立歴史博物館

明治天皇・皇后の肖像写真は、政府により販売は禁止されていた。しかし、実際には隠れて写真館などで販売されていた。海外からの観光客らにも好まれたモチーフでもあった。

明治天皇・昭憲皇太后肖像
初代五姓田芳柳　明治10年代　絹本著色　神奈川県立歴史博物館

天皇御巡幸図
五姓田義松　明治11年　水彩、紙　神奈川県立歴史博物館

五姓田派と明治皇室の関係は深い。初代芳柳は明治天皇の肖像を公式に描いた最初の画家でもある。義松は明治11年の御巡幸に従って、各地を描いた。くつろぐ明治天皇とその側近らの姿を描いた作品からは、天皇らに義松が信頼されていた証でもあろう。

明治天皇・皇后・皇太子像
明治30年前後　石版、紙　神奈川県立歴史博物館

明治天皇・皇后・皇太子を描く石版画の三幅対。表具され、掛幅として屋内で用いられた石版画が数多く伝わっている。明治天皇像は宗教画の位置づけだったという指摘もある。

美術雑誌、図書、目録

明治になって「美術」という言葉が生まれ、それを社会的に認知させていく仕掛け、工夫があった。それが積み重なり、今日の理解が成立している。その仕掛けのうち、明治期に重要な働きを示したのが、美術の雑誌や図書、目録である。今日でもいわゆるマスメディアが美術の社会的認知を大きく支えているが、ただし現在と比べると当時はその条件が大きく異なっている。それは、明治20年代までは、印刷版画技術が未熟だったため、言葉がメインだったという特徴が指摘できる。

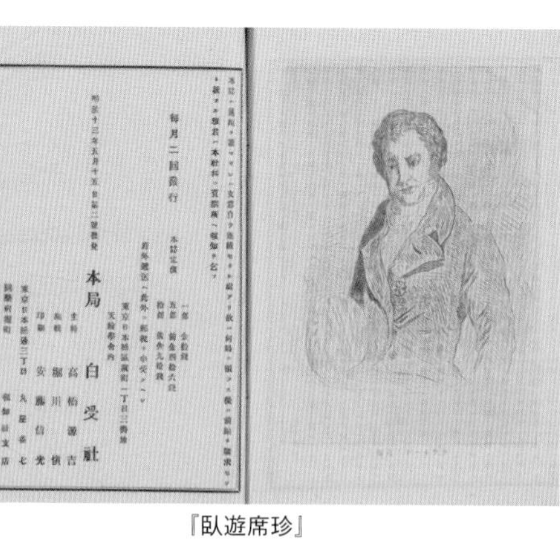
毎月二回發行

本局　白受社

『臥遊席珍』
明治13年

美術雑誌の最初は、由一の画塾天絵社から明治15年に創刊発行された、『臥遊席珍』である。西洋や東洋を含む画論や美術の歴史を短い記事にまとめ、複数を合わせた内容である。挿絵は銅版画で各号に少数収められた程度で、人気がなかったのだろう、わずか五号で廃刊した。その後、明治20年代に至るまで、同じような内容構成の雑誌が数々創刊された。今日の形式に近い、ヴィジュアル重視の、速報性のある記事をメインとした企画構成が登場するのは、明治30年代になってのことである。そのタイプの美術雑誌の双璧が『みづゑ』（明治35年創刊）と『美術新報』（明治38年創刊）とだった。

『審美綱領』
森林太郎・大村西崖編　明治32年

図書もまた同様であり、読んで「美術」を理解するタイプが多かった。今日では小説家として高名な森鷗外は、ドイツに留学し、美学を学んだ知識経験を活かして、美学理論書や美術批評を数多く著わした。その後、次第に、作家たちによる著述も増加し始め、美術史概説書や研究書なども明治30年代に増加し始める。

改めて、図版についてまとめておくと、今日のように、画集や展覧会図録のような、精巧なカラー図版で作品を写真図版として掲載する印刷物は、明治期においては技術的にも、費用的にも限界があった。明治30年代になると写真図版は掲載できたものの、モノクロか単色が限界だった。それ以前の場合は、作家たちによる模写・縮図を銅石版画で印刷した場合もある（177頁）。そのような状況だったので、明治22年刊行の『国華』は、近世以来の多色摺木版画をあえてカラー図版として採用したほどである。同様の理由で、長らく展覧会は「図録」ではなく、出品作の文字情報がメインで、一部の図版が掲載された「目録」が主だった。ただ、そのような不備不完全と思える対象を真摯に読み取り、見て、明治の人たちは「美術」への理解を深めていった。そしてそのカラー図版の代表例に位置するのが、展覧会会場で販売された絵葉書という存在だった事実にも気付いて欲しい。

『美術園』
明治22年　多色石版、紙　神奈川県立歴史博物館 橘

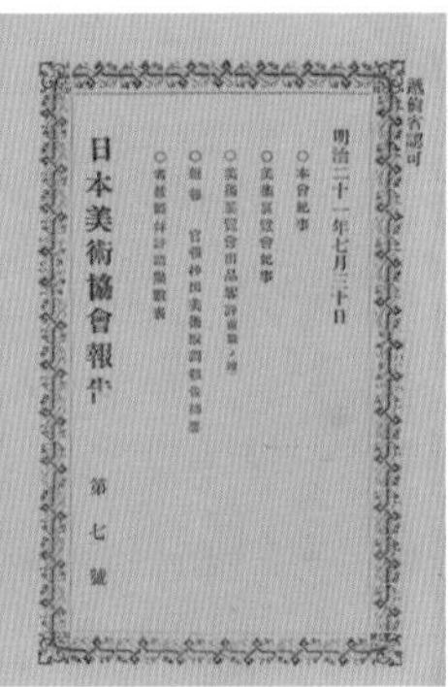

『日本美術協会報告』
明治21年　神奈川県立歴史博物館 橘

美術雑誌は、その発行母体の意図を示す役割もある。ここに紹介する二冊は、伝統工芸を基礎とする殖産興業の意図が強く、工芸改良を目的とした図案などを紹介した。

『美術園』

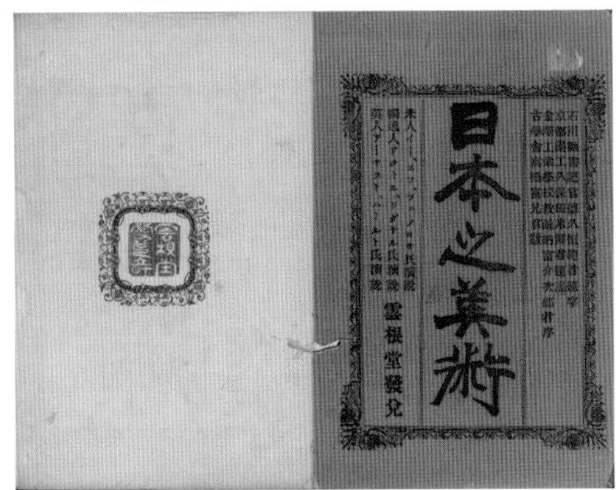

『日本之美術』
明治21年
神奈川県立歴史博物館 橘

殖産興業推進の旧派の日本画家たちに対向して、新派となるのが狩野芳崖、橋本雅邦らだった。彼らを支援したアーネスト・フェノロサは伝統美術保護を訴えつつ、新たな美術の確立を牽引した。

『美術世界』
神奈川県立歴史博物館 青木

『美術世界』は、旧派日本画家たちが参加した木版画集だが、錦絵の表現とは一線を画す。洋画家の挿絵を意識しつつも、文章からの独立も模索されている不思議な表現である。

『伊蘇普物語』
河鍋暁斎挿絵　明治５年　神奈川県立歴史博物館 青木

『ホトトギス』
下村為山（子規追悼集号表紙原画）・橋口五葉（100号表紙原画）　明治35年・38年
神奈川県立歴史博物館 青木

雑誌・書籍の売り上げに、挿絵以上に貢献したのが、表紙絵である。雑誌『ホトトギス』は正岡子規らで著名だが、浅井忠をはじめとした画家の参加も特徴となっている。

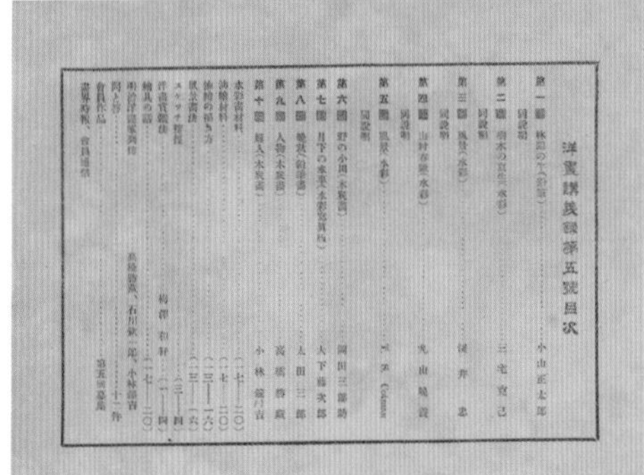

洋畫講義録第五號目次

第一圖 林間の午(鉛筆)……小山正太郎
同説明
第二圖 樹木の寫生(水彩)……三宅克己
同説明
第三圖 風景(水彩)……[illegible]
同説明
第四圖 山村春景(水彩)……丸山晩霞
同説明
第五圖 風景(水彩)……[illegible] (Cotman)
同説明
第六圖 野の小川(水彩畫)……岡田三郎助
第七圖 月下の水車(水彩寫眞版)……大下藤次郎
第八圖 [illegible](鉛筆畫)……太田三郎
第九圖 人物(水彩畫)……[illegible]
第十圖 婦人(水彩畫)……小林[illegible]
水彩畫材料……(一七―二〇)
油繪材料……(一七―二〇)
油繪の描き方……(二三―二六)
[illegible]……(二三―二四)
スケッチ[illegible]
洋畫[illegible]……梅澤和軒(一―四)
繪具の話……(一七―二〇)
明治洋畫家[illegible]……[illegible]
[illegible]……十二件
會員作品
[illegible]、會員通信……[illegible]

『洋画講義録』
明治38年　多色石版、紙
神奈川県立歴史博物館 青木

『水彩画手引』
三宅克己　明治38年　石版・網版、紙
神奈川県立歴史博物館 橘

明治後半、画家たちによる通信教育書が数多く発行された。それらには多色石版画が含まれ、図画教科書の発展版であり、かつ画家たちの画集という性格も担った。

上段：「高輪東禅寺英国公使館へ浪士乱入之図」『風俗画報』22
ワーグマン原画・柳源吉縮図
明治23年
神奈川県立歴史博物館 青木
中段：『明治二十八年秋季展覧会出品目録』
明治美術会　明治28年
神奈川県立歴史博物館 橘
下段：『新小説』第2年第7巻
明治30年
神奈川県立歴史博物館 橘

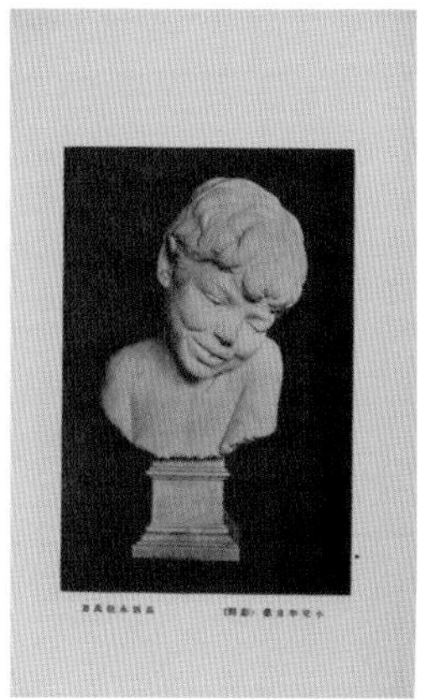

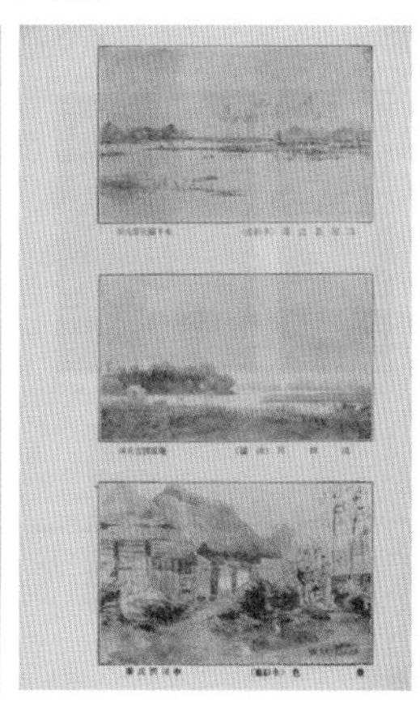

画家等著作物

明治時代は、今日のように画集、展覧会カタログが制作できたわけではない。そのため、画家たちによる縮図やスケッチが掲載される場合もあった。また近代日本において美術は大衆の娯楽であり、一般の新聞や雑誌で紹介されることも多かった。

『方寸画暦』
明治42年　多色石版、紙
神奈川県立歴史博物館 橘

『方寸』
明治42年　多色石版、紙
神奈川県立歴史博物館 橘

「版画」という言葉は、明治30年代後半、印刷による新しい表現の模索を意味して生まれた。雑誌『方寸』はその新表現の主要舞台で、洋画家や日本画家など幅広く集った。

column

俳画と漫画

『漫画と紀行』　小杉未醒　明治42年

明治期の画家たちの活動として、挿絵は重要である。浮世絵師の傾倒を組む画家たちが、絵草紙の伝統の延長線上で木版多色摺の版本を制作し、あるいは銅版挿絵・石版挿絵を描いた事例も本展では紹介している。さらに近代の挿絵の展開として見逃せないのが、俳画や漫画である。その厳密な定義は難解だが、端的にまとめれば、肉筆の本式の作品ではなく、手すさびに描いた、ややくだけた、肩の力を抜いた技術と表現と指摘することができる。書の世界でいう真行草のうち、草体に比定される技術が要点となる。そして表現としては、俳諧の世界を絵画化するといった意味が中核となる。俳画と漫画は、近代雑誌の挿絵や文章の合間のカットとして利用され、浮世絵などの伝統にあるコマ絵の伝統にもつらなる。代表的な作家に小杉未醒、のち放庵がおり、『詩與漫画』『漫画と紀行』などの著作がある。

その近代的な表現の展開に刺激を与えた存在が、ワーグマン『ジャパン・パンチ』である。ユーモアあふれる同誌の表現は、小林清親らの学習対象だったとも推定される。そのタイトルの、パンチ転じてポンチは、戯画の別称のように今日でも使用される場合がある。

名古屋石版舎と吉田道雄

吉田道雄（祖父江道雄　1853—1924）は愛知県士族、一般には政府転覆を図った自由民権運動激化事件の一つ・名古屋事件（明治17年）に関わった人物として知られる（結局無罪となった）。彼は同時に明治名古屋の出版文化を牽引した人物でもある。吉田が記録に現れるのは明治9年のこと。当時の新聞『江湖新報』や『中外評論』の売捌所として「尾張名古屋本町二丁目　断髪所　吉田道雄」と記される。文明開化の象徴でもある断髪所と新聞販売を並行していたのである。そして明治12年には「石版舎」を立ち上げる。『名古屋印刷史』によると、復禄請願で上京した吉田が銀座の知新堂石版印刷所を見て、これこそ文明開化の事業なりと看取して石版舎を設立し、機械や画工も知新堂の世話になって蔭山、松田らは一ヶ月35円という破格待遇で迎えたという。開店広告は次のようなものである。

引札（『名古屋印刷史』より）

「開化駸々方今工業ノ最モ進歩セル実ニ驚クヘキナリ就中活字版印刷ノ発明アッテヨリ印書之法一変シ人々ソノ便宜ヲ賞シ其術大ニ開進シテ遂ニ今日ノ盛大ヲ致ス（中略）印書機ヲ以テ図画ヲ刊セント欲セハ先ツ之ヲ銅版或ハ木板ニ彫縷スルノ労費ヲ要セサルヘカラス（中略）印書ノ便石版ニ若サルヤ明カナリ（中略）西洋諸国ニテハ

一派ノ芸術トスルニ至レリ輓近我国ニモ行ハレ社会ノ便益ヲ与フル少小ナラサルヲ以テ吾輩今般一舎ヲ開キ該術ヲ開業シテ普ク諸君ノ需ニ応シ勉メテ廉価ニ精製セントス乞フ幸ニ愛顧ヲ給へ」

業務内容は額画、為換證書類、写真石版、切符類、肖像、名札、書籍、引札、ビン張、色摺物、亜鉛印判、新聞広告画などであり、砂目スクリーン印刷の貴顕の写真も扱っていたという。明治14年の第二回内国勧業博覧会では油画《尾張国名古屋城》《長良川鵜飼ノ夜景》及び石版画《木戸孝允肖像》他を出品し、愛知から油画、石版画を初めて内国勧業博覧会に登場させている。河野次郎も石版下絵、教科書発行を介して石版舎と関わり、蔭山久儁、鹿島らが油画肖像画に応需していたともいう。

また、明治17年には兄近藤寿太郎と共に『地租輕減掟之註釈』（すぐに発売停止）『改正徴兵令註解』を石版舎より編集・発行しているが、これは名古屋事件と同時期であり、自由民権運動の闘士として活動した吉田が印刷メディアを生活の糧としてのみでなく、政治運動の一環として用いたことの証左となる。自由党に属し、岐阜で板垣退助が遭難した時には岐阜に赴き、名古屋へ転院を薦めたという逸話も残っている。『絵入扶桑新聞』等の新聞発行に携わり、『新愛知』（現在の中日新聞）発刊時には理事を務めている。明治21年以降は県会議員を11年7カ月務め、明治22年以降は名古屋市会議員も務めている。

祖父江（吉田）道雄の顔写真
（『名古屋印刷史』より）

吉田の活動からは、印刷メディアが社会や政治と密接に繋がり、美術をも動かしていたことがわかる。しかし不明な点も多く、今後石版舎の活動内容がより多く判明することを願っている。

尾張国名古屋城真景
名古屋石版舎・蔭山文僊　明治20年6月　石版、紙　郡山市立美術館

日本武尊宮簀媛命給宝剣授図
名古屋石版舎・蔭山久仙　石版、紙　郡山市立美術館寄託

嵐山真景図
名古屋石版舎・蔭山久仙　石版、紙　郡山市立美術館寄託

桜井駅楠公父子決別之図
名古屋石版舎・蔭山久仙　石版、紙　郡山市立美術館寄託

地図──岩橋教章

地図は必ずしも美術の分野ではないが、しかし、明治初期の地図は美術の展開と深く関わっていた。前近代の日本の地図製作にも司馬江漢が関わり、西洋式の技術と理解による制作の一端が示されてはいた。ただし、洋画同様に、その本格的な受容は明治以後である。地図が必要とされた理由は、国家有用のアイテムだからである。内政面での把握さらに軍事的な側面でも必要とされ、細かに描き分ける要請がなされたため、銅版画技術が適し、必須とされた。

その中心的な推進者となる岩橋教章は、青年期、狩野派を学んだ絵師だった。その器用さが認められてだろう、教章は幕末から幕府方として地図製作に従事し、維新後も新政府に地図製作者として出仕した。明治6年、ウィーン万国博覧会開催にあわせて、最新式の地図製作の技術学習のためウィーンへ赴いた。現地へ赴くまでの間と、現地滞在時の学習内容を記した手帖は、往事を知る最重要史料であるとともに、海原を描いた鉛筆画に彼の画才の一端がうかがわれる。教章は現地で銅・石版画などを学習し、明治7年に帰国した。帰国後は主に内務省に出仕し、技

ウィーン渡航並同地滞在手帳　明治6-7年

術指導をおこなった。多くの地図製作にたずさわり、『正智遺稿』の試刷に含まれる地図もまた、《伊賀伊勢志摩尾張四州図》（190頁）の試刷と推定される。

岩橋の他にも、川上冬崖、橋本雅邦など明治前期に地図製作に関与した画家は少なくない。また地理の把握は、同時に風景画制作の要請に容易につながった。あるいは地図製作の基礎情報収集となる測量には、用器画の発想が不可欠だった。用器画の指導は図画の一環だった。つまり、あらゆる点で今日の美術の領域に接していたのである。

その接近を物語る作例が《東京近傍写景法範》（84頁）でもある。小山正太郎と五姓田義松が描いた風景画を石版画として編んだ画集といえるが、その目的は陸軍士官学校の生徒たちの臨本だった。地図を読み取り、現地の風景を描き把握する技能が当時の軍人には要求されたのである。フランス式地図では、風景画を地図に添える形式だったためでもある。

伊賀伊勢志摩尾張四州図　試刷

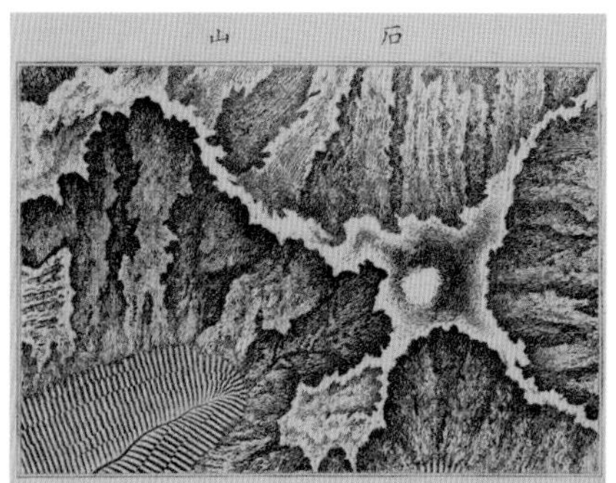

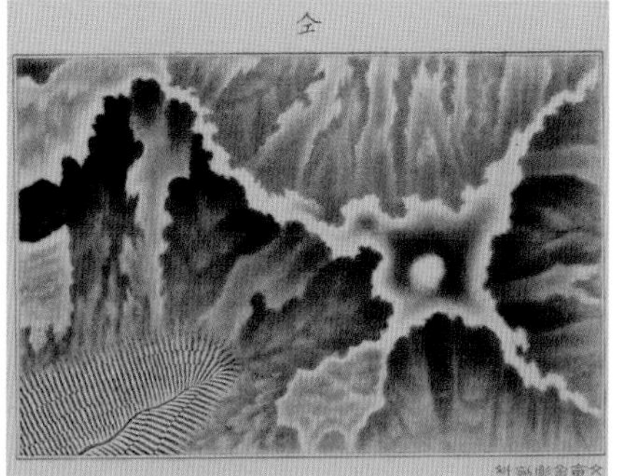

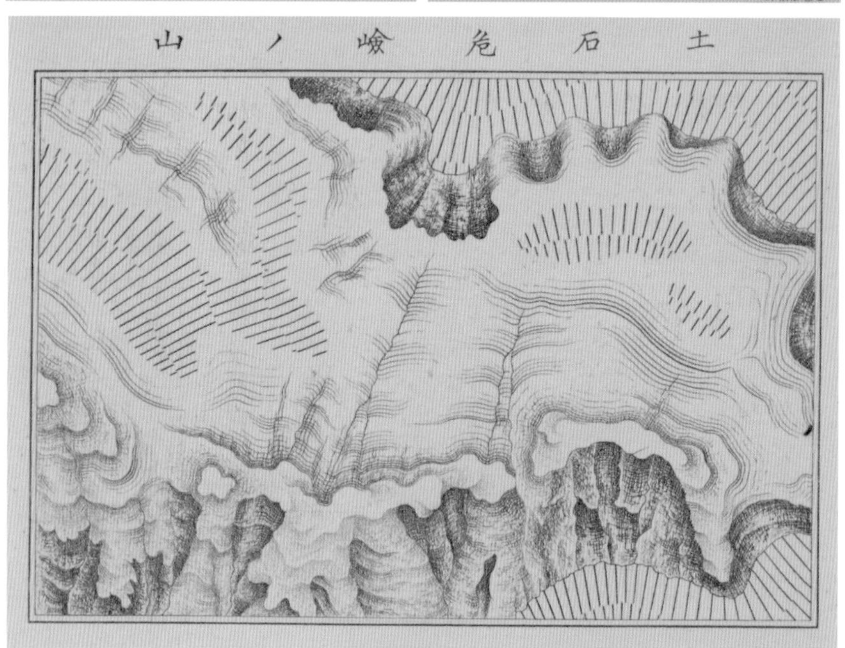

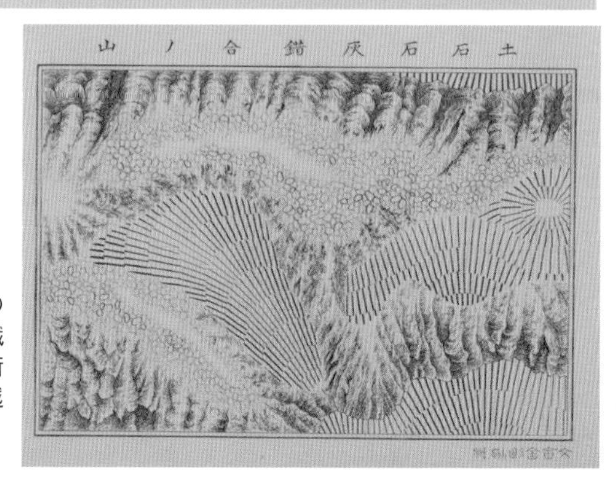

『測絵図譜』
岩橋教章　明治11年　銅版、紙
神奈川県立歴史博物館 橘

岩橋が地図製作のための銅版画の様々な表現技法を示した図譜。繊細な銅版画の技術が見事で、美術表現としての銅版画の水準を超越するほどの技量である。

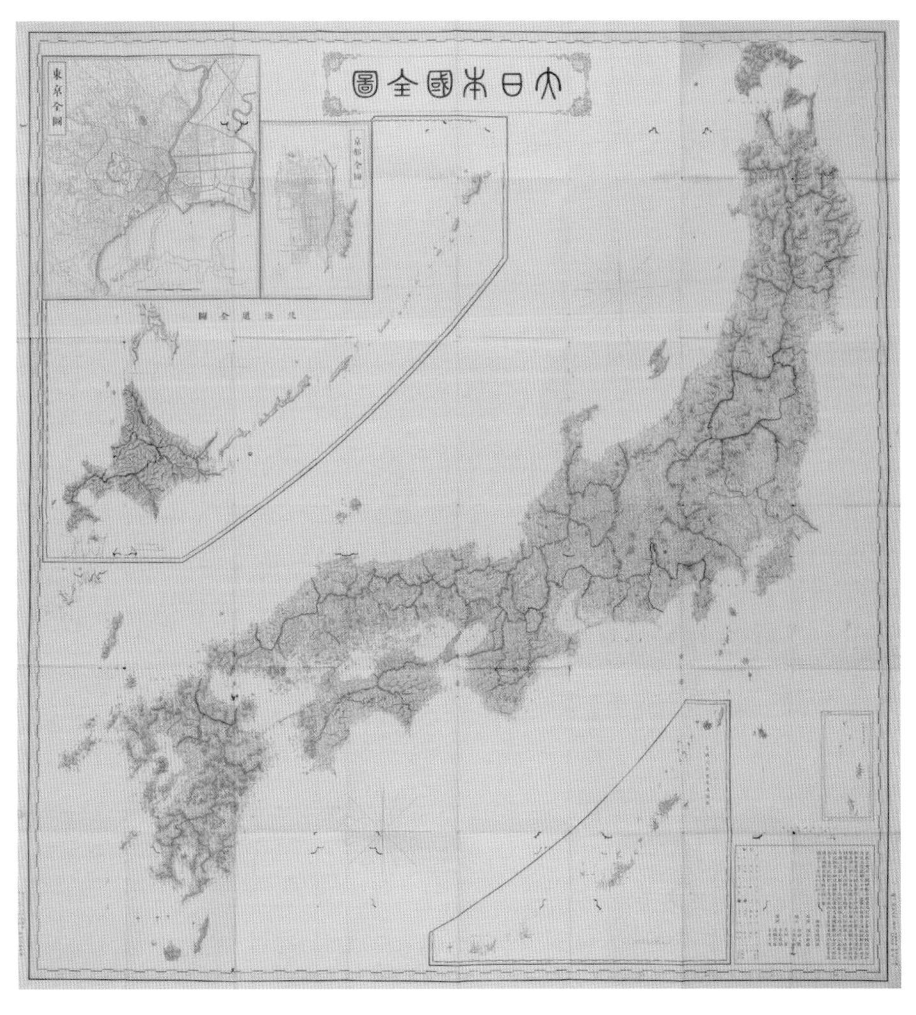

大日本国全図

地理局地誌課　明治14年　銅版、紙　神奈川県立歴史博物館 橘

地図は、国家としての要件を満たすために重要なアイテムである。領域を定め、経済、軍事などの各面で必要だった。その制作には、近世以来、画家、版画からの参加が求められた。

愛知の地誌と地図

明治初年は版籍奉還及び廃藩置県に従って管轄地図が必要となり、明治2—4年頃には各所で支配所絵図が作られる。それらは江戸期の国絵図の延長線上にあった。

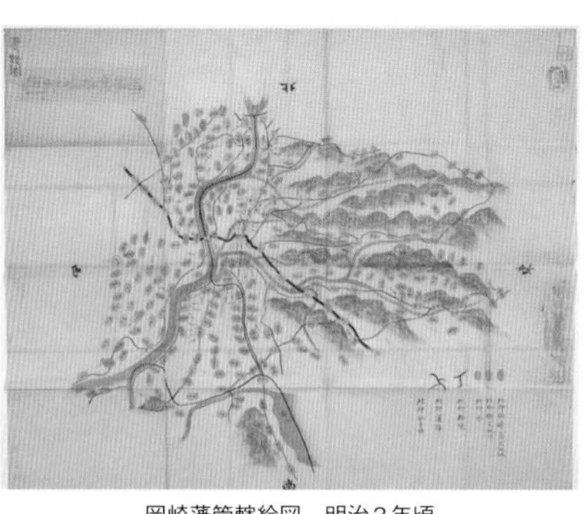

岡崎藩管轄絵図　明治3年頃

幕末・明治の愛知の地誌といえば、小田切春江を抜きにして語れない。天保15年（1844）に刊行された『尾張名所図絵』は名勝、旧跡、物産、神社仏閣などを野口道直と岡田啓が平易な文章で説明したものであるが、復刻が重ねられたこの地誌に挿画担当の春江が貢献するところは大きい。春江は一般に絵師、日本画家として知られるが、地誌、地図の仕事も多い。明治に入り、「尾張国図」（明治5）、「尾張明細図」（同）、「三河明細図」（明治9）、「尾三両国図」（明治10）、「愛知県暗射地図」（明治11）、「尾張国参河国新図」（明治19）などの地図製作に関わり、佐藤雲韶編『愛知県地誌』（明治21）の挿画も担当している。「尾張明細図」では小区ごとに地名が色分けされ、街道の行先や名古屋からの距離なども記載された情報豊かな国絵図仕立の地図となっており、坪内逍遥も同図を所蔵していたようである。春江は『明治十一年愛知県博覧会独案内』も編んでいるが、立体的に描か

名古屋市街実測図（中区）　明治18年

れた建物には各出品物が文字で記され、空間の一部は雲で仕切られるなど幕末明治を通して活躍した絵師ならではの、味わいのある図となっている。

愛知県庶務課地理係は明治初年から活動しているが、明治17年の「三河国東加茂郡実測図」をはじめ、名古屋市各区を測量した「名古屋市街実測図」（明治18）など近代的な実測図を作成している。製図方には日本画家の三輪青谷も所属していた。明治19年には地理係に勤めていた今枝新三郎らが名古屋栄町に製図社を設立し、愛知県などから製図測量業務を請け負った。今枝は「中島郡全図」（明治20）「碧海郡実測図」（明治21）「東春日井郡実測図」（明治22）にいずれも関わるが、「中島郡全図」は実測図ではなく、明治11年春江作による図の修正のため形象に異動があるとの断りがあり、その過渡期的性格が興味深い。「西春日井郡実測図」（明治23）は今枝と河村武彦により、製図社を明治22年に発展拡大させた経緯社から発刊されているが、この頃より同社による地図製作が増える。

明治26年5月に発刊された浅井広国『尾張名所独案内』は自ら実地を探訪し、古老に尋ね、史書や記録をあたって尾張の名所旧跡を紹介している。博物館、教育博物館や名古屋紡績会社と尾張紡績会社、官衙、銀行、愛知セメント商会など明治の新顔も登場している。

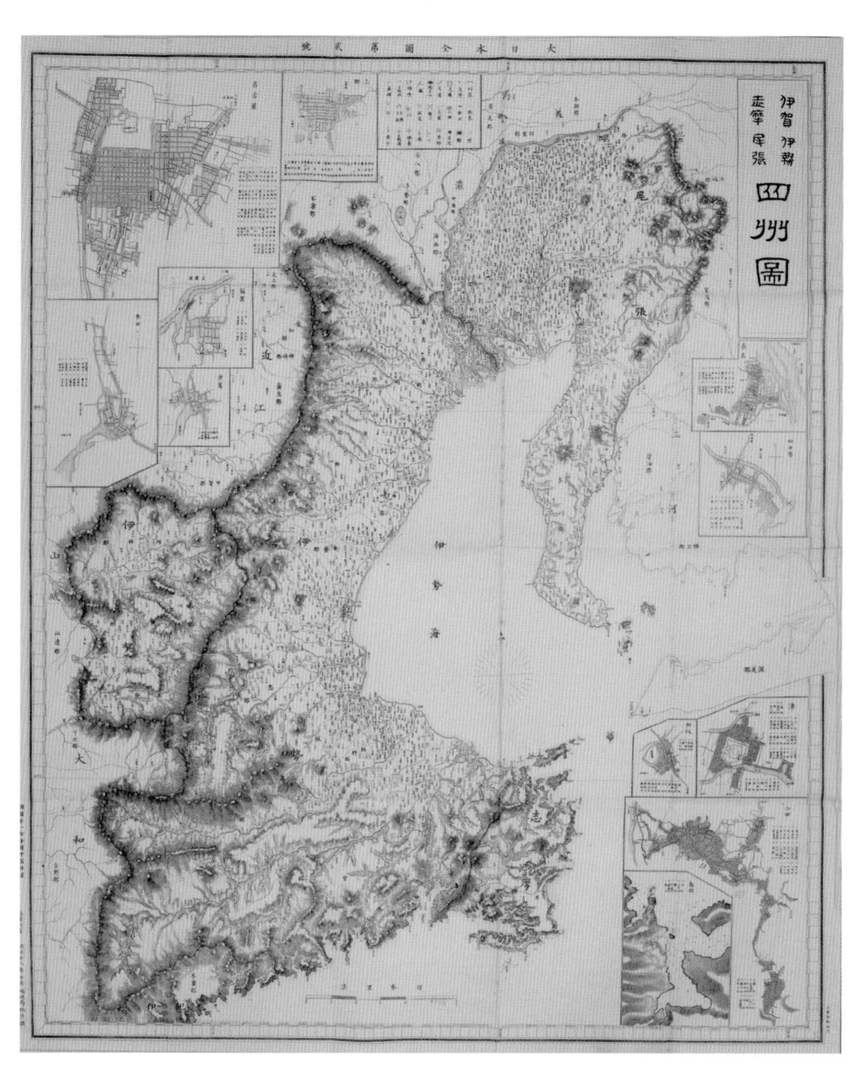

伊賀伊勢志摩尾張四州図
明治13年　銅版、紙　杜若文庫

尾州実測図
江島鴻山　明治24年　銅版・手彩色、紙　杜若文庫

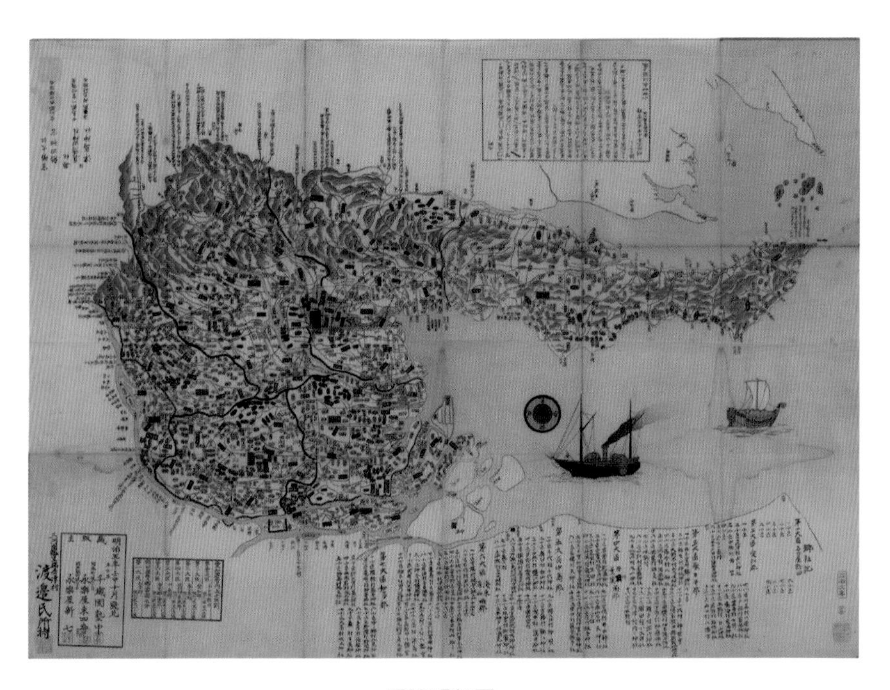

尾張明細図
小田切春江　明治5年　木版、紙　西尾市岩瀬文庫

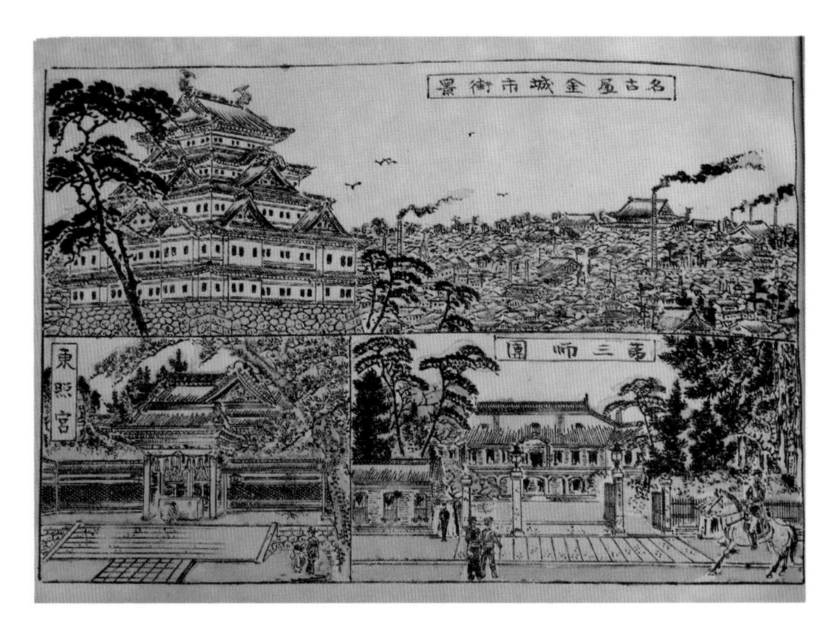

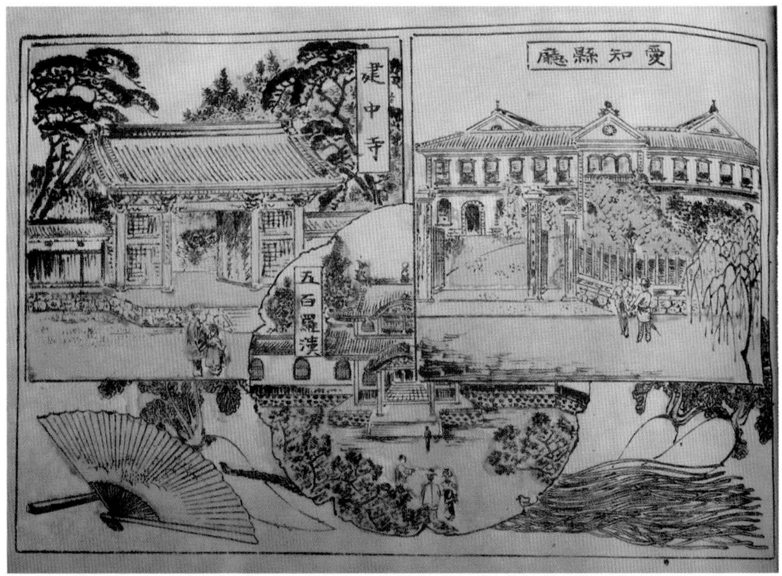

『尾張名所独案内』
浅井広国著・中村浅吉出版・商報会社印刷　明治26年
木版、紙　愛知芸術文化センター愛知県図書館

名古屋鎮台観兵式之図
後藤芳景著・木村重恭出版　明治20年　木版、紙　愛知芸術文化センター愛知県図書館

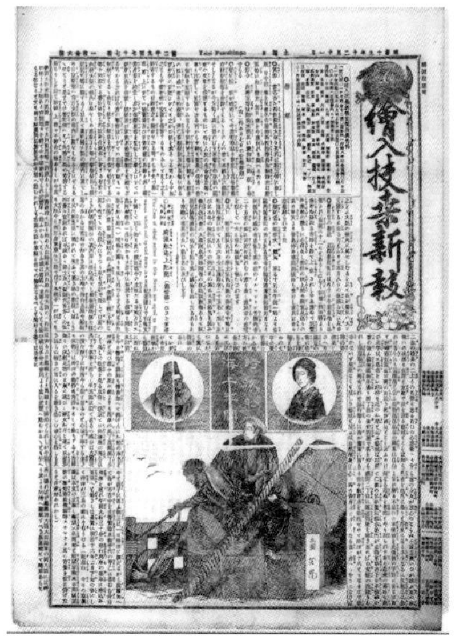
繪入扶桑新報

『絵入扶桑新報』
明治19年　東京大学大学院法学政治学研究科附属
近代日本法政史料センター 明治新聞雑誌文庫

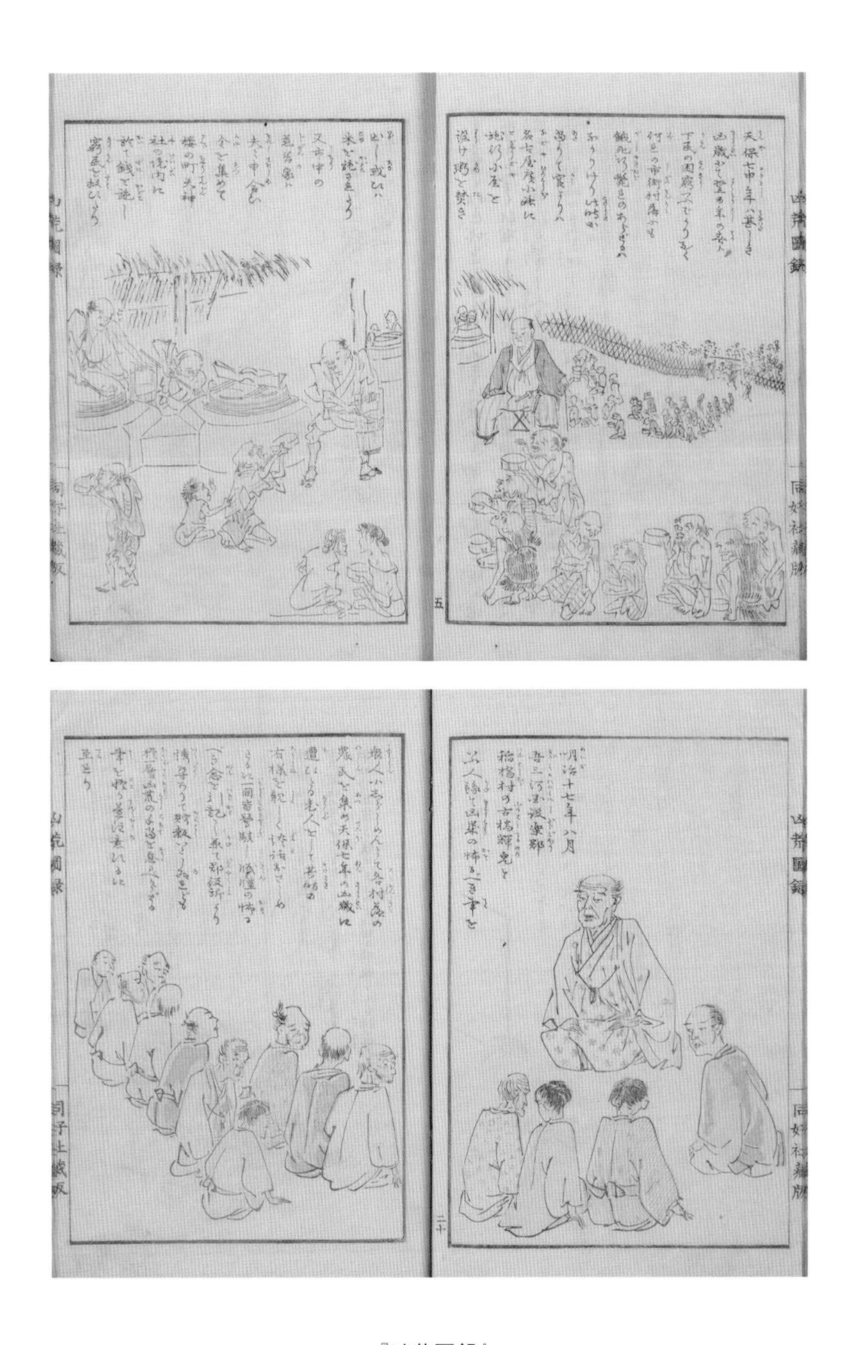

『凶荒図録』
小田切春江・同好社　明治20年　銅版、紙　愛知芸術文化センター愛知県図書館

写真

写真は、近代と前近代を区分する技術であり、視覚的な意味での大転換を担ったツールであった。西洋の技術ということであれば、銅版画も石版画とも同列であるが、西洋にとってもそれらは前近代から存在した。しかし、写真は1839年に誕生し、素早く日本にも伝えられた。その意味で、写真も渡来技術であり、学ぶべき対象だったが、他と比較して決定的に西洋から遅れたわけではなかったともいえる。

最初期の受容の特徴は、洋画や他の印刷技術と併行し、時に補完しあっていた点にある。たとえばチャールズ・ワーグマンとフェリーチェ・ベアトの関係、あるいは横山松三郎のように。ただし、絵画以上に写真には複雑な工程があり、化学的な知識も必要であったため、洋画と比較すれば、その習得は容易ではなかった。また、写真機材と薬品の入手も容易ではなかった。そのため、明治前期においては開港場や都市部に写真師、写真館は集中し、洋画と比較すればアマチュア愛好家の登場は遅かった。また鶏卵紙のように画像の不安定さ、ガラス湿板のような規格の小さなどから、油彩画がその恒久性や堅牢性、カラーである点を長所として存在価値をアピールした。

横山松三郎・西田式雄編「明治洋画関連写真アルバムより」

『稿本日本帝国美術略史』
明治４年　コロタイプ印刷、紙

しかし、明治後期ともなると、写真が印刷できるようになり、書籍や雑誌などの誌面や表紙に登場しはじめる。その技術革新をうけてグラフ誌が伸張するなど、写真の社会利用の範囲が大幅に拡大する。他方で、より美術的・芸術的な表現を探究するようにもなっていく。

ここで「美術」という文脈で考えたい写真は、文化財写真である。私たちが今日、日本や世界の美術作品を知り、その歴史を知ることができる最大の要件は、写真の存在である。文化財の姿かたちを素直に理解するための写真は、写真家の表現したい欲求とは異なる。陰影はなく、図像も拡大よりも全体像を重視するなどの特徴があり、文化財写真と総称される。その誕生もまた、明治半ばであり、日本美術史構築という企画を支えた、重要な要素となった。その立役者が、小川一真だった。彼はアメリカに留学、コロタイプ印刷なども学び、『国華』で活躍しはじめ、文化財写真を牽引していった。その成果は、明治33年、パリ万国博覧会にあわせて制作された『Histoire de l'Art du Japon』にも結実し、国外へ発信された。同書は国内向けに『稿本日本帝国美術略史』として刊行された。

旧江戸城写真

横山松三郎　明治4年　鶏卵紙、銀塩写真　神奈川県立歴史博物館 橘

横山松三郎が撮影した旧江戸城写真。荒廃する姿を記録し、残す目的があった。写真という新技術を最大限に喧伝するために、江戸城は最適なモチーフだったのだろう。

女性

男性

人力車

ガラス湿板　クリスチャン・ポラックコレクション

ガラス湿板に移された写真は、小さいながらもシャープな図像を今日に伝える。写真館で撮影されたものが多いなかで、ここに紹介する人力車はサイズも大きく、貴重である。

横浜写真アルバム

日下部金兵衛　明治前期
手彩色、鶏卵紙
神奈川県立歴史博物館

幕末以来、来日外国人は、故国に帰る際に、写真やそのアルバムを土産品とした場合が多い。典型的な日本の風俗や風景が主題となるが、風俗の場合、スタジオで準備した形式が大半である。またその表紙はたいてい漆器であり、貝などを用いた芝山細工の優品が多い。

写真アルバム（写真焼付漆製表紙）
明治後期　木・漆・写真　クリスチャン・ポラックコレクション

漆製写真立
水野写真館　明治24年　木・漆・写真　クリスチャン・ポラックコレクション

水野写真館は、横浜で活動したひとつ。漆器の上に金箔を貼り、その上に写真を転写する技術で好評を博した。同様の技術が写真アルバム表紙などでも認められる。

column

濃尾地震

『愛岐震災写真』
宮下欽　明治24年

明治24年10月28日早朝、岐阜県美濃地方、愛知県尾張地方をおそった大地震は、震源地は岐阜県本巣郡根尾谷（現本巣市）と考えられ、マグニチュード8.0、世界でも最大級の内陸直下型地震であった。両県で7000人以上の死者を数え、長良川鉄橋や名古屋城城壁にも被害が見られた。

その惨状を伝えるため、新聞雑誌は特集を組み、多くの刷り物も地震直後から発行された。国政や国輝などにより錦絵に描かれ、野崎華年、久保田米僊は水彩画、写生画を残している。『風俗画報』の特集では富岡永洗、寺崎廣業らが挿画を寄せ、新しいメディアとしての写真も大きな役割を果たした。

岐阜では瀬古写真館や河野写真館が撮影を行い、名古屋では宮内省の命を受けた宮下欽、県庁等から依頼を受けた中村牧陽、青山三郎をはじめ、谷房吉、中村透、宮本藤五郎が愛知、岐阜の被害状況を取材した。また、東京の小川一真と帝大教授のバルトン、横浜の日下部金兵衛も写真を残している。

興行においても11月中旬には濃尾地震があらわれ、東京京橋木挽町厚生館の「大地震実況事前大幻灯会」、神田錦町パノラマ館「愛知岐阜大地震」の上演があった。また、浅草十二階の異名を持つ凌雲閣では、東京造画館が画工を現地に派遣して作成した震災油画を展示した。「名古屋紡績会社工女圧死の図」「死者堀出し並兵士尽力の実況」「伏見宮殿下御負傷の図」「岐阜全焼の実況」「仮病院施療の景況」などのリアルな状況描写で義捐金を募った。

明治初期名古屋の写真業

明治4年の新聞附録『名越各業独案内』に大伝馬町4丁目に「墨」印と共に写真師玉井屋房次郎という記述がある。翌年6月の『愛知新聞』に「県下写真師墨印社」が名古屋城の天守や諸櫓郭門内外の真景を写し、需要に応じた記事があるが、名前からすると玉井屋房次郎のことであろうか。明治5年に開業した青山三郎（1837—不明）は、翌年若宮八幡前に、その後も大須公園内、名古屋公園内で開業している。明治21年には磐梯山噴火口を撮影。門下の三浦れいは岡崎で開業。宮下欽については別項で紹介。幕末に写真を研究し、味田孫兵衛にも学んだ名古屋の蘭学者・藤蘭一（東蘭一、藤蘭一郎、1841—1910）は明治7年には開業、11年の名古屋博覧会で知恩院、日吉社等の写真を出品している。日本画家の織田杏齋（1845—1912）と写真との関わりは諸説あり、明治7年、名古屋で開催された東別院の博覧会のための写真館を出し、翌年に名古屋長者通に写真館を開業、明治12年写真館を閉じたというが詳細は不明。『愛知県人物誌』（天野忠順撰　明治8年）には青山、藤、織田の他に長者町佐枝半三郎、古渡町岩田惣兵衛の名があるが情報はない。明治10年第一回内国勧業博覧会で褒状を得た鈴木佳三郎は、名古屋城や常滑、瀬戸の陶器製造所、郵便局や師範学校、中学校の写真を出品しているが、本町の住所と名前からして二代鈴木真一（岡本圭三）のことと考えられる。鈴木は明治11年の名古屋博覧会にも出品し賞牌を受けている。高村六之助は同年名古屋

中村牧陽写真館（写真）　明治17年頃　『明治の商店』（風媒社）より

写真師宮本本店　愛知県下商工便覧

大須で印版彫刻と兼業、後に印判に専念したようだ。名古屋新地常磐町の紅映舎が明治11年1月2日の新規開店を広告しているが、「名妓艶娘ノ玉手ヲ携サヘ」来車してほしいとあり、この時代の風俗を表している。さらにはアメリカ人のマールスに師事した西村寛が東京から名古屋に移り、明治17年5月、名古屋富沢町に写真店を開業している。同年10月27日には神戸在留イギリス人ジョンモードルのもとで修業した中村牧陽が名古屋門前町に開業。同じ頃進一が名古屋長者町で営業している。『東海新聞』によると、明治16年度の愛知県下各職営業人数調査で写真職は16人であったという(注)。また、中村牧陽門の海部幸之進「中京写壇回顧録」によると、名古屋には明治10年頃に大須門前に高村、河村、藤、大須公園に宮本、本町に宮下、若宮前に青山、明治17年頃に大須公園に中村牧陽、大橋信正、水谷鏡、梶繁、谷房吉がいたという。宮本は宮本藤五郎のことであろうか。

いずれにせよ、記録としての写真、特に災害や国家的事業の撮影、そして将兵の肖像、名士の記念写真などが主体であったと考えられる。いわゆる芸術写真が現れるのはこれ以降のことになろう。

注：明治12年の『愛知県統計書』では写真職は20軒となっている。

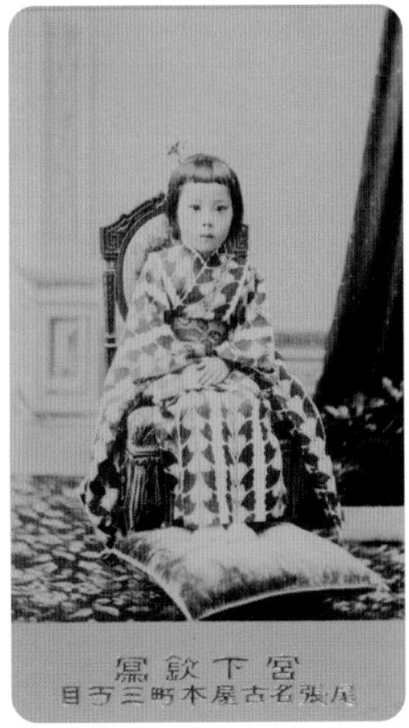

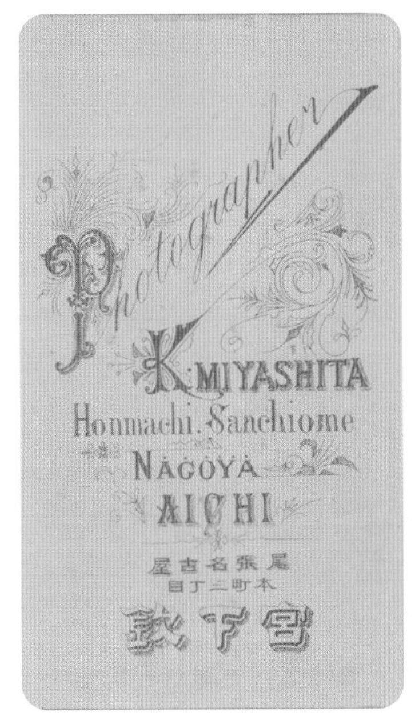

肖像写真

宮下写真館　明治時代　鶏卵紙　クリスチャン・ポラックコレクション

名古屋の写真業の先駆者である宮下欽は、横山松三郎から写真術を学び、明治初頭に名古屋で開業した。明治10年の第1回内国勧業博覧会で褒状を受けた経歴は、宮下の写真館の台紙にも記され宣伝されている。

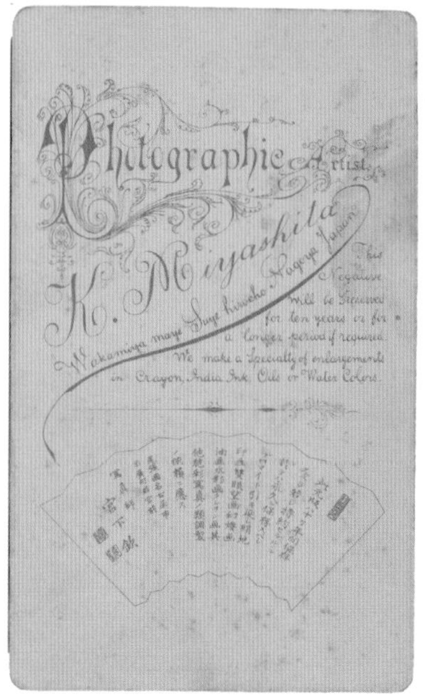

肖像写真
宮下写真館　鶏卵紙　個人蔵

双眼写真　名古屋城　宮下欽　個人蔵

双眼写真　東京城　宮下欽　個人蔵

双眼写真　東京城　宮下欽　個人蔵

双眼写真は、撮影位置をわずかにずらして写された2枚の写真を横に並べて眼鏡のような装置を通して見ることで、ふたつの画像がひとつの立体画像に見えるもの。明治初期の日本風景の記録という点でも興味深い。

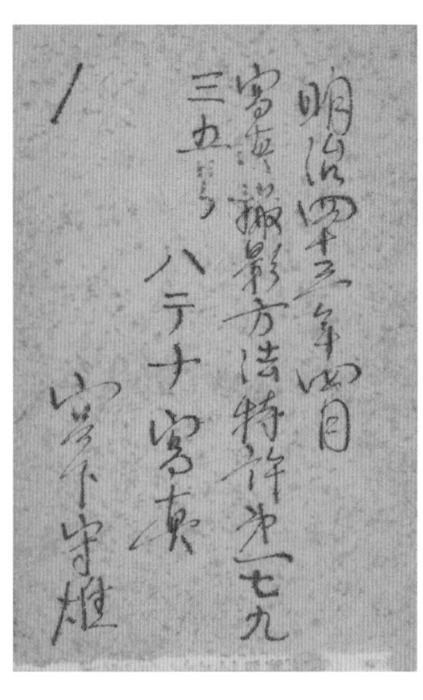

ハテナ写真
宮下守雄　個人蔵

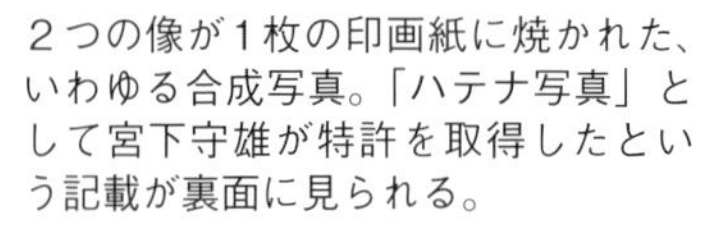

２つの像が１枚の印画紙に焼かれた、いわゆる合成写真。「ハテナ写真」として宮下守雄が特許を取得したという記載が裏面に見られる。

写真油絵

宮下写真館　油彩、ガラス　個人蔵

写真油絵は、印画紙の表面の被膜を剥がし、その裏から油絵の具によって彩色した写真。横山松三郎が発明したとされる。宮下が横山に写真術を学んだという関係性が、この写真油絵にも繋がるか。

磁器写真
鈴木写真館　個人蔵

磁器の板に肖像写真が転写されたもの。裏には「眞正不朽寫眞廣告」と題され、紙焼きの写真のように時間経過による変色や退色、水難火災による消滅の心配がないと謳う磁器写真の広告が貼り付けられている。

第4章

博覧会と輸出工芸

開国後、日本のイメージを広く知らしめ、技術発展や啓蒙の場となったのが、国内外で開催された博覧会であった。博覧会は様々な文物を一堂に集める催しであり、万国博覧会はそれぞれの国が自国の産業や文化・文明の水準をアピールする場である。明治政府にとっては、先進西洋諸国に日本という国の威信を示す格好の機会であった。

その中で陶磁、漆器、七宝、金工、染色などの工芸は、特に重要な役割を担っていた。優れた技法と意匠をもつ工芸品を出品することで、日本の文化的水準の高さを示すことが企図された。また、西洋諸国に比べて重工業の進歩が遅れていた日本にとっては、江戸時代以来の高い技術力によって支えられた伝統的な手工業として工芸を打ち出し、輸出を促進することが、外貨獲得のための手段だった。明治期の輸出工芸制作は、経済力を強化するための国家的な戦略のひとつであり、政府が主導となって振興を図ったのである。明治維新による近世的な階級制度の崩壊により、旧来の顧客層を失っていた多くの職人にとっても、海外における需要の拡大は吉報であった。国内市場が低迷するなか、彼らは新たな販路を求めて次々と輸出工芸の制作に参入した。

輸出工芸にとって大きな転換点が訪れたのが、明治6年のウィーン万国博覧会への参加である。既に文久2年（1862）のロンドン万国博覧会や、慶応3年（1867）のパリ万国博覧会において、日本の陶磁器や漆器が紹介されてはいたが、国家として初めて参加したのがウィーン万博であった。ここでは日本の伝統的な美の規範を示す古美術としての工芸と、精巧な技術に裏打ちされた当時最先端の工芸、両方が出品された。19世紀後半から興ったジャポニスムの高まりも追い風となり、日本の工芸は高く評価され、人気を博した。政府は工芸の海外における需要の高まりや、博覧会を通じた輸出振興への手ごたえを感じ、輸出へ向けた工芸の生産を奨励するとともに、各国で開催される博覧会に積極的に参加するようになる。

万国博覧会は国のイメージを発信するだけでなく、各国の情報を収集するうえでも貴重な機会であった。出品物の売れ行きや評判を調査することで、西洋における需要が把握できた。また万国博覧会を通じて世界の先進技術も導入される。伝習生が派遣されて進んだ技術を学び、西洋で制作された工芸の収集も行なわれた。西洋との交流の中で得られた成果は、並行して開催されるようになった内国勧業博覧会を通じて国内に伝わっていく。これは万国博覧会の国内版といえるもので、国内各地の様々な産業が競合し、その品質と技術の底上げが図られた。また優れた作品に対する報賞が行われ、海外向けの工芸品が評価される傾向があった。輸出工芸の指針を示す場として機能したといえる。

国を挙げて奨励された輸出工芸は、西洋の生活様式に合わせた器形・器種、見る人を驚かせるような精緻な技巧、日本らしさを全面に押し出したデザインなどをもって、西洋の需要に応えた。このような輸出工芸において、立体と絵画との結びつきは非常に強かった。工芸に比して、浮世絵を除く絵画の輸出は振るわなかったが、その技術は図案を通して工芸の輸出振興を助けることになる。政府の『温知図録』（253―256頁）による図案を媒介としたデザイン指導は、工芸図案の改良が直接的に輸出振興に作用すると考えられていたことを示す。

輸出拡大のため、生産や流通のシステムも整えられていくようになる。居留地の商館を通さず、日本人が直接海外へ赴いて商いを行なう、直輸出が行われるようになった。政府主導で設立された起立工商会社は、ニューヨークやパリに出店し、当時の名工を集めて西洋の嗜好を反映した商品を制作した。民間にも輸出産業が発展し、工場を作って職人を雇い、生産から販売まで一貫して行なう輸出商もあらわれる。輸出商の中には職人に作品制作を委嘱して万国博覧会へ出品し、販売していたものも多く、輸出振興に大きく寄与していた。

輸出の隆盛にともない、居留地や貿易港のある地域でも新たに工芸の制作が盛んになった。例えば幕末まで寒村であった横浜は、開港にともなって急速な発展をとげる。居留地周辺には外国人を相手とする商店が次々に設立された。各地の伝統的な工芸を販売する商店も多く開かれたほか、港に近いため輸出の効率が良く、外国人の嗜好をすぐに反映できることから、生産地から職人が移住して工芸制作を行なうようになる。各地から様々な技術を持った人々が集い、西洋の需要に応えるべく一丸となって工芸制作を行なう中で、伝統にとらわれない技法の組み合わせや造形表現が生まれた。人と物の移動や交流が活発になり、技術学習も盛んになった明治においては、こうした動きは各地で起こっていた。各地の輸出商はそれを後押しし、新たな名産品が展開し、輸出工芸の花形として人気を博していくことも多くあった。

万国博覧会の開催を通じて日本の工芸は大きく販路を広げたが、明治10年代になると、輸出は下火になった。ジャポニスムの衰退や、濫造による粗悪な商品の増加、装飾過多な輸出向け工芸が倦厭されたことなどにより、西洋の目も厳しくなっていたのである。輸出工芸を扱っていた商社もその多くが明治20年代頃までに解散した。このころには、国内においても機械工業が発達し、工芸が外貨獲得を担う必要性も徐々に薄れていた。こうした中で、日本の工芸は転換を迫られた。殖産興業のために国を挙げて振興されていた輸出工芸から、品質の向上と大量生産を目指して企業としての体制を整えていく動きと、自らの持つ技法や表現を極め、個人の作家として活動していく動きがあらわれる。すなわち産業としての工芸と美術としての工芸が、それぞれ新たな道を模索しながら展開していくことになったのである。

横浜の製陶業、眞葛焼、宮川香山

安政6年（1859）の開港以前から、日本の陶磁器は海外において高い人気を得ていたが、万国博覧会を契機にその需要は急激に拡大していく。外貨獲得において重要な役割を担う工芸品の中でも、特に多く輸出されるようになり、東京や横浜、名古屋などそれまで伝統がなかった土地でも新たに製陶業が興る。こうした土地では、効率的に生産を行うため、瀬戸や有田などの古くからの窯業地から完成した素地を仕入れ、外国人の嗜好に合わせた絵付けを行い、小規模な錦窯で焼成して仕上げるという業態が生まれた。

井村陶器画工場　『横浜諸会社諸商店図』

横浜は開港により大きく発展した。居留地が設けられて各国から外国人が移り住み、居留地に接する日本人街には彼らを相手とする商いも次々に始まっていた。日本各地から人々が集まり、美術工芸品を取り扱う商店が開かれた。さらに貿易港という地の利から、産地より移住して制作を行うものも多くあらわれた。こうした中で、絵付けを専門とする陶磁器生産も大きく発展し、「横浜絵付」と呼ばれた。

222頁は、「横浜絵付」の先駆者である井村彦次郎商店のカップ＆ソーサーである。大和国高市郡（現・奈良県）出身の油売りであった井村彦次郎は、明治8年、本町2丁目に井村彦次郎商店（屋号は「松石屋」）を開業する。仕入

陶器製造所　眞葛香山
『横浜諸会社諸商店図』

れた白素地に絵付けを施して販売し、商売が軌道に乗ると、販売店の近隣にいくつもの画工場を建てて専属の絵付師を雇い入れた。立地を活かして外国人の趣味や需要を調査し、いち早く製品に反映することが可能になったのである。井村彦次郎商店は大いに発展し、その画期的な製造販売システムは横浜の製陶業の範となった。

「横浜絵付」全盛のなか、素地成形から焼成までの工程を全て行っていたのが、初代宮川香山が開いた眞葛窯である。京都で製陶を行っていた初代香山は、海外の情況に接する環境で制作し、国利に資すること、またその名を国内外に示すことを目的に、明治3年に横浜に移り住んだ。横浜には良質な原料となる土がないため、並々ならぬ苦労の末に関東各所から陶土を探し、明治4年、太田村不二山下（現・横浜市南区庚台）に登窯を開く。彫刻のように立体的な高浮彫技法に代表される高い技術と、伝統に基づきながら独創的な意匠を持つ初代香山の作品は、万国博覧会で驚きをもって迎えられ、世界的な評価を得た。明治10年代半ばからは釉薬の研究に没頭し、立体的な高浮彫から一転して、釉下彩による繊細な色彩表現を特徴とする磁器制作（249、250頁）を行い、明治29年には帝室技芸員に任命された。

産業としての体制を整備した「横浜絵付」の陶磁器商と、陶磁器における表現を極限まで突き詰め、その名を世界に知られた宮川香山の眞葛窯が、同時に製陶を行っていた明治期の横浜は、近代陶磁の中心地であった。

高浮彫牡丹ニ眠猫覚醒蓋付水指
宮川香山（初代）　明治前期　陶磁器
神奈川県立歴史博物館寄託
田邊哲人コレクション

牡丹と猫の組み合わせは日光東照宮の「牡丹に眠り猫」を思わせるが、この猫は今目覚めたばかりのよう。開いた口からのぞく薄い舌まで精緻につくられている。

高浮彫大鷲鯛捕獲花瓶
宮川香山（初代） 明治前期 陶磁器 神奈川県立歴史博物館寄託 田邊哲人コレクション

岩の上で様子を窺う鷹と、鯛を捕らえた鷹を高浮彫であらわす。艶やかな鳥の羽と、ごつごつとした岩の質感を巧みに表現する。この頃の作品には二口一対の形式が多い。西洋の室内装飾を意識したと思われる。

高浮彫蛙武者合戦花瓶

宮川香山（初代）　明治前期　陶磁器　神奈川県立歴史博物館寄託 田邊哲人コレクション

擬人化された蛙が、鎧を身に着け、合戦に向かう様子を賑やかにあらわす。蛙の掲げる纏には「大日本」の文字が書かれる。

蝶耳人物花鳥図香炉
明治中期―後期　陶磁器　原木祥行氏蔵（神奈川県立歴史博物館寄託）

九谷焼ならではの赤絵と金彩による絵付けが特徴的な香炉。羽を広げた蝶を象った耳をつける。大きな窓には、庭園や楼閣に遊ぶ人々を細密に描く。

花鳥図卵型花器
綿谷平兵衛　明治中期─後期　陶磁器　原木祥行氏蔵（神奈川県立歴史博物館寄託）

イースターエッグを象ったと思われる九谷焼の花器。底部に「綿平」の銘があり、横浜にも店を構えた石川県寺井横町の綿谷平兵衛の作であろう。綿谷平兵衛は地元で素地から絵付まで制作を行なっていた。

山水花鳥人物図カップ＆ソーサー
井村彦次郎　明治時代　陶磁器　神奈川県立歴史博物館

横浜の製陶業を牽引した、井村彦次郎商店によるもの。釣り人、旅人などの日常の様子を華やかな絵付であらわす。素地は上絵が透けて見えるほど薄く、実用には向かなかったと考えられる。

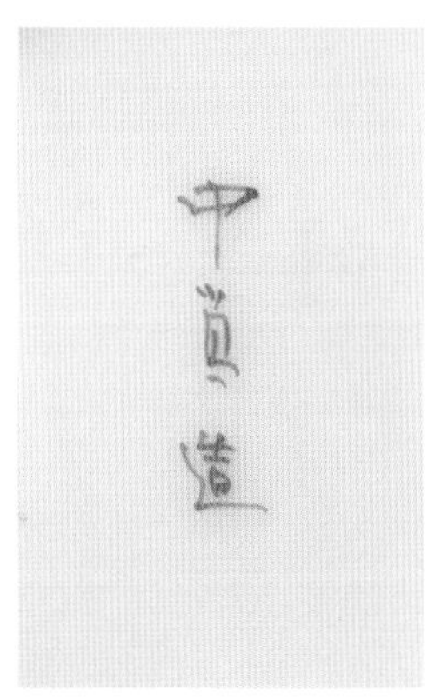

富士合戦図カップ＆ソーサー、皿
明治時代　陶磁器　神奈川県立歴史博物館

富士を背景に合戦図を細密に描く。底部には「中島造」と銘がある。横浜に店を構え、瀬戸などの陶磁器を扱った中島則親によるものか。

漆、寄木細工

日本を代表する工芸品として、漆器がある。大航海時代に日本にたどりついた西洋人は、日本の漆が持つ独特の質感に魅了され、以降数々の漆器が海を渡った。こうした下地もあり、開国後は西洋向け漆器の制作が盛んになった。万国博覧会では、柴田是真らが江戸時代以来の伝統と技術に基づく漆器を出品し、高い評価を得た。いっぽう、西洋の生活様式に合わせた大型家具や調度類、日常的に使われる飲食器など、様々な用途の漆器も大量に制作され輸出された。

横浜写真アルバム　表紙（部分）

輸出品の中には、従来の「漆器」という分類に収めるのが難しいものもある。明治期においては多くの職人が輸出品の制作に参入し、人や物の移動も活発になった。そうした状況を背景に、ひとつの工芸品の中に様々な技法が混合・併存するようになる。多種多様な技術が集結して制作される輸出工芸において、漆という素材は、日本らしさをあらわす効果的な要素としてその用途に広がりを見せた。200頁は、日本の風景や風俗の写真が綴られた写真アルバムで、西洋人の土産物や輸出のために大量に作られたものである。表紙は漆塗りの上に蒔絵、さらに貝、珊瑚、象牙などの様々な材料を加工し立体的に象嵌する、芝山細工と呼ばれる装飾を施す。これらも輸出漆器として捉えることが可能であろう。
また、木工、指物、木彫など、近しい分野が造形的にも技法的にも混合し、連動しているため、漆仕上げであるものだけを抽出し、輸出漆器として語ることも難しい。その例として、寄木細工がある。寄木細工は、様々な形・色の木片を組み合わせ、幾何学模様を作り出す技法である。はじめ静岡、のちに箱根などで盛んに制作されるようになり、輸出工芸としても人気を集めた。226頁は、ウィーン万国博覧会に出品された、静岡の山本安兵衛による飾棚である。精巧な寄木細工を全面に施し、その上に木地呂漆を塗って仕上げる。折り戸を開けると、回転する箱形のからくり棚があらわれる。当時の漆工、木工、金工技術の粋を集めた作品である。いっぽう箱根で制作された227頁の飾棚や228頁のチェステーブルは、緻密な寄木細工による輸出向けの家具であるが、これらは静岡の飾棚と異なり漆仕上げではない。しかし、これらの寄木細工はどちらも漆器商によって扱われた例があり、厳密に区分していなかったことがわかる。

飾棚（部分）

輸出漆器は、あまりにも多様であるゆえにその実態には未だ不明な点が多い。周辺分野を合わせた様々な実例から、造形や技法、制作、販売の関連を探ることで、全貌を明らかにすることが待たれる。

飾棚
明治５年　寄木細工・漆、木
金子皓彦コレクション

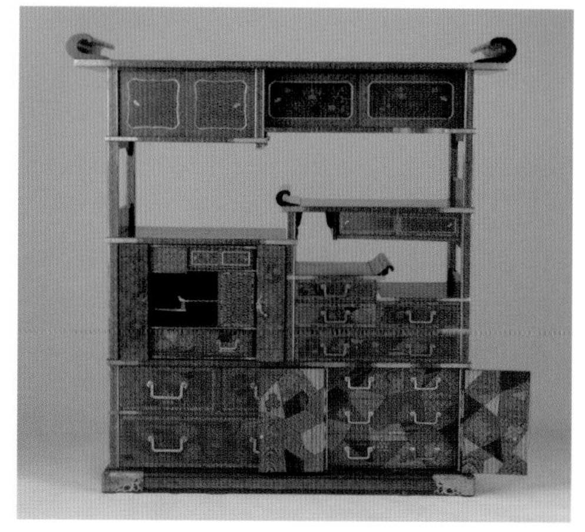

静岡の山本安兵衛により、明治６年のウィーン万博に出品された飾棚。乱寄木と小寄木を裏面まで施す。からくり棚のほか、飾り金具や筆返しの蒔絵など、細部装飾にも高い技術がうかがえる。

飾棚
明治時代　寄木細工、木　金子皓彦コレクション

箱根で作られた飾棚。中央にはミニチュアのような二棟の家屋が作られ、間に太鼓橋を渡す。上部の格子戸をはめた棚も90°回転するなど、目を楽しませる仕掛けが随所にみられる。

チェステーブル
明治時代　寄木細工、木
金子皓彦コレクション

猫脚が特徴的なチェステーブル。チェス盤は異なる色の寄木で作られ、開くとテーブルとなる。下部の板を引き出すと、チェスに興じる際に飲み物などを置くことができる。

column

万国博覧会とジャポニスム

万国博覧会は、世界各国から産業・貿易・学術・文化などに関わる多種多様な産物・天然物などを一堂に集め、展示し、ひろく一般に公開する大規模な催しである。史上初の万国博覧会は、1851年にロンドンで開催された。日本が初めて参加したのは、江戸幕府・薩摩藩・佐賀藩が出品した慶応3年（1867）の第2回パリ万国博覧会である。明治政府も、物産と製品で日本の国力を海外に示すこと、海外の最先端技術を学び日本の技術水準を高めること、そして外貨獲得という最大目的のため、積極的に万国博覧会に参加した。

明治政府が初めて公式に参加した明治6年のウィーン万国博覧会では、工芸品から一般庶民の生活用具に至るまで、また正倉院の宝物といった国宝級の品、名古屋城の金鯱など大型の造形物、さらに神社や庭園まで、幅広い出品物が並び大きな反響を呼んだ。多くの褒賞を受け、日本の産業製品に対する海外の反応をみた明治政府は、殖産興業を日本の進む路線に据えた。とくに陶磁器をはじめとする工芸品の評判が高かったことを受けて、この分野を重要な輸出産業と位置付け、発展させるべく、組織づくりや製作技術の見直しが模索された。そこで重視され利用されたのが、ジャポニスムの高まりを背景とした、欧米の人々の興味関心をひく日本イメージだった。

ジャポニスムは、日本の開国とともに日本の文物が大量に国外へ流出し始めたことをきっかけに、19世紀から20世紀初頭にかけて欧米でおこった、日本趣味の大流行現象を指す。浮世絵が大きな関心を集め、典型的な日本の風俗を描いた版画・出版物なども需要があった。19世紀の万国博覧会に、大量かつ多種多様な日本の産物・製品が出品され、海外の多くの人々の目に触れたことも、ジャポニスム隆盛の一端を担ったといえるだろう。

しかし、他の異国趣味同様、ジャポニスムも20世紀に入ってから衰退していく。かつて日本趣味の流行のなかで好評を得ていた日本の輸出工芸品は次第に飽きられ、海外での競争力を失っていった。とはいえ、明治の輸出工芸品が、日本の外貨獲得に多大に貢献したことは確かである。

愛知の製陶業——瀬戸・常滑の明治

瀬戸と常滑は、中世から今日まで続く日本有数の陶産地である。明治時代に藩の保護を失い廃業・淘汰されていった陶産地も多かったなかで、瀬戸と常滑では、封建的な諸制約から解放され、自由競争や新規参入が可能となった状況のもと、国内外に新たな販路を求めて活発な生産活動が行われた。西洋から入ってきた新技術の研究も意欲的に行われ、それまで培われてきた技術と掛け合わせて、新時代に合った新しいやきものを作り出そうと様々な取り組みがなされた。

瀬戸の陶器館

瀬戸では、江戸時代には尾張藩の庇護のもと陶器生産が盛んとなる一方で、19世紀初頭には磁器生産が始まり、華麗な染付磁器が数多く生産された。明治時代に入ってからは、明治6年のウィーン万国博覧会を皮切りに、瀬戸の製品が万国博覧会に盛んに出品されていく。例えば明治9年のフィラデルフィア万国博覧会への出品は総点数６００点近くに及び、明治11年の第3回パリ万国博覧会には11の窯屋が出品した。染付磁器製の大円卓や大壺、燈籠など、博覧会仕様の大型品を作ることができたのは、高い技術を持つ職人を抱える規模の大きな窯屋だった。万国博覧会や内国勧業博覧会に出品するための、または輸出向けの工芸品の図案をまとめた『温知図録』にも、瀬戸の窯業関係者の名前と図案が多数掲載されている。

常滑の土管置場の風景

瀬戸での新材料・技術の研究と教育の点でいえば、明治4、5年頃に肥前の田代安吉によって染付の顔料となる酸化コバルト（化学呉須）が伝えられ、明治8年に加藤友太郎・川本富太郎によって石膏型製法が瀬戸に伝えられた。瀬戸出身の加藤・川本は、納富介次郎が設立した江戸川製陶所で石膏型鋳込法を学んでいる。石膏型の技術は、それまでの木型や土型よりもさらに複雑で細かな造形を可能にした。初代川本桝吉は自宅に石膏型伝習場を設けるなど、石膏技術の導入に力を入れている。

常滑は、大物と呼ばれる甕や壺、小細工物と呼ばれる茶器や酒器などに加えて、明治時代に入ってからは土管の生産で知られる。都市の上下水道整備にあたり、頑丈かつ規格が統一された土管の需要が高まるが、その大量生産に応じたのが常滑の窯元・鯉江方寿だった。明治5、6年頃、鯉江は木型を開発して規格化した土管製造に成功する。その後、鉄道の普及にともない、灌漑用水を地下に埋設する事業にも必要とされ、常滑の土管が各地で大量に使用された。

海外に向けては、明治10年代に輸出品を作る試みが盛んとなった。朱泥土で作った花瓶などの周囲に、レリーフ状の龍の装飾を巻き付けるように施す、朱泥龍巻と呼ばれる陶器がその一例である。

染付花鳥図獅子紐蓋付大飾壷
川本枡吉（初代） 明治9年頃 陶磁器 瀬戸蔵ミュージアム 瀬戸市指定有形文化財

蓋裏に「日本尾張国名古屋飯田重兵衛為嘱 同瀬戸川本枡吉造之」との染付銘があり、明治9年のフィラデルフィア万国博覧会出品作のひとつと推測されている。本作のような大型の陶磁器を作るには職人の高度な技術や大きな窯が必要で、初代川本桝吉はそれらを兼ね備える瀬戸の有力な窯屋だった。

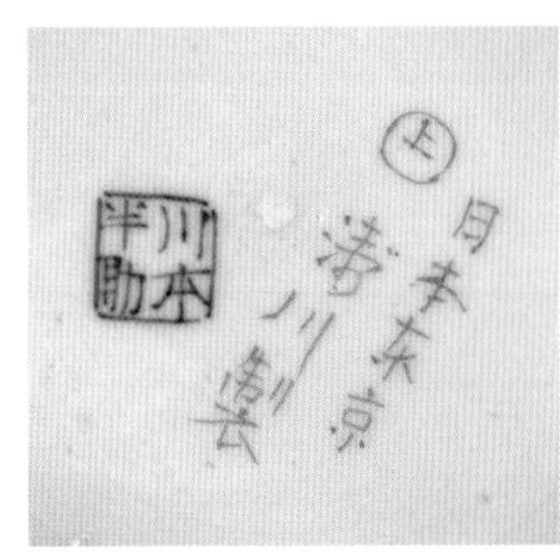

青地上絵金彩陽刻鷹図耳付花瓶（一対）
川本半助（六代）・濤川惣助　明治時代　陶磁器　瀬戸蔵ミュージアム

瀬戸の素地に東京で絵付けした製品で、底部に素地を制作した「川本半助」と装飾を施した「日本東京濤川製」の銘がある。濤川惣助の工場は七宝のほか陶磁器の製造販売も手掛けていた。

陽刻絵金彩花鳥図花瓶
川本半助（六代）・横浜・田代商店　明治時代
陶磁器　愛知県陶磁美術館

瀬戸の素地に横浜で絵付した製品。酸化コバルトを混ぜ合わせて作られた青い素地は、英国ウェッジウッド窯のジャスパーウェアの影響が指摘されている。花の部分は貼付で立体的に見せ、全体に上絵金彩が施されている。

染付獣面唐草文ティーセット
加藤周兵衛（二代）・加藤仙八　明治時代　陶磁器　愛知県陶磁美術館

虎置物
川本半助（六代）　明治時代中期　陶磁器　愛知県陶磁美術館

四代川本半助の長男六三郎は、五代半助（後の川本桝吉）から家督を相続し、六代目となった。瀬戸村美術学校で小栗令裕に彫塑、石膏型の指導を受けたようだ。

column

明治11年の博覧会

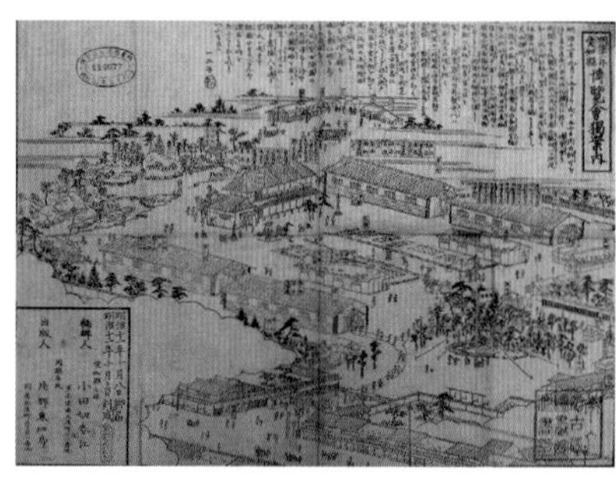

小田切春江
明治11年愛知県博覧会独案内

江戸時代から物産会、見世物などが盛んであった名古屋では、明治4年11月に総見寺で、7年5月には東本願寺別院で博覧会が開かれている。これらは各所産物から鳥獣、古器旧物までを所狭しと並べるものであったが、秘蔵されていた寺社や旧大名家の物品も一般公開され、新時代を象徴するものとなった。しかし、古器物が多く、列品売買なしで出品者たちは有益性を疑問視したとも伝えられている。

明治11年9月15日、「美術工芸、衛生教育、農業、林業、水産等に関する各種の物品を蒐集陳列し、斯業開発の参考に資するため」愛知県下有志拠出、県費補助により総見寺内に博物館が創立する。この杮落しが名古屋博覧会である。天産品2150点、製工品7182点が並び、分類は前年の第1回内国勧業博覧会に準じた。入場者は7000人を超える日もあり、10月には天覧の機会も得た。

出品は第一館に鉱石、薬品、陶磁器、第二館に七宝焼、呉服等、品評所に宮内省、内親王礼服、大蔵省、興福寺、熱田神宮、徳川家、西京博覧会社に加え写真と書画、県下百工美術、第三館に漆器、度量衡、錯葉、製茶、味噌醤油酒等、第四館に博物局、勧商局等官庁系、尾張一宮神社、東大寺等に加えて油画、新館に生糸、カバン、指物等、器械館に紡績や醸造、活字の器械等が陳列された。他に金鯱雌雄を庭に配置し、盆栽、海魚畜養、動物、クマタカ、植物園と多種多様で、「人間須用の物件を陳し…好事家の目を驚かし…新製奇巧ハ陋巷先生の頑を挫く…実地開化の商売往来なり」(『博覧会独案内』)とあり、文字通り「博」「覧」の機会となっていた。

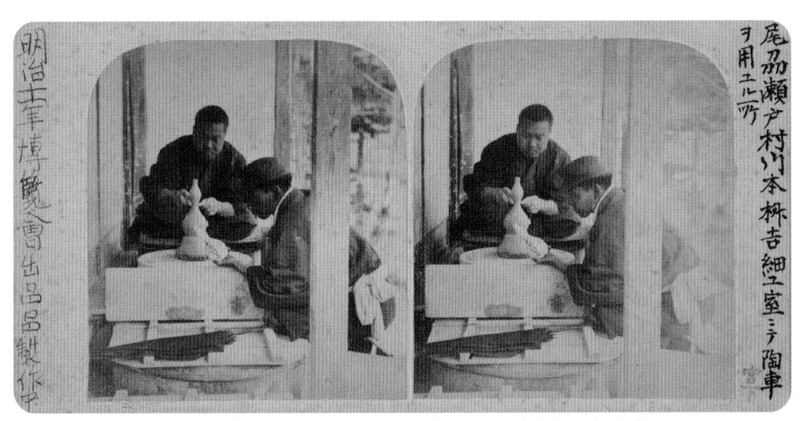

双眼写真　川本枡吉細工室　宮下欽　鶏卵紙　個人蔵

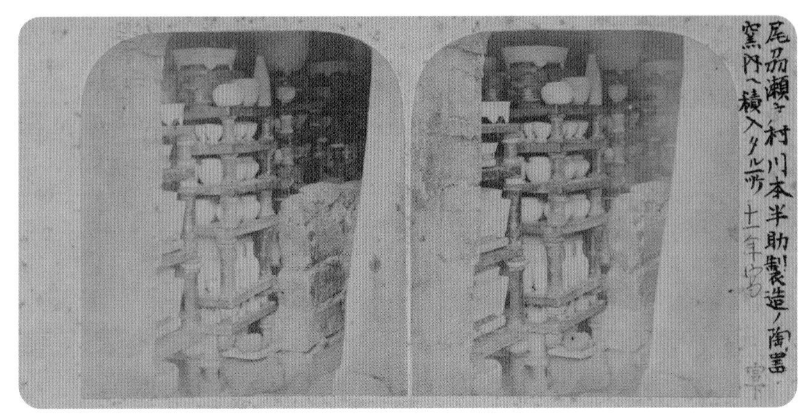

双眼写真　川本半助製造ノ陶器窯内　宮下欽　鶏卵紙　個人蔵

双眼写真　加藤春慶翁の陶碑　宮下欽　鶏卵紙　個人蔵

明治10年代初めの瀬戸焼現場を写した非常に珍しい写真である。川本桝吉、川本半助という名工の製作現場の様子がわかる大変貴重な資料といえよう。

七宝

明治の七宝といえば、京都の並河靖之と東京の濤川惣助という2人の「ナミカワ」が傑出した存在である。七宝技術を極限まで高めた2人は、ともに明治29年に帝室技芸員に任命された。その卓越した技術は世界を驚かせたが、近代七宝の歴史は意外にも浅く、江戸時代末に端を発する。そしてその拠点のひとつとなったのが、愛知だった。

天保4年（1833）、尾張藩士の次男である梶常吉が、有線七宝の再現に成功した。常吉は舶来の有線七宝に感銘を受け、独学で研究していた。有線七宝とは、器胎に細い帯状の金属線で図案の輪郭をほどこし、それぞれの区画に釉薬を充填して焼成したのち、表面を磨き上げて完成とするものである。それまでの日本の七宝は、素地に作ったくぼみに釉薬を差す象嵌七宝が中心であった。つまり近代七宝は、伝統とは異なる地点から始まったのである。

安政3年（1856）、梶がこの技法を尾張遠島村（現・あま市七宝町）の林庄五郎に伝授すると、七宝は遠島村を中心に広まり、尾張の特産品となるまでに至った。七宝の技術は目覚ましく進歩し、慶応3年（1867）のパリ万博には、既に七宝の菓子器などが出品されている。これは万博のために作られたものではなかったが、続く明治6年のウィーン万博には万博出品作として大型の作品も含めた数点が出品されており、この頃

開洋社　花唐草文七宝花瓶（部分）

七宝会社広告

には世界を見据えた制作が行われていたといえる。万国博覧会への出品と並行して、新たな技法も次々に開発された。明治7年頃には尾張地方において、古くからの窯業地である瀬戸との結びつきを背景に、一時期陶磁器を胎とした陶磁胎七宝（236頁）が生産された。明治10年代には、林庄五郎の弟子であった塚本貝助と、ドイツの化学者ゴットフリート・ワグネルが釉薬の改良を行った。それまでは失透性の釉薬を用いたいわゆる「泥七宝」が主であったが、この改良により鮮やかで透明感のある色彩の表現が可能になり、近代七宝における大きな転換点となった。

　輸出によって需要が増えると、組織的な生産体制をとる動きも現われる。早くも明治4年、名古屋で愛知県令井関盛良の勧めにより七宝会社が創設された。遠島村など近郊の七宝を買い上げ、良質な品のみを輸出することで粗製乱造を抑制し、海外における信頼を高めた。また自社工場を設けて職人を雇い、技法の保存や改良、職人の育成に努める。244、245頁と246頁は、それぞれ七宝会社の職人である鈴木清一郎と竹内忠兵衛によって制作された陶磁胎七宝である。七宝会社は陶磁器など七宝以外の輸出工芸も取り扱い、国内外の博覧会にも優れた作品を数多く出品し、近代七宝の展開の一翼を担った。

百華文七宝大壺

林喜兵衛／安藤七宝店製造　明治後期　銀胎有線七宝　名古屋市博物館

繊細な古代文や咲き乱れる草花の花弁や葉に至るまで、緻密に植線した有線七宝を施す。濃紺の地との対比も鮮やかである。安藤七宝店は明治13年に創業し、明治23年に解散した七宝会社の業務を継いで名古屋の七宝を牽引した。

鳳凰文隅切七宝小箱
明治後期　銅胎有線七宝　名古屋市博物館寄託

蜻蛉文七宝手箱
川口文左衛門　明治後期　銀胎有線七宝　名古屋市博物館

銀の素地には稲穂文を彫刻し、紫色の釉薬を施す。透明度の高い釉の開発により可能となった表現。塚本貝助に七宝を学んだとされる名古屋の川口文左衛門の作で、第5回内国勧業博覧会出品作と考えられる。

白鷺文七宝花瓶
明治後期　銀胎有線七宝　名古屋市博物館

白鷺の嘴と眼は有線七宝で輪郭をつくり、身体は釉薬をさした後に金属線を取り除く無線七宝により、地に溶け込むような柔らかな陰影をあらわす。銘には「大日本 名古屋 児玉造」とある。

花唐草文七宝花瓶

開洋社　明治前期　磁胎有線七宝　名古屋市博物館

名古屋では、瀬戸などで作られた陶磁器を胎とする陶磁胎七宝が多く作られた。本作も磁胎に有線七宝を施したもので、陶磁部分には青磁釉がかかる。明治11年に創業し、陶磁器の輸出を中心に行っていた名古屋の開洋社による。

花蝶文七宝花瓶
七宝会社・鈴木清一郎　明治前期　磁胎有線七宝　名古屋市博物館

基調となる釉薬の色から、中国で景泰年間（1450-56）に作られた、濃い水色が特徴的な七宝「景泰藍」を範としたと思われる。菊花や牡丹、蝶をあらわす。

磁胎七宝花蝶文長頸瓶
七宝会社・竹内忠兵衛　明治時代　磁胎有線七宝　愛知県陶磁美術館

244頁の花瓶と同じく水色の地に式の花と蝶をあらわす。口縁部の内側に染付で文様を描く。

磁胎七宝花鳥文大花瓶

七宝会社・竹内忠兵衛　明治前期　磁胎有線七宝　愛知県陶磁美術館

磁胎七宝の大型作品。扇の舞う唐草文のなかに窓をとり、月夜に梅に集う鳥、菊花と竹を有線七宝であらわす。口縁部と高台には磁胎を残し、染付金彩で瓢唐草文と雷文をそれぞれ描く。竹内忠兵衛は磁胎七宝を得意とし、博覧会への出品を重ねた。

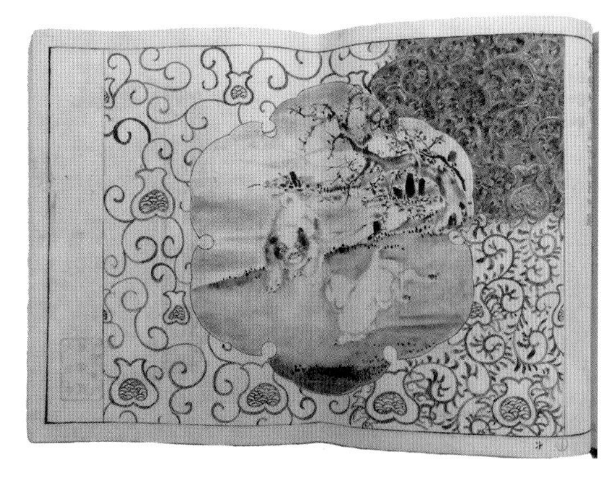

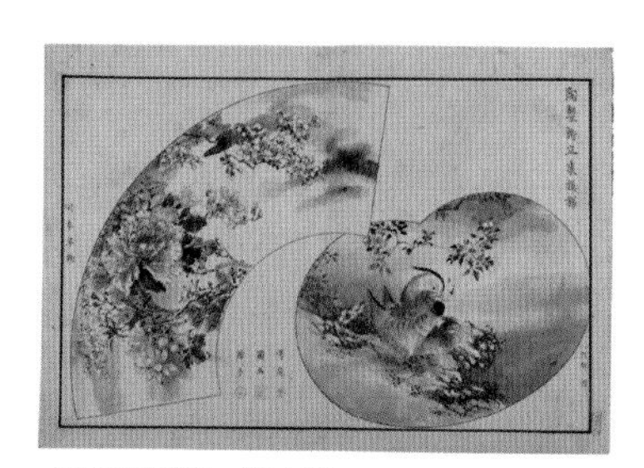

『温知図録』第１輯

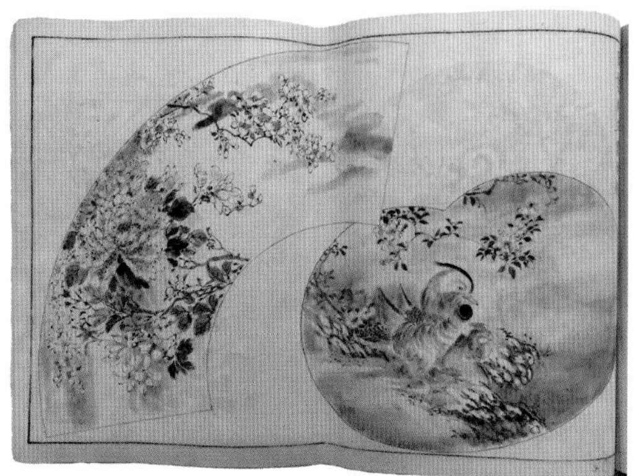

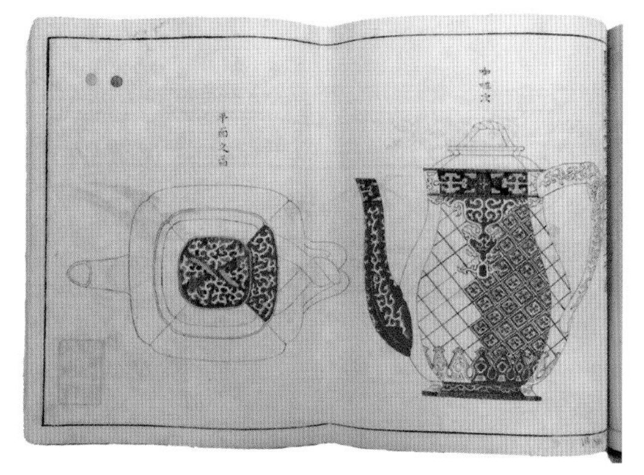

『温知図録』第１輯

花瓶諸図下絵簿

七宝会社　墨・水彩、紙　名古屋大学附属図書館

明治４年設立の七宝会社は七宝の製造販売を主に行う会社だが、陶磁器の絵付けも行っていた。この下絵図簿は、絵付のための図案がまとめられた帳面。『温知図録』第１輯８陶器之部との共通部分が多く興味深い。七宝会社設立の中心人物である名古屋の金属商・岡谷惣助に連なる岡谷文庫から見つかった。

column

帝室技芸員

シガレット・ケース
海野勝珉　明治37年

明治23年、明治維新によりそれまでの仕事を失ってしまった工人を助けることで、日本の美術の発展を目的として作られた帝室技芸員制度によって選ばれた美術工芸家たち。帝国博物館総長を選択委員長とし、技量はもちろんのこと後進の育成と美術の奨励に資する人物を選択委員が推薦して選出された。技芸員は宮内省から製作を下命されることがあり、製作費とは別に毎年の手当が支給された。また、任期は終身である。

初年に選出されたのは、田崎草雲、森寛斎、加納夏雄、柴田是真、橋本雅邦、高村光雲、狩野永悳、守住貫魚、石川光明、伊達弥助の10名である。この制度の前身は宮内省工芸員にあたり、有栖川熾仁親王を総裁とする日本美術協会の古美術の保護という目的があるが、岡倉天心主導のもと新しい日本画を制作した橋本雅邦も選ばれた。また、明治29年には彫金家の海野勝珉、明治43年には黒田清輝の油画、小川一真の写真も選ばれており、日本の伝統的な美術だけでなく、特筆すべき技術をもつものや後進の育成に貢献したものが選出されている。制度としては、昭和19年（1944）まで選出が続き、戦後に廃止された。

紫釉盛絵杜若花瓶
宮川香山（初代） 明治後期 陶磁器 神奈川県立歴史博物館寄託 田邉哲人コレクション

杜若の花を大きく配した花瓶。地からわずかに盛りあげた、浅い奥行きの中に、花や葉の重なりを繊細にあらわす。

彩磁紫陽花透彫花瓶
宮川香山（初代） 明治後期 陶磁器 神奈川県立歴史博物館寄託 田邉哲人コレクション

紫と白の紫陽花を淡い色彩であらわし、葉を染付の技法で描く。花塊は所々器胎を彫り、上から透明釉で覆うことで光がほのかに透けて見える。

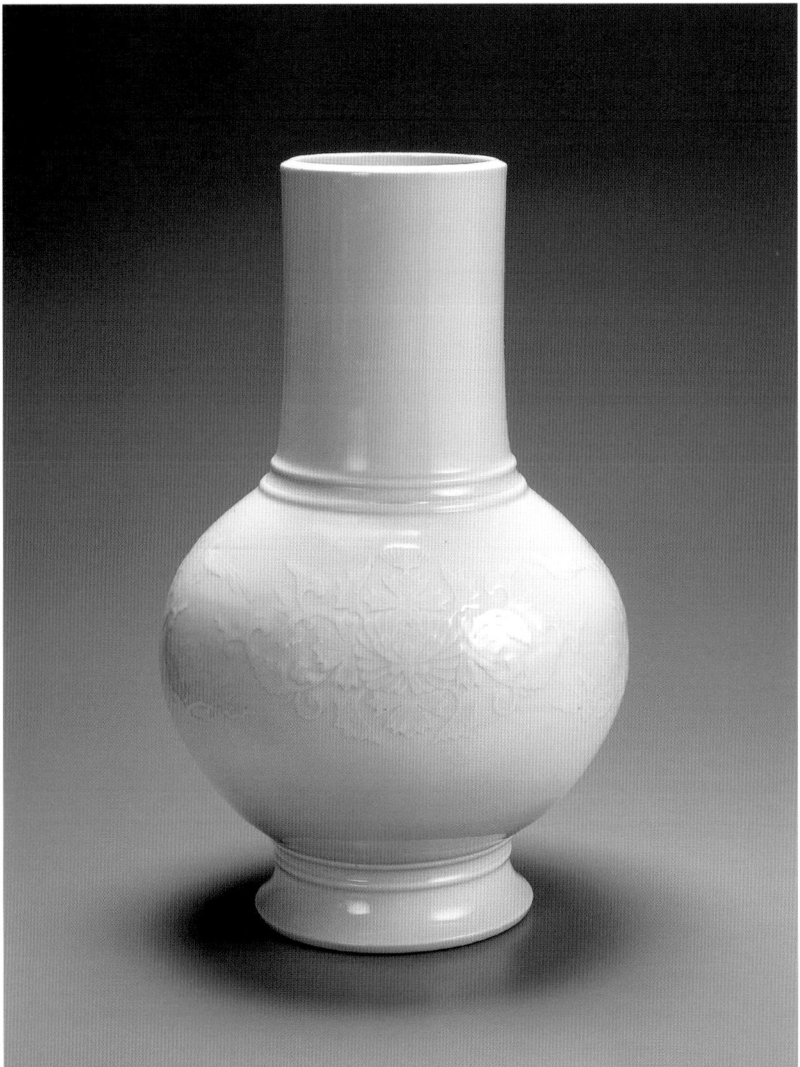

琠白磁彫刻画花瓶
清風与平（三代）　明治33年　陶磁器　愛知県陶磁美術館

column

図　案

『日本美術協会報告』10　明治21年

19世紀半ばからのジャポニスムを背景として、輸出工芸のデザインは、さらに「日本らしさ」を追求していった。そこで重要視されたのが、工芸制作の礎となる図案の改良、すなわち新しいデザインの模索である。輸出促進のためには品質の向上や技術の進歩も重要であったが、西洋の嗜好にかなうデザインへ改良することがより効果的だと考えられたのである。『温知図録』（253-256頁）は、内外の博覧会出品作や輸出品のため、政府が明治8年から18年頃までに考案した図案、あるいは工芸家から提出されたのち修正した図案などを編纂したものである。政府において、工芸は殖産興業の要であり、日本固有の美をアピールする手段でもあった。図案を見ると花鳥画や歴史人物などの伝統的なモチーフが多用されており、古典に基づく文化の豊かさを対外的に示そうとする政府の意図がうかがえる。民間の輸出商においても、西洋の需要に応える商品を作るべく、独自の図案が作成され、制作の指針となった。輸出工芸には伝統にこだわらない器種・器形のものが多い。またその制作は分業制が多く、様々な職人が関わっていた。そのため、制作から販売までの過程において図案を媒介にイメージを共有し、連携を取ることが不可欠だった。工芸が近代産業として発展していく過程においても、図案の果たした役割は大きかったといえるだろう。

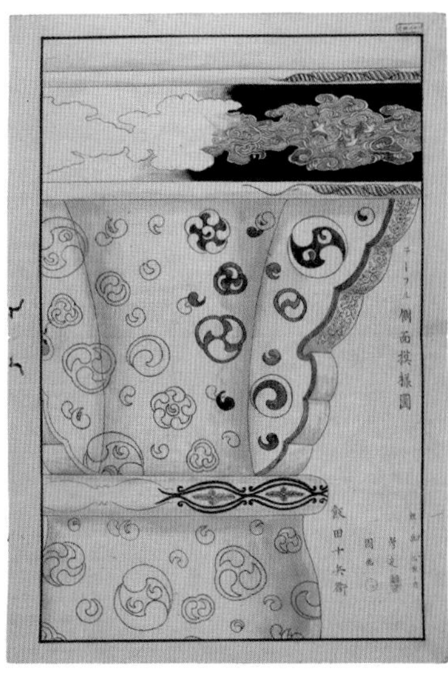

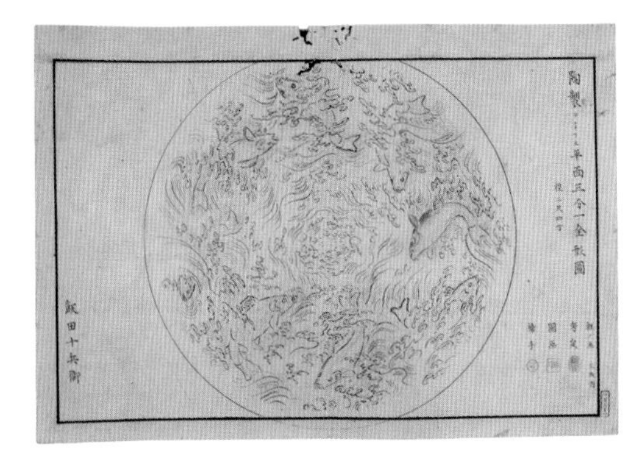

『温知図録』第1輯　陶器7
米国博覧会事務局編　明治9年
紙本著色　東京国立博物館（Image: TNM Image Archives）

図案に書き込まれた記述から、関わった職人や商人、貿易商社の名前がわかる。愛知に関するものでいえば、加藤杢左衛門や河本半助、加藤紋右衛門、飯田十兵衛、村松彦七、七宝会社など。

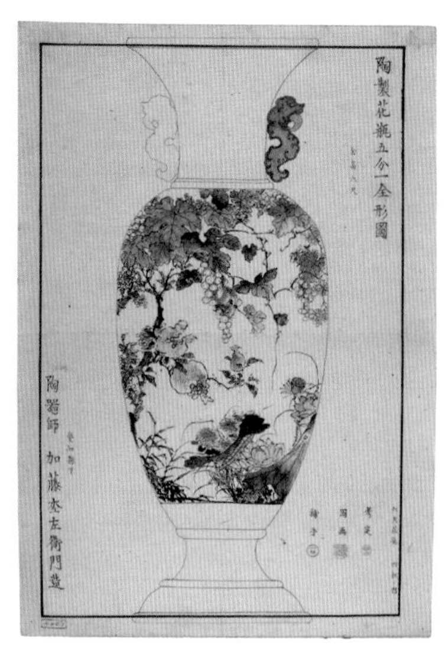

『温知図録』第1輯
陶器8
米国博覧会事務局編
明治9年
紙本著色
東京国立博物館（Image: TNM Image Archives）

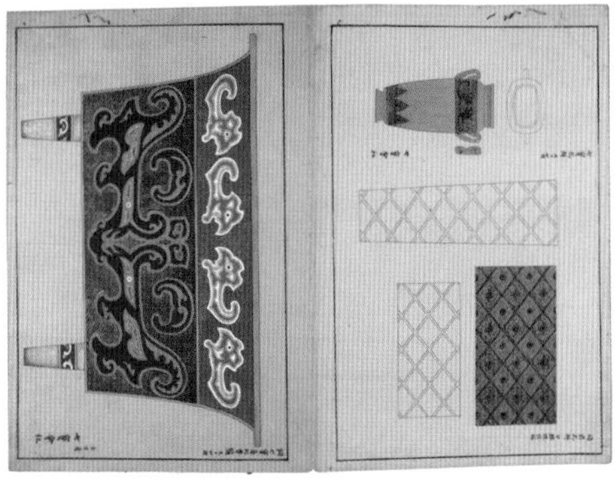

『温知図録』第３輯
七宝器・琺瑯器之部５
仏国博覧会事務局編
明治11年　紙本著色
東京国立博物館(Image: TNM Image Archives)

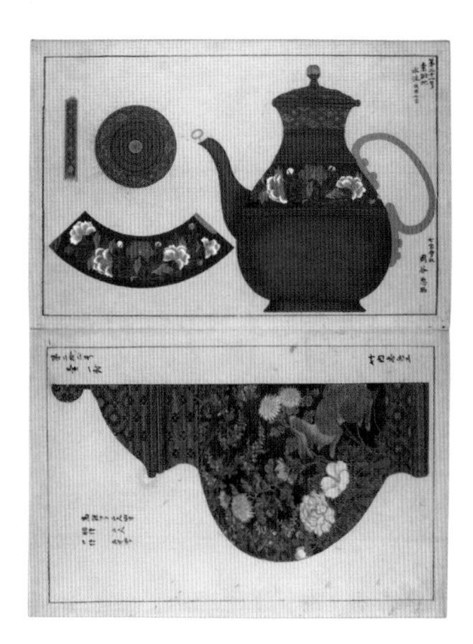

『温知図録』第４輯　七宝器部1
製品画図掛編　明治14年　紙本著色　東京国立博物館（Image: TNM Image Archives）

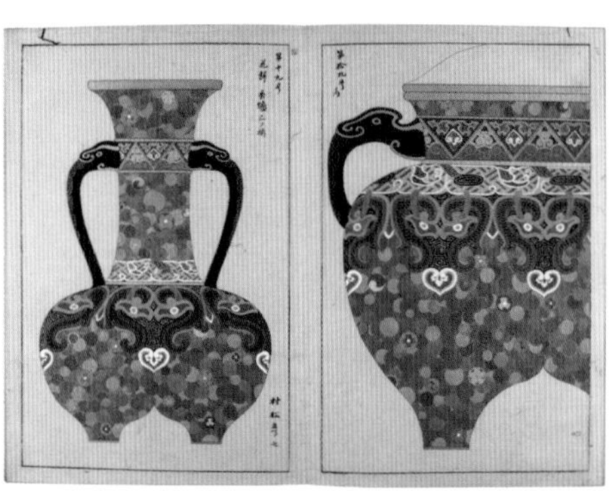

『温知図録』第４輯　七宝器部2
製品画図掛編　明治14年　紙本著色　東京国立博物館（Image: TNM Image Archives）

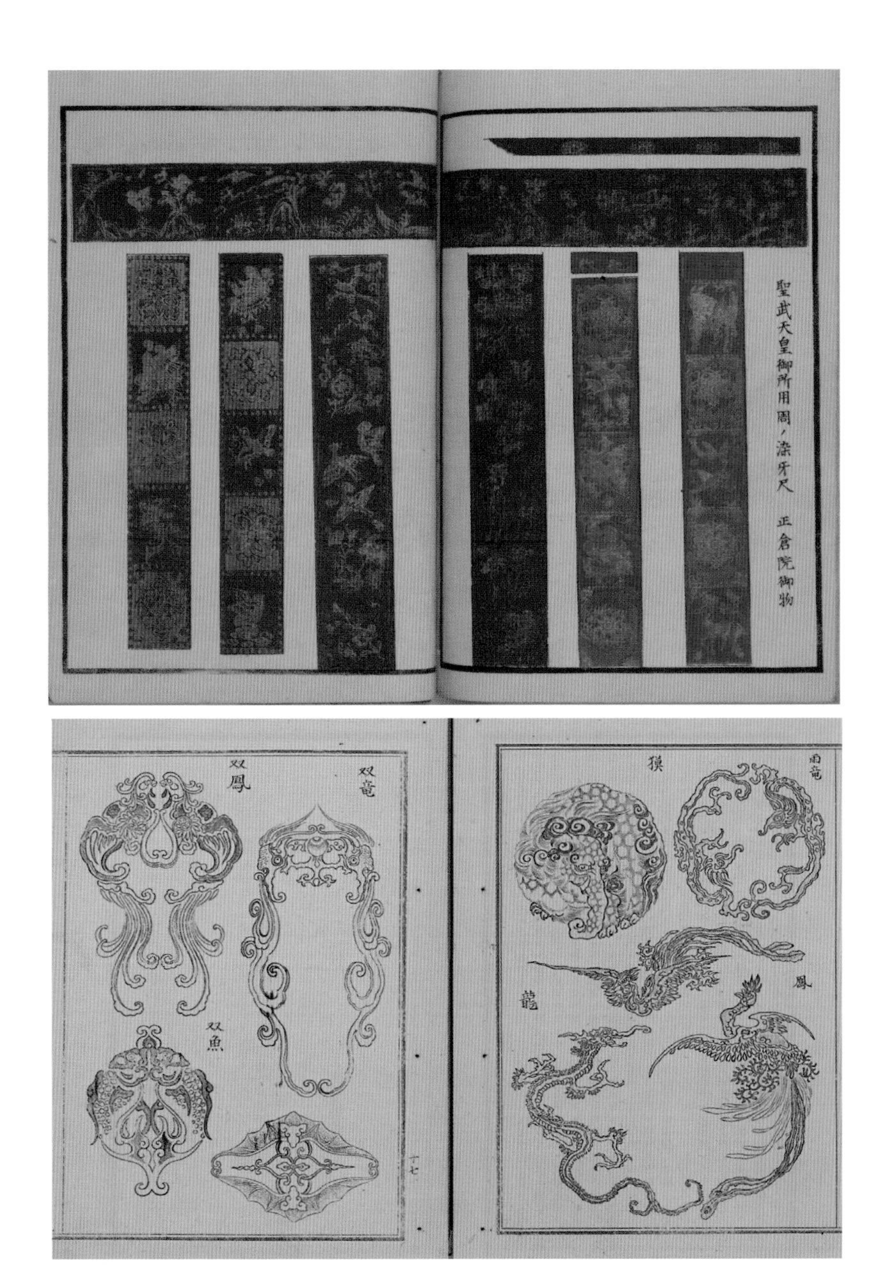

『工業図式』

幸野楳嶺・大倉孫兵衛　明治16年　個人蔵

輸出工芸の制作を支えるため、民間書肆からも図案集が数多く発行された。大倉孫兵衛の錦栄堂・大倉書店は、その有力な版元・出版社のひとつだった。

『工芸細画式』
井上勝五郎　明治23年　神奈川県立歴史博物館 橘

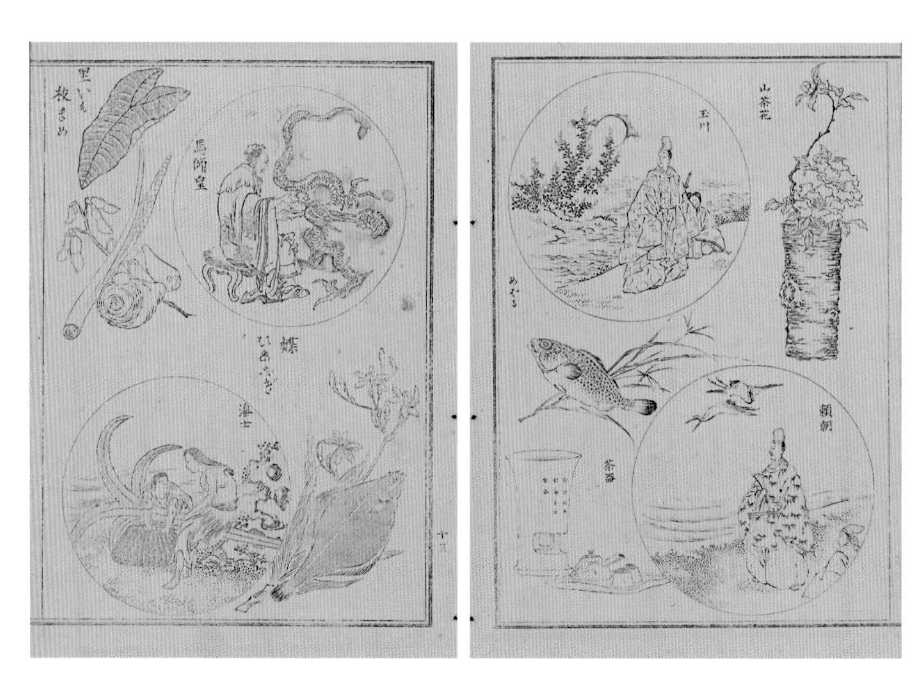

『萬工画式』
新井藤次郎編　明治14年　銅版、紙　神奈川県立歴史博物館 橘

図案とひとくちにいっても、絵画的であったり、文様化されていたり、大きな振幅があった。また書題に「工」「工業」とあり、今日分離されている美術と工業、産業の緊密な連携が顕著に認められる。

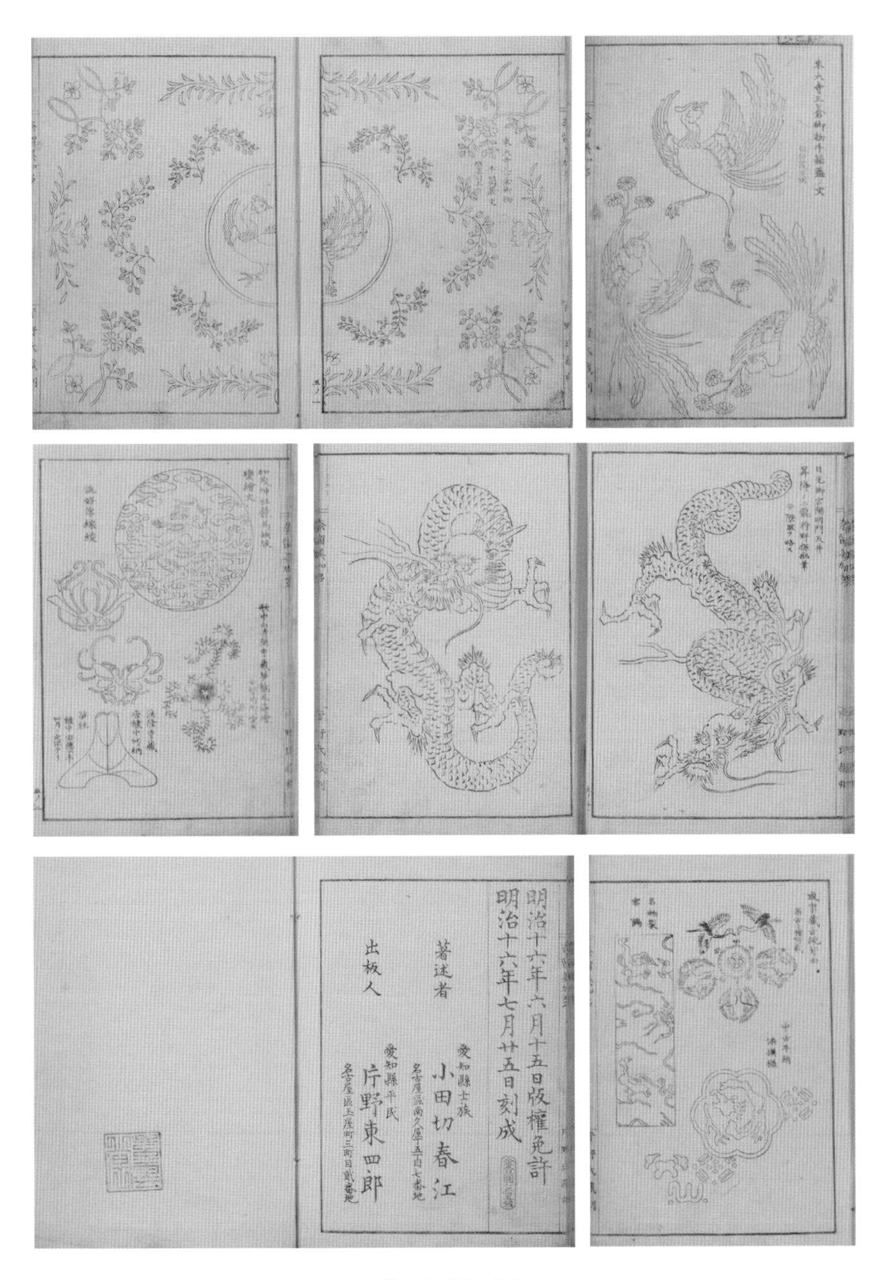

明治十六年六月十五日版權免許
明治十六年七月廿五日刻成

著述者　愛知縣士族　小田切春江
名古屋區南久屋五百七番地

出板人　愛知縣平民　片野東四郎
名古屋區玉屋町三町目貳番地

『奈留美加多』
小田切春江・片野東四郎　明治16年　愛知芸術文化センター愛知県図書館

森村組

森村組創立者たち

森村組は、「雑貨商」としてはじまった。明治期の貿易を担った各社をまとめた名鑑などをひくと、必ずその名称に行き当たる。その創業の精神が直接示された分類でもある。同社は明治9年、土佐藩の御用商人だった森村家の六代目市左衛門が創業した。国内の物資をまとめて海外へ直輸出し、外貨を獲得しようという大志にあふれた試みだった。国内の物品選択と買付、またその改良を担ったのが、市左衛門の義弟だった大倉孫兵衛だった。そして、明治13年にアメリカ・ニューヨークに構えた店舗で販売とマーケティングを担ったのが、実弟の森村豊だった。この国内外の実働部隊を両輪に、市左衛門が全体を統括した体制で、明治10年代以後の雑貨輸出が展開されたのである。

最初期の輸出品のうち、特に売り上げを支えたのが、孫兵衛が版元として制作した、輸出を目的とした浮世絵だった（263―265頁）。孫兵衛は萬屋の屋号で、幕末から絵草紙屋、錦絵版元として活動して

森村組輸出送帖　森村商事株式会社

いた。国内向けの販売とは一線を画した、華美な色使い、画面いっぱい充填されたモチーフなど、海外の嗜好に対応したそれらは、孫兵衛自身が直接デザインした可能性も指摘されている。そして、そのデザインを活用した輸出陶磁器制作に、森村組の活動が次第にシフトとしていった。

　陶磁器については別の解説に譲るとして、森村組と美術の関係に話を戻し、主に二つの特徴を指摘したい。ひとつは実際に何を販売したのか、輸出したのか、である。それをヴィジュアルで示すのが、販促用錦絵であり、ニューヨークの店舗のショーウィンドウを模倣した一点である（263頁）。陶磁器や扇子、人形や木工品、屛風など多種多様である。森村組が活躍した十九世紀後半の欧米では、ジャポニスムが活発だった。ただその活況も長くは続かず、20世紀になると新たな産品の開発に追われた。麦稈や籐製の籠などが主力商品に加わる過程が、現在残る台帳から判明する。

　次に注目したいのが、市左衛門らによる国内の作家たちの支援である。そのうち最も有名な事例が洋画家原撫松の支援であり、《森村豊肖像》（262頁）はその一例である。同作品と白滝幾之助が描いた《森村市左衛門肖像》とともに、長年、森村組（現森村商事株式会社）の応接室に飾られていたという。また、晩年の由一が息子源吉を森村組へ紹介して欲しいと某氏に依頼する書簡が残っており、この辞令からも篤志家市左衛門の大きな一面が見えてくる。

森村市左衛門像

白滝幾之助　制作年不詳
油彩、画布　森村商事株式会社

森村豊肖像

原撫松　明治33年　油彩、画布
森村商事株式会社

森村組創業者である市左衛門と実弟豊の肖像画。いずれも重厚な雰囲気をもち、近代肖像画の優品である。市左衛門は、後者の作者である原撫松のパトロンでもあった。

大倉孫兵衛旧蔵錦絵画帖

大倉孫兵衛　明治10年代　木版多色摺、折帖　神奈川県立歴史博物館寄託

森村組の販促引き札。下段はニューヨークにあったモリムラブラザーズの店舗で販売されていた数々のモノが錦絵となっている。陶磁器や扇子など、まさに雑貨だったとわかる。

大倉孫兵衛旧蔵錦絵画帖

大倉孫兵衛　明治10年代　木版多色摺、折帖　神奈川県立歴史博物館寄託

大倉孫兵衛が制作し森村組が輸出した錦絵。表具部分も文様化し摺っており、国内市場向けのサイズとも異なっている。海外顧客の嗜好にあわせた結果、莫大な売上をほこったという。

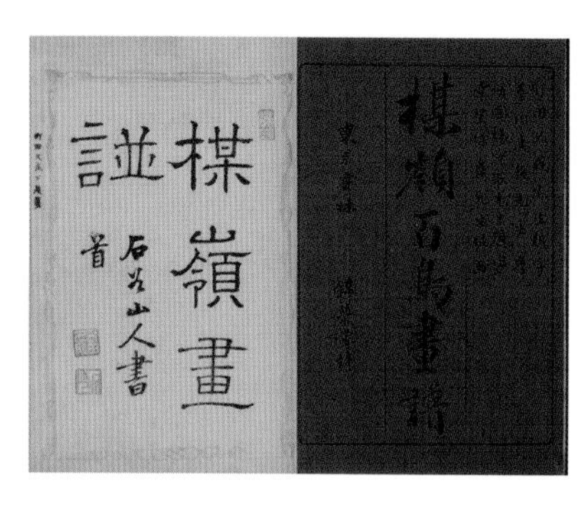

『楳嶺百鳥画譜』
幸野楳嶺・錦栄堂　明治14年
神奈川県立歴史博物館

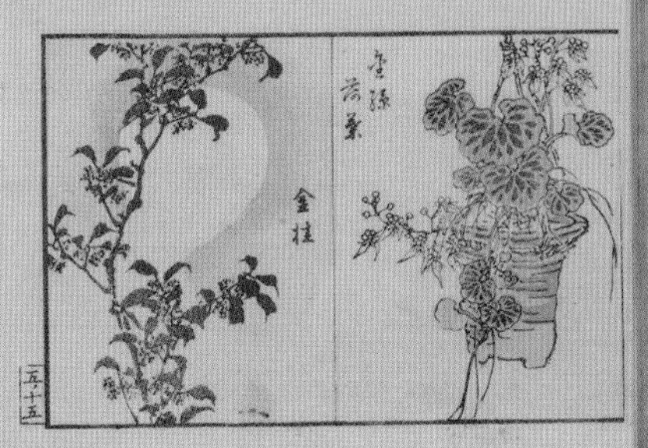

『工業図式』
幸野楳嶺・錦栄堂　明治16年　神奈川県立歴史博物館寄託

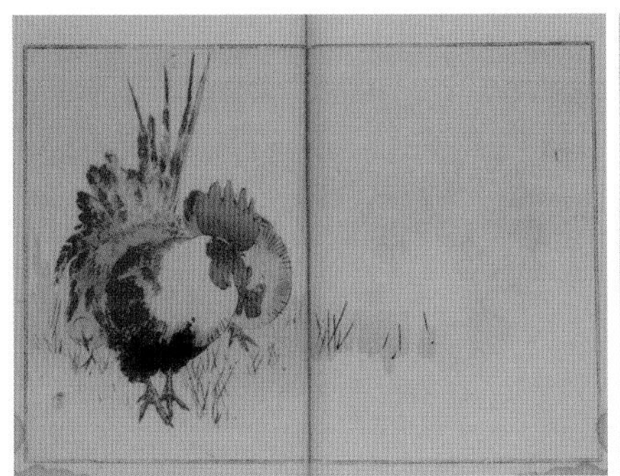

『省亭花鳥画譜』
渡辺省亭　明治23-24年　神奈川県立歴史博物館寄託

錦栄堂・大倉書店は美術書を特徴とした。なかでも京都の画家幸野楳嶺を重用し、輸出図案を意識した出版が多い。渡辺省亭ら新進画家、また葛飾北斎ら江戸時代の復刻版も手掛けた。

ノリタケ

森村組の輸出陶磁器業は、最初期はメーカーではなく、既存商品を買い付けた上での直輸出、まさに輸出商だったと推定できる。在米店舗からの依頼もあってだろう、その顧客の趣味嗜好にあわせた陶磁器を制作する必要に迫られ、明治10年代半ばから、協力業者に図案の指示などをおこなったことが、今日の出発点だったと考えられる。このとき、図案指導などを全体的に取り仕切ったのが、買付担当であり、かつ輸出錦絵の生産元でもあった大倉孫兵衛だった。彼が主導し、自身が制作主導していた輸出錦絵のモチーフを連動させるなどの手法で、改良を重ねていったと考えられる。しかし、瀬戸などから器体を取り寄せ、横浜で絵付し焼成する工程や体制に限界を感じ、また本業だった木版画の将来性を憂い、製陶業の本格展開を企図したと考えられる。趣味嗜好品でありながら、日常品ともなる陶磁器制作に、美術的価値と経済的価値を、孫兵衛は直感していた。そうして、明治20年代になると、森村組は製陶業を新規事業として本格的に立ち上げていく。

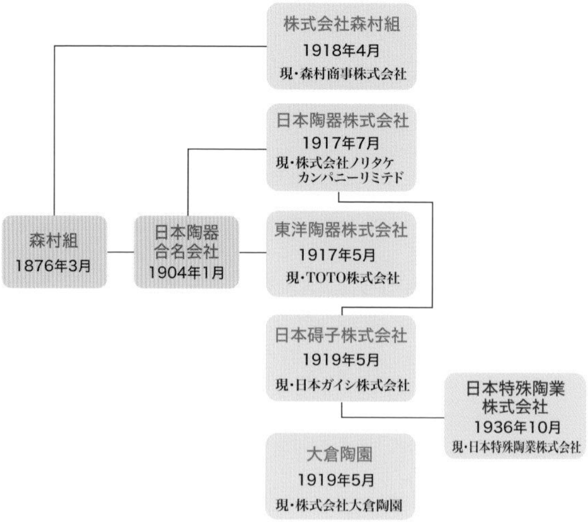

その課程で、具体的な改良ポイントは、大きく三点あった。ひとつがデザインの改善である。明治26年、シカゴ万国博覧会を視

森村組
1876年3月

日本陶器
合名会社
1904年1月

株式会社森村組
1918年4月
現・森村商事株式会社

日本陶器株式会社
1917年7月
現・株式会社ノリタケ
カンパニーリミテド

東洋陶器株式会社
1917年5月
現・TOTO株式会社

日本碍子株式会社
1919年5月
現・日本ガイシ株式会社

日本特殊陶業
株式会社
1936年10月
現・日本特殊陶業株式会社

大倉陶園
1919年5月
現・株式会社大倉陶園

察し、自身が主導したジャポニスムに属するデザインの限界に直面した。結果、自身のデザイン関与は放棄し、以後、在米デザイナー主導の体制となった（２７０・２７１頁）。もうひとつのポイントが、器体の改良である。硬質で白色度を高めないと、食器としての利用が図られない。それまでの森村組はファンシー・ウェアとも称される鑑賞陶器すなわち嗜好品だった。そこことは異なる展開を欲し、最終的にはディナーセット「セダン」シリーズの完成に至る（２７２頁）。

最後のポイントが、生産工程と体制の見直しである。手仕事性を重視した従来型の中小規模の生産体制では、大市場の欧米向けにはならない。また、瀬戸を中心として器体を生産し、横浜へ輸送し絵付する工程も非効率である。そこで、横浜や東京などに住む絵付師らを、名古屋市則武の地に移住させることとした。こうして製品の改良と実験、生産までの一貫体制を確立する中で、輸出業を主とする森村組とは別に、製陶業を主とした日本陶器合名会社が明治37年に設立した。その工場にそびえ立った煙突は名古屋のシンボルだったという。そしてその所在地の名をもって、ブランド名を「Ｎｏｒｉｔａｋｅ」として、今日の大規模製陶グループの基礎が築かれていった。

日本陶器合名会社本社工場　明治37年

日本陶器合名会社は、孫兵衛の実子和親が初代社長をつとめたが、市左衛門と孫兵衛の理念をよく継いでいた。品質向上と社会貢献という意識は、同社内部の様々な関連製陶部門が生まれる要因ともなり、インフラ需要品の日本ガイシ、衛生陶器のＴＯＴＯが生まれていく。また孫兵衛の美術陶器にかける思いは、大倉陶園へと結実した。

色絵花鳥文皿
井口昇山工場　明治20年代　陶磁器　株式会社ノリタケカンパニーリミテド

色絵花鳥文皿
高橋一二工場　明治前半　陶磁器
株式会社ノリタケカンパニーリミテド

色絵盛上菊雀文皿
井口昇山工場　明治20年代　陶磁器
株式会社ノリタケカンパニーリミテド

陶磁器制作を始めた初期の皿。輸出陶磁器に多く見られる花鳥図を上絵付で描く。井口昇山は東京の絵付工場。初期には瀬戸などから取り寄せた素地に絵付けを依頼していた。

色絵金盛薔薇文蓋付飾壺
森村組　明治30年代　陶磁器　株式会社ノリタケカンパニーリミテド

油絵や水彩画のような筆致で薔薇を描き、金盛を華やかに施した飾壺。従来のように「日本らしさ」を押し出すのではなく、西洋の技法や表現を取り入れてジャポニズムの文脈に依らない需要を開拓した。

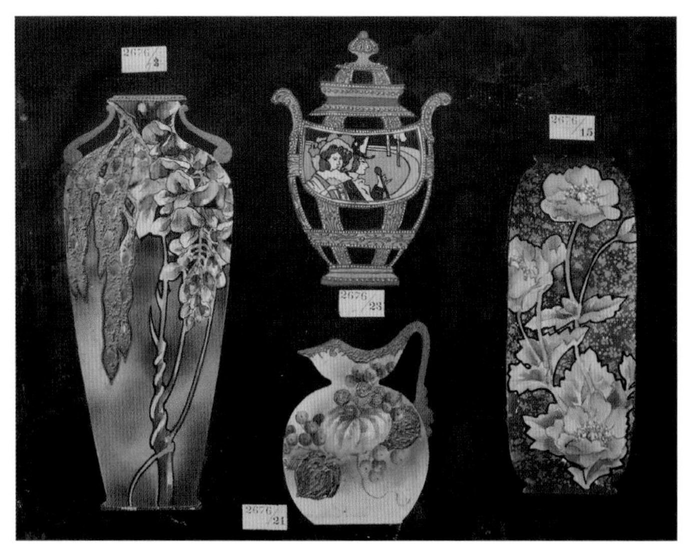

見本帖
モリムラブラザーズ　明治40年　株式会社ノリタケカンパニーリミテド

見本帖は顧客向けに作られた商品カタログ。器体の形や絵柄、盛上などの立体的な技法も表現する。ニューヨークに図案部を設立し、現地在住の絵師が図案を考案することにより、実際の流行や嗜好に叶う陶磁器を制作した。

『閣龍世界博覧会美術品画譜』
久保田米僊　明治26年　多色木版、紙
神奈川県立歴史博物館寄託

色絵金点盛藤文双耳花瓶
森村組　明治40年　陶磁器　株式会社ノリタケカンパニーリミテド

藤の花を大きく配した花瓶。豆果の部分に金点盛を施し、黒い輪郭線で印象的に絵柄を縁取る。把手や頸部の形状は異なるが、同じ絵柄の花瓶が見本帖に描かれている。

ディナーセット「セダン」
日本陶器　大正３年　陶磁器
株式会社ノリタケカンパニーリミテド

初めて量産化に成功した、白色硬質磁器のディナーセット。鑑賞のための陶磁器ではなく、実用品として洋食器を輸出することを目指して生地の改良を重ね、食器にふさわしい白さと実用性の高さを実現した。

温故知新
——明治の造形をたずねてミュージアムのこれからを考える

角田拓朗

はじめに——わかりにくい明治の美術

　明治5年、東京の湯島聖堂大成殿で開催された博覧会は、現在に直結する美術館や博物館の原点である。文部省博物局が主催した同博覧会が、現在の東京国立博物館の前身として、昨年がその一五〇周年だと喧伝されたことを記憶されている方もいるだろう。博物館、美術館という社会装置、そして展覧会や博覧会というイベントは、まだ一五〇年の歴史しかないといっても過言ではない。それ以前に同様の趣旨や活動を見いだすこともできるが、しかし、厳密に「博覧会」「博物館」を掲げ、そして「美術」という言葉をもって活動した時代は、この明治初頭以後である。もうすでに一般的な理解になりつつあるが、「美術」という言葉も、明治6年に翻訳語として生まれた。明治とは、西洋から新たな考え方や技術を学びながら、新しい近代国家に利用しようと試みた時代である。なにを学ぶのか、どう学ぶのか、どこまで採用するのか、様々な課題に直面しながら、明治人たちは挑戦を繰り返した。その試行錯誤とは、裏を返せば、いずれの言葉とそれが指示していた対象とは、最初から今日のような言葉の意味内容をもち、具体的なかたちを形成していたわけではなかったということである。

　この試行錯誤のうち、美術形成の過程、特にダイナミックな動向を示した明治という時代を考察する企画として「近代日本の視覚開化　明治」展が開催される。よって、正確に言語化すると、本展は美術未生の時代をテーマとした展覧会である。西洋と出会い、変質していく、その最初期の造形の展開がテーマである。そのため、今日考えられている美術展とは雰囲気が異なるだろう。同展のエッセンスをまとめた本書もまた、美術展のカタログでもなく、明治美術史の概説書でもなく、不思議な一冊となる。だが、それこそが、明治という時代の実像に近いと私は考える。

美術の展覧会という意識でいると、この展覧会は、おそらく「わかりにくい」展覧会だろう。後述するが、本展の基礎となった「真明解・明治美術」も展覧会もわかりにくいと、いくども指摘をうけた。明解と銘打ったにもかかわらず、である。企画担当した私は大いに反省した。いっそ開き直って言ってしまえば、いまの考え方や感性・感覚からすれば、明治の美術はわかりにくいのである。そして、このわかりにくさ、雑多さこそが魅力であり、時代の精神、活力だと、最近、私はとみに感じるようになった。いまの感覚の美術で考えるから、明治の美術、その造形はわかりにくいのである。多様な造形の世界が広がっていて、そこから取捨選択して明治末以後、今日のような「美術」がようやくに括られていくのである。それでは、そのわかりにくさを、本展のトピックとあわせて、謎かけのように、3つのトピックを挙げていきたい。

鯱は「美術」なのか?

明治5年、湯島聖堂博覧会での目玉は、名古屋城の鯱だった。その姿は多くの浮世絵に描かれ、古写真にもその姿が写された。古物、国内の様々な物品、天然製品、標本類、そして国外からの将来品など、雑多なモノを並べる場だった博覧会である。尾張の地の天守からはるばるやってきた大きな金属製の鯱は、耳目を集めるに十分な存在感だった。以後、文部省や自治体などが主催する博覧会がいくつも開催され、そこで今日でいう「美術」に列なる数々のモノが出品された。そうして、「美術」とは徐々にその領域を整理し、質を厳選し、明確化していった。そのひとつの通過点が、明治10年に開催された、第1回内国勧業博覧会である。洋画の最初の到達点でもある博覧会だが、その頃でも美術とは手探りだった。

では、明治期、この錦絵・浮世絵そのものは「美術」だったのかというと、判断は難しい。博覧会の出品区分では、「美術」に分類されたり、それ以外に区分されたり、出品者の意図、審査員の意図でまちまちである。また、印象派など西洋から高い評価をうけたことはよく知られるが、同時に、明治期において浮世絵は美術のヒエラルキーのなかで低位に置かれたことも明白で、高尚を標榜したその枠組から排除されるきらいもあった。

さて、話を戻して、鯱である。目玉作品となったそのモノも、必ずしも「美術」として当時の人々に受け容れられたわけではない。否、いま現在でもそれを「美術」とみなすかどうか、意見が分かれるだろう。浮世絵のように、評価が乱高下し、その位置づけが美術外から美術の主役になる場合もある。美術なのかどうかという明確な線引きは、ほんとうにできるのだろうか。明治の博覧会で楽しんだ人々のように、造形物を等しく楽しむ眼と心があってもよいのではないか。

美術と産業—工芸はどちらに?

明治という時代のスローガンと言えば、殖産興業が有名である。産業を興して製品を作り、海外へ販売し、外貨獲得が国策だった。そしてこの時代の輸出産品の大きな柱が「美術」だった。ただ、このとき制作され輸出された造形を量的に考えたとき、その大半が「工芸」だった。この工芸もまたなんともわかりにくい存在である。そのわかりにくさは、作るモノがおよそ変わらないのに、明治前期までの主役の座とは裏腹に、明治40年の文部省美術展覧会の開設を画期として、それらは「美術」の領域から排除された経緯に起因する。

明治政府は、そのスタート時点から、モノ作りの方針として、相反する二つのベクトルを抱えたといえる。ひとつは、西洋と並び立つ美術の成立であり、それが西洋からの視覚とその理念、技術の学習である。つまり、洋画、彫刻、建築といったジャンルや社会応用である。この具体的なあらわれが、明治9年開校の工部美術学校であり、芸術性を重視した手仕事性の分野である。もうひとつのベクトルとは、増大する国民への物資の供給のため、また拡大する海外からの需要に応えるため、手仕事性から機械生産への移行である。こちらもまた西洋からの学習が大きな要素となった。

このふたつのベクトルのうち、日本画や洋画は前者のベクトルのなかにあった。平明造形のうち、版画印刷は後者を模索する傾向が顕著となることは、第3章で論じているが、前者の要素を含みつつ、より後者に近い。
そしてジャポニスムという潮流でもてはやされた陶磁器、漆器、金属器など工芸一般は、手仕事性を重視した少数生産の前者に従うのか、あるいは大量生産のため後者を目指すのか、分岐点を迎えたといえる。もちろん、容易に工場生産対応できるジャンルが多いわけではない。むしろ、手仕事でまかなえる部分が多い場合、工場生産化が遅れる要因ともなる。そのなかで森村組の輸出陶磁器業は、大規模生産体制をいち早く整備し、日本陶器合名会社へと到達した点が特徴である。しかし、では、そのような工程を抱えたからといって、美術的な価値、質が低いのだろうか。逆に工業製品は、どれほど美や質を追求しようとも「美術」にはなりえないのだろうか。

美術館よりも博物館なのか?

明治10年の第1回内国勧業博覧会では、時限的な存在だったが、「美術館」が備えられた。その名がひろく喧伝された最初と考えて良い。博覧会、博物、美術館、それらが混在的になっていた状況が整理されながら、整理され切れないままに、いま現在へと辿り着く。

現在、博物館美術館は、文部科学省そして文化庁の管理監督下にある。それらは文化財行政、美術行政と称される活動を担う、重要機関である。博物館法のなかでその役割や組織の詳細などが定められており、動物園や水族館なども同法のもとにある。そして人文系の造形物一般を扱う館種は、博物館、美術館が主となり、前者は広範囲を、後者は美術分野を専門的に扱う違いがある。一般的にもそう認識されている。

お気づきだろうが、そうなると明治の美術、明治の造形世界を考えるには、現行の博物館と美術館の区分ではどちらがより適当だろうか。この事実を強く意識し、作品や資料の収集、そして展示公開に努めてきたのが神奈川県立歴史博物館だった。同館が横浜に立地することから、開館当初から幕末明治期に西洋美術の影響をうけた美術がその対象となった。しかし様々な理由があって、同館ではなかなか実作品の収集は困難だった。また必ずしも明治美術史の本流の作品をおさえるのではなく、歴史に埋もれた作品や作家を掘り起こすことに主眼をおいてきた。そこで、特にこの十数年、美術資料あるいは美術周辺の造形、工芸品を中心に、購入や寄贈寄託の対象としてきた。また他機関や個人所蔵家とも友好な協力関係を築き、結果、本展に示すような明治の造形という大きな世界の再現にこぎつけたわけである。

では、このような企画は美術館で開催すべきではないのか。答えは、Ｎｏである。美術館が使命とする美術的価値のある、意義ある作品をひろく公衆に示すこと、その意義をともに考えること、そのために、いま、この現在時制に「博覧会」を夢想し、美術館という場で実験的に顕現させることとは、明治という時代の活力を学ぶ機会となると信じている。多様なモノの共鳴や不協和音を眼前にすることで、改めて「美術」の原点や本質を考え、楽しいモノ・コトをつくり愛でる機会になると信じたい。

おわりに――ミュージアムの仕事

このたびの展覧会「近代日本の視覚開化　明治」が開催されるにあたり、なぜ、いま、明治美術を考える機会が発生したのかについて考えてみたい。明治美術は、いまの博物館美術館業界で、いわば鬼門である。[2] 集客があがらないからだ。しかし、その意義を認め、愛知で明治美術をテーマとした展覧会が実現した意義は大きい。しかも、本展は博覧会的である。絵画、彫刻、版画印刷、写真、工芸品など、それらをひとつの空間に集めて見るという手法は、まさに明治の博覧会の意識と重なる。その雑多なイベントを、20世紀のホワイトキューブを真正面から実現する愛知県美術館という場で実践することは、おおきな挑戦である。その挑戦を受け入れる素地は、ここまで述べてきたように、愛知県という地域性、工芸そして産業の中心地という下地があり、かつ現状の「美術」や「美術館」への大きな刺激を受け容れる美術館活動があったからだろう。

最後に、やや視点をかえて、再び、神奈川県立歴史博物館に触れさせてほしい。平成30年、明治一五〇年を記念した「真明解・明治美術」展を開催した。本展の基礎となった同展は先に記した意図で集めたコレクションを示す機会であり、そしてそれまで培った同館の展示手法の集大成でもあった。その手法とは、美術、歴史、考古、民俗といった分野横断、また絵画や工芸、文献史料も含めた総合性、そうして時代や文化の全体像を示そうという姿勢である。ふりかえれば、その意識や姿勢を後押しした存在として、平成14年から23年まで、同館館長を務めた故西川杏太郎氏（1929―2023）が重要である。[3] 西川氏は戦後の文化財行政を牽引したひとりで、文化財という言葉をつくり育てた。その理念をもって時代、文化、その全体像を示す、博物館としての仕事を尊しとしていた。その精神は現場で働く学芸員に共有され、様々なモノを取り混ぜながら展示を構成する手法を理念的に支えた。明治をテーマとした同展でその意識と手法を実践すれば、なおさらに博覧会的な様相を強く帯びるのは当然だった。徹底的に博物館たり得ようとした結果であった。

博物館なのか美術館なのか、そのような議論は明治の美術を焦点にするからこそ、なおさらに起こるのかもしれない。しかし、西洋からの概念から生まれた日本語のそれら、もとをただせばミュージアムに行き着く。モノを集め、展示する仕事、その本質は共通している。モノを護り、伝え、あるいは他のコレクションも含めて展示する場として、時に違和感も受け容れることで成長するのがミュージアムでもある。視覚はひらかれ、今に至るわけだが、あまりに細分化され、結果、閉ざされた部分はあるまいか。いま改めて過去と向き合うことで、閉ざしがちだった両者の垣根を越えて、協同しながら歩んでいければ、もっと面白くなると私は信じている。

（1） 神奈川県立歴史博物館の近代美術コレクション形成は、その初代担当学芸員である故横田洋一氏の業績が大きい。氏の業績等については、以下を参照されたい。横田洋一『リアリズムの見果てぬ夢―浮世絵・洋画・写真―』横田洋一論文集刊行会、平成21年。直近では、長らく明治美術学会会長をつとめた故青木茂氏の蔵書群（青木文庫）が、同館に寄贈され、本書にもいくつかが紹介されている。

（2） たとえば平成30年「真明解・明治美術」について、『芸術新潮』における誌上座談会において、木下直之氏はその点を鋭く指摘している。青木茂×丹尾安典×木下直之「明治「美術」放談」『芸術新潮』六九巻十一号、新潮社、平成30年。

（3） 西川杏太郎氏の仕事は、以下に詳しい。西川杏太郎『文化財五十年をあゆむ』、竹林舎、平成15年。

明治前期：名古屋、愛知の造形について

平瀬礼太

本稿のタイトルのつけ方は、ありきたりに見えるかもしれないが、実際にはそう簡単ではない。なぜと言えば、未だ明治期の愛知県内の美術的動向が充分に把握されていない状況にあること、地域の美術館においてもこの時代の収蔵資料を充分に所有していないことが理由である。愛知県を俯瞰する総合的な博物館がないことも一因だろう。明治期に愛知県博物館があったが、国家が明治後期に文部省中心の美術行政へと転換していくのとは裏腹に、愛知では博物館を商品陳列館へと転換する産業的な政策を選んでいる。不充分な調査で容易に語ることはできないが、端緒を開かなければ、今後の展開も望めない。本稿では総合的な明治期の愛知・名古屋の美術的動向を描き出すことはかなわないが、その一端だけでも紹介することを目指していきたいと考える。

幕末から明治へ

名古屋では江戸期より各種の見世物、開帳、本草学研究の嘗百社による物産会・博物会や、書画会が実施されており、展示してそれを楽しむ文化はそれなりのレベルで共有されていた。明治に入って全国的にも早い時期（明治4年11月）に博覧会が開催されたのも、そのような下地が出来上っていたからであろう。実際に明治7年5月～6月に東本願寺名古屋別院で開催された博覧会の出品物は嘗百社の戸田寿昌らが奔走して集めたものであった。ウィーン万博やパリ万博、内国勧業博覧会など明治期に急増した博覧の機会は、上記の様に江戸期を引き継ぐものであったが、一方で殖産興業の文脈において新たな市場にアピールするはずの物品等を品定めする絶好の場であり、明治という新時代に特有のものであった。明治の造形が総て博覧会、そしてその後に頻繁に開催される展

覧会との関係で語ることができる訳ではないが、多くの人が見て、驚かせ、技術を向上させ、購買意欲をそそるというコンテクストの中で際立つことが新時代の造形の重要な要素になったとは言えるであろう。

では、博覧会では愛知のどのような視覚的造形が出品され評価されたのか。明治6年のウィーン万博における愛知県の出品は遠島村の藤八ら3名の七宝焼や石焼の丼や置物、扇等で、七宝と、陶器画工の川本桝吉が受賞している。明治9年フィラデルフィア万博では磁器七宝、七宝で七宝会社が、装飾磁器で川本桝吉と川本半助が受賞、明治11年パリ万博では七宝磁器各種の七宝会社が金牌、同社は他でも銀牌2つ、加藤勘四郎、川本半助、川本桝吉が磁器で、岡谷惣助、安藤金得が金工で銅牌を得ている。ここまで七宝と磁器が圧倒的な存在感を放っている。目を国内に向けて明治10年第1回内国勧業博覧会では花瓶1点、写真額2人、屏風、水盤、神殿雛形、社を除くと総て絹本画で、小田切春江、木村雲渓、奥村石蘭、川崎千虎、喜田華堂、吉川弘道、木村金秋、鬼頭玉三郎、佐々木素寅、立松義寅、河村穆堂、桑原小太郎、鷲見利甚、三河からただ一人渡辺小華が出品した。明治14年第2回内国勧業博覧会では床柱、奥村石蘭、立松義寅、半田の小栗友松の絹本画、吉田道雄による油画2点と石版画5点であった。明治初期の博覧会を見てみると、海外博覧会は七宝、磁器、内国博は絹本画が多いが、それ以外に目立つところはない。七宝、磁器が明らかに海外の版図を狙っていたことがよくわかるが、それとともに博覧会の意味を測りかね、何を出品すべきか理解し得ない画家や職人も多かったのでは、という疑問も残る。

愛知の陶磁器、七宝

『愛知新聞』は明治5年7月16日にゴッドフリート・ワグネルが石田為武らと瀬戸村の製造場を巡覧した様子を記している。ワグネルは窯の建築、洋薬の調合、花卉の描画等を加藤周兵衛、加藤岸太郎に伝習、七宝を高く評価する。但し、材料の真鍮が精良でなく、地の青色が濃すぎるとも加えている。翌年のウィーン万博では前述のように川本桝吉と七宝が受賞するなど、瀬戸も新しい時代を迎えている。酸化コバルトや石膏型製法が瀬戸にもたらされ、輸出も伸長して明治12、13年頃には陶磁器需要が増加している。しかし粗製濫造や松方デフレにより一気に不況となる。このあたりの詳細は専門他書に譲り、ここではその頃から始まった工部美術学校と愛知との関係を紹介したい。明治9年創立の同校は初めての官立美術学校としてイタリア人教師のもと、本格的な西洋型美術教育を行った。その出身者である小栗令裕と村上恒が瀬戸で教鞭をとっている。明治14年の第2回内国勧業博覧会に出品された工部美術学校彫刻生徒作品を瀬戸の陶工たちが見て陶器形状、彫刻術改良のため同校から教師を招くことを画策し、明治15年4月に瀬戸村美術学校を創立、川本半助や松風嘉定を含む十数名の生徒を小栗と村上が教えている。僅かの期間に形状の伸縮摸造を容易になし、写生も熟達したようであるが、折からの不況で生徒が通えなくなり、16年5月に閉校する。この頃の瀬戸はかなり不景気であったようだが、ちょうどこの頃から森村組が瀬戸の窯元と素地の直取引を開始したことは興味深い。

一方、常滑でも不景気に困り果て、陶器業を盛り立てるために鯉江高司を中心に美術教員雇用を計画する。16年8月に常滑美術研究所を設立、工部美術学校卒業の内藤陽三と寺内信一が後進の指導に当る。画学、幾何学、遠近法、解剖学、石膏模型、彫塑を教え、さらに成形法に石膏型を加えて、複雑な浮彫の複製を可能にしている。内藤は早世するが、寺内は長く同校に勤め、後には瀬戸の陶器学校の教師も兼任して長く愛知県の窯業発展に尽している。県内の二大陶磁器産地でともに明治期に西洋彫刻教育が取り入れられ、技術発展に貢献したことは興味深い。

早くから輸出産業として注目されていた七宝では、原料の銅胎を販売していた岡谷惣助が小野組の村松彦七の勧めで酒井佐兵衛、柴田九兵衛とともに明治4年に七宝会社を設立している。後に村松も同社に加わって積極的に事業を展開し、ウィーン、フィラデルフィア、パリ、内国勧業博覧会等で多数の受賞を得て評判を上げる。同社は明治10年12月頃に濤川惣助の来訪を受けて取引を始め、東京神楽町の濤川の工場を七宝会社製造支場として以後、従来の陶磁器に加え、彩磁、省線七宝のような新発明も加わってさらに声価を高め、各博覧会での上位受賞を重ねる。同社は負債や村松の死去もあり、明治20年に神楽町の支場は濤川に譲り、その後事業を閉じることとなる。いずれにせよ、明治初期の愛知を牽引した一つに陶磁器や七宝があったのは明白である。

各派の日本絵画―江戸からの連続

前記のように内国博でも出品を行っている画家たちであるが、江戸期からの継続が強くうかがえるのは、本稿で大いに参考とした田部井鋤太郎『古今中京画壇』でも顕著である。同書は明治44年の発刊で、江戸後期から明治にかけての中京地方の絵画の状況を明治期の画家に話を聞きながら詳述している。しかし目次が中京の狩野派、土佐派、浮世絵、円山派、四條派、南北合派、南宗派、遊画とあり、流派別分類が一目瞭然である。米僊派、梅荘派が加えられているところにわずかな地域の特長が見出されるが、田部井の認識では明治後期でも絵は流派別であり、それは後述するように実際の活動にも見受けられる。

東京では明治はじめは文人画や浮世絵が流行り、狩野派や土佐派は特権を失って衰え、油絵も多く見られるようになる。しかし、明治10年代中盤の工芸の粗製濫造による不調を背景に日本画改良を目論む政府は明治15年に内国絵画共進会を開催し、洋画を排斥する。流派別の旧態依然とした試みは、結果的に成功とは呼べないものであったが、愛知の画家、というより絵師たちにとってはそうではなかった。もともと東京ほど時代の影響を受けず、江戸期から継続して活動を続けた絵師たちは、事前に名古屋東本願寺別院で内覧を行い、多数の参観者を集める力の入れようで、褒賞の多くは東京、京都の画家たちに集まったが、田部井によると、愛知県委員として上京した木村金秋はフェノロサと交流し、愛知県出品作品をほぼ売りつくす成功を収めたという。佐野常民に画道興隆を訴えられた木村は国貞県令に相談し、地元有力画家葦原眉山、則武鐵蕉、小田切春江、奥村石蘭らと明治16年1月に絵画研究団体「同好社」を、名古屋博物館（同年秋には愛知県博物館に改組）を拠点に結成する。その緒言は

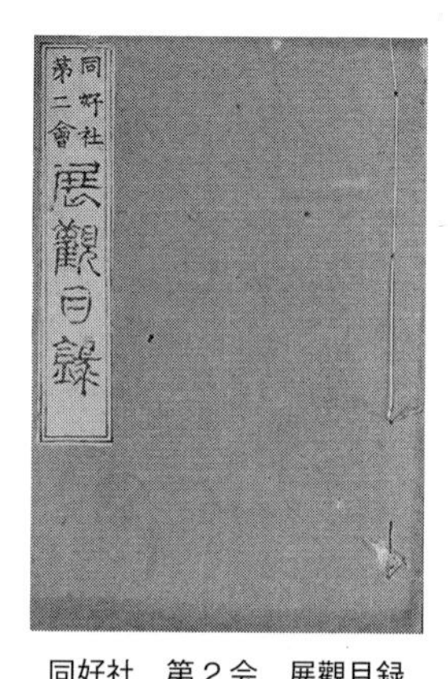

同好社　第２会　展観目録

夫レ絵画ハ美術ノ本源にして工芸上不可欠の要具ナ

リ然るに画事の衰頽を極る今日より甚きハなし故に政府も之を挽回せしめんと欲し已に共進会を上野公園内に開設し全国の絵画を競争せしめ以て将来を奨励す実に千載の一時なり苟も画事に志あるもの此好機に際会し其術を精研せずんは有へからず……

同会規則には各派の別なく研究することが記されると同時に、各派別の展観、各派別の委員を処し、同派でなければみだりに品評しないことまで条項に付せられている。同会は明治18年に東京、大阪、京都及び近県の出品を仰いで私立絵画共進会を開くが、洋画以外ならどの派でも出品できる規定としている。同好社は愛知県内で最も有力な絵画団体として明治32年まで活動を続けるが、江戸期の名残を絵画にそのまま残し続けた。しかし全く同じであったわけでなく、愛知県博物館という新時代の組織を拠点にし、「工芸上不可欠」の画事推進のため、東京の龍池会とコンタクトをとりながら、国粋保存の国家動向に沿う形で存続していた。とはいえ実作品、情報とも不足しており、詳細については今後の研究に譲りたい。

写真、石版画、そして油画の登場

写真は意外と早く名古屋で研究されていたようだ。日本写真協会編『日本写真師年表』によると明治元年の名古屋の写真研究者は「志水甲斐守、渡辺新左衛門、東蘭市、鍋島隆谷」となっている。尾張藩老中で後の名古屋市長・志水（甲斐守）忠平、蘭学者の東蘭市（藤蘭一）などが幕末に写真を学んだということか。明治初年に名古屋に移った宮下欽は横山松三郎門下で写真油絵など新技術にも取り組んだようで、その後も旺盛な取材により第1回内国勧業博覧会で褒状を得、軍や鉄道局の依頼、濃尾大震災の撮影にも携わった。磐梯山噴火の取材で知られる青山三郎、初期名古屋の博覧会で興行した織田杏斎、東蘭一は皆明治一桁年から写真業を行い、明治16年には写真館の数は16になっていたという。いわゆる芸術写真はずっと後のこととなるが、そもそも写真自体が驚くべき視覚開化メディアであり、名古屋でもその恩恵を受けていたということである。

寺社や役場における明治初年の印刷は多くは木版自彫であったが、明治6年の布達では活字が使用され、次第に活版に移行、それに伴って新聞の発行が増加する。

河野次郎
博士宝徳節氏夫婦之肖像

河野次郎
博士宝徳節氏夫婦之肖像

フォーセット『宝氏経済学』口絵

明治12年には本町二丁目に石版舎が創立。復禄請願のため上京した吉田道雄が中川耕山の知新堂に刺激を受けて開業、石版印刷の注文を受け、油絵の製作にも応じたことが特筆される。当時名古屋で本格的な油彩画は稀有であったが、知新堂縁の職人が請け負うとともに、当時愛知県師範学校で教鞭をとっていた河野次郎が石版舎の石版画下絵や教科書、油画に関わっている。明治14年の第2回内国勧業博覧会で吉田は油画2点を出品するが、職人に描かせたものであろうか。石版印刷については、明治十年代後半から豊原堂など各社が採用し始めている。

油彩画は、高橋由一に学んだ河野次郎が明治9年に愛知県師範学校に赴任したことから始まる。華江と号した河野は師範学校在籍中に水彩画、油彩画、石版下絵、書籍挿画などを描いている。石版舎等と関わりながら、明治美術会にも参加し、名古屋洋画の草分けとなる野崎兼清（華年）を指導している。しかしあくまで教諭であった河野の作品公開や展示については記録がない。

明治11年9月から名古屋門前町博物館で開かれた博覧会では後に石版舎で腕を揮う蔭山久僊、後に愛知県師範学校教師となる藤田正忠のほか、田村宗立、高橋由一が賞牌を受け、加藤信成（加島信成か？）、松田敦朝、殿木晴吉、白川幸の出品も見られた。同年、石版舎と同じ本町二丁目の内田店が東京の玄々堂の銅版、石版画の売捌を行い、油画の販売も行っているが、博覧会絡みと考えられる。高橋由一臨画の西洋画譜も販売しており、かえってこのようなものを通じて西洋画が受容されていたのかもしれない。明治19年に愛知県設置以来の県令肖像画を作成するために二世五姓田芳柳を県庁に呼んで揮毫させたことも、興味深い出来事である。野崎華年が東京で殿木晴吉に学んだ後に名古屋に戻るのが明治20年である。油彩画が名古屋の庶民に真に身近なものになるのは、明治24年以降、皆が興味を持つ戦争のシーンを大迫力・迫真の描写で提供し、浪越公園、続いて性高院、盛豊座等で立て続けに興行のあった油画によるパノラマ以降であったのではなかろうか。

おわりに

愛知の明治時代は、陶磁器・七宝のイメージが強く、それも理解できるが、写真、日本画、油画などでも独特の活動があったことはわかっていただけるであろうか。とりとめもなく、トピックに合せて記したが、明治前半の愛知の美術的動向に、僅かに触れたという感は否めない。とはいえ、興味深い事例もいくつか見られている。西洋の刺激の下で様相を変え、もしくは変えずに愛知という地域において展開された造形的営為の多くについて、現在における注目度は限りなく低くなっているが、現代を築く礎となったそれらの営為に目を向けることは、現代を生きる我々にとっても、地域にとっても重要であると考えている。今後も辛抱強く関心を持ち続けていくしかなかろう。

人物列伝

浅井広国（あさいひろくに）

『尾張名所独案内』の著作者である浅井広国について詳しいことは分かっていない。別に末吉、梅月堂主人の名がある。明治15年10月刊行の内国絵画共進会『絵画出品目録』初版には、「第四区　菱川・宮川・歌川・長谷川派等　京都府　浅井末吉　歌川派　号広国　京都ノ芸妓・橋弁慶ノ図」とあるが、改正版では削除されており、出品したかどうか不明である。明治20年5月1日の名古屋茶屋町須佐之男神社々務所における商工学術演説会で「錦絵の有益」について話し、9月には名古屋南伏見町二丁目に転居して「愛知絵画会社」設立計画を公表している。恐らくこれは「絵画館」という名称で設置され、同じ頃に広国は名古屋の新聞『金城たよ里』に招聘されて、挿画を担当している。実際の挿絵は広国だけでなく、絵画館所属の国義や国光などという号の絵師も担当している。この「絵画館」は広国や鈴木治義など数名が設立し、美人花鳥等の絵画を絹地に写す、もしくは描いて海外へ輸出する計画であった。他地方の画家を招くこともあったようで、明治21年5月には京都の画家・木下広信（1844—不明）が2週間、絵画館で応需揮毫している記録がある。この事業が順調で、同年6月には繁忙のため『金城たよ里』を退社、絵画館業務に専任したようである。

この後の明治25年12月から翌月にかけて広国は立て続けに『万職画譜』（上中下）、『工業図式』、『友染模様新雛形』を発刊、さらに明治26年5月に『尾張名所独案内』、12月に『工芸必用　萬職新雛形』を、総て中村浅吉の風祥堂から刊行している。いつ名古屋を離れたのかは不明であるが、この数ヶ月間の住所は京都市上京区姉小路通油小路西入鍛治町から、下京区寺町通松原下ル植松町、下京区東洞院通万寿寺下ル深草町へと変わっている。『尾張名所独案内』の序文では、「己が人となりし所にて侍れば恋しさ床かしさ始より終りまでくりかへしくりかへし読みこゝろみるに遠くへだてし其有様を今目のまへに見きく様覚へけり」と尾張への思いを記しているのが印象的である。

荒木寛畝（あらきかんぽ）

荒木寛畝（1830—1915）は濃密な彩色による花鳥画で知られる日本画家として認識されている。幼少より荒木寛快に入門し、土佐藩のお抱絵師となるが、明治5年に藩主山内容堂が没して後に油画を志したことはあまり知られていないであろう。寛畝は明治初年に湯島聖堂で開かれた博覧会に出品された内田政雄（1838—1876）の油絵に驚き、このような絵を描きたいと川上冬崖を訪ねる。しかし道具も手本もなくて困り、横浜のワーグマンを訪問するが、門人お断りという。そうこうするうちに、国沢新九郎が画学本を携えて英国より帰朝したので、そこでようやく本格的に油画を学ぶことになる。国沢の画塾彰技堂には本多錦吉郎や守住勇魚など100人を超える弟子がいたという。英国由来の絵画技法書を用い、工部美術学校設立以前では先駆的な指導が行われていた。舶載の油彩画や銅版画、生徒の稽古画の展示会を行い、観覧者には川端玉章なども含まれたという。実は高橋由一にも入門した記録があるが、寛畝の言及は少なく、意にかなわなかったのかも知れない。

国沢のもとで腕前を上げ、明治12年には元老院より高橋由一、五姓田義松と並んで寛畝に両陛下、皇太后陛下の肖像の依頼が舞い込む。抽選で皇太后の担当となった寛畝は、最初は写真から描いたがうまくいかず、対面して描くように指示があったため、極度に緊張し、非常に困苦しながらやり通したが、油画さえ描かなければこんな苦しみはない、もう油画を描くことはやめようと考えた。それでも数年は肖像を描いたが、次第に日本画の方に重点を置くようになったという。

寛畝は明治14年5月に浅草区新平右衛門町に画塾「讀畫堂」を開くが、教えたのは「直線弧線」から始まり、輪郭や陰影、景色、人物を臨本により鉛筆で模写すること、その後水彩画、油絵、幾何図法、遠近図法の教授という西洋風を強く意識した内容であった。同年の第2回内国勧業博覧会には油画額(一)「耕作ノ図」・(二)「養蚕ノ図」を出品しており、皇太后肖像揮毫後にも本格的な油彩画を描いて居たことを示すが、この博覧会の報告書附録でワグネルは「甚タ醜悪」な油絵が「日本固有ノ画」を量的に圧倒した状況は国家の大きな不幸と述べ、伝統的日本画の振興を訴えている。そして翌年の第1回内国絵画共進会では洋画は排除され、寛畝も日本画を出品している。このような時代背景と寛畝の日本画への転向は無縁とはいえないのではないだろうか。

岩橋教章（いわはしのりあき）

天保6年（1835）、伊勢に生まれた教章は、幼い頃、祖父とともに江戸へ出た。幕臣岩橋家に縁付き、狩野派を学ぶ。安政6年（1859）、幕府による品川及び神奈川の実測図調整のため、絵図方助手として参加している。絵心があったため、その職務を与えられたと推測される。幕府崩壊後は箱館戦争に参加するなど、幕臣として流浪する。ただ、その技術力が買われてだろう、兵部省への出仕が命じられる。兵部省の出仕を皮切りに、文部省や大蔵省、内務省など政府内を転々とする。いずれも地図製作が主務であることに変わりなく、政府内部でその担当が定まっていなかった状況を意味する。西洋式の地図は見たことがあっても、その制作が実測、描写、印刷に大

別され構成される実態までは理解が及んでいなかっただろうから、その部局構成もままならなかったと想像される。
　教章の活動が大きく分岐するのは、明治6年（1873）である。ときのウィーン万国博覧会にあわせて渡墺。博覧会事務局での本務が知られているが、実際には現地で地図製作のすべてを学ぶことを目的とした留学生だった。その渡墺の折に書き付けた《ウィーン渡航並同地滞在手帳》（184頁）には、鉛筆で海洋を丁寧に描いた絵が含まれ、また現地の言葉や講義の合間のメモなどが認められる。翌年、帰国後の教章は内務省地理局を中心に、地図製作を主導した。本展出品の『正智遺稿』異版（185頁）には、明治13年版行《伊賀伊勢志摩尾張四州図》の試刷が含まれている。地理局地誌課の製版となるが、その彫刻は教章の私的な印刷工房である文会舎が担っている。
　地図それ自体、地図製作は、一般的に考えれば「美術」との関係は薄い。しかし、明治前期においては、その描写や印刷を担った者たちの多くが日本画や洋画の作家たちだった。橋本雅邦も、一時期、教章の同僚として地図製作にあたっていたことも史料から判明し、陸軍では川上冬崖が地図製作に従事していた。描写を整える手、印刷の良し悪しを判定する眼は、絵画の素養がない者には難しかったのである。銅版による微細な線の束や動勢、石版による階調豊かな濃淡など、その技術があってこそ、地図は成立する。近代国家として国土を把握し、その一覧化が事的にも文化的にも求められた。その高度な技術の達成が難しいという一方で、中央集権国家の情報統制と発信において、その技術は必ずしも秘匿されるものではなかった。そのため、教章や息子章山ら初期の印刷従事者は、その功績とは裏腹に、その存在は歴史の荒波に消えてしまったのである。

大倉孫兵衛（おおくらまごべえ）

天保14年（1843）、江戸の絵草紙屋である萬屋の次男として生まれる。慶応年間には錦絵の版元として活動を開始、江戸日本橋通一丁目で営業し、「鍵万」「萬孫」の版元印も知られる。開港場横浜にも出入りし、その頃、森村市左衛門と知り合い、森村の異母妹と孫兵衛が結婚、義兄弟となる。息子に、後の日本陶器合名会社ほかの社長を務める和親がいる。
　孫兵衛の活動は、出自である錦絵版元とそこから展開する出版業と製紙業、そして森村組本体の輸出業、さらに今日では最も彼を有名にする製陶業の三つに大別される。総板行点数はわからないものの、明治期の錦絵版元としては大手のひとつに数えられる萬屋は、幅広い浮世絵師を登用したと、《大倉孫兵衛旧蔵錦絵画帖》からもわかる。また、萬屋と併行して版本書籍を制作販売する錦栄堂を明治7年に開業し、図案集などが出版された。のちに錦栄堂は大倉書店として改組され、近代出版社の最大手のひとつとなる。また、その書店業の伸張を見越してだろう、洋紙製造販売を担う大倉洋紙店を明治22年に開業した。デザインや利益を重視した版元業と、素材に着目した洋紙業は孫兵衛のなかでは連動していた。

そして、明治9年設立の森村組へ参加し、国内の雑貨買付とその改良などの総支配人を務めた。彼が売り込んだ初期の人気商品が、孫兵衛制作の輸出錦絵だった（263―265頁）。陶磁器や漆器、金属器や麦稈など、数多くの産品を見いだし輸出した孫兵衛だが、彼が明治10年代半ば以後のめり込んだのが、製陶業だった。森村組は横浜居留地周辺で買い付けた輸出陶磁器を扱うだけだったが、徐々にアメリカでマーケティングした内容に基づく制作が求められるようになった。そこで孫兵衛は、自ら指導しながら新規制作と販売に乗り出す。ここが、孫兵衛の製陶業のはじまりである。

孫兵衛主導のデザイン改良などで森村組は実績を稼いだがしかし、明治26年にシカゴで開催されたコロンブス万国博覧会を孫兵衛が実見し、自らの主導の限界を認識し、在米デザイナーに一任することとなった。また、横浜での製造に限界を感じ、絵付師らを愛知郡則武の地に移住させ、一貫した生産ラインを確立した。それが明治37年開業の日本陶器合名会社である。ここにおいて「美術」という枠組に位置づけられやすい手仕事性から、機械を専らに用いた工場生産となり近代産業としての地歩を固めていった。また社会インフラを担う碍子や衛生陶器の研究開発も推し進め、最後は再び大倉陶園で美術陶器の制作を目指した。

小栗令裕（おぐりれいゆう）

小栗令裕（明治14年6月現在で28歳10か月であったので嘉永5年8月頃の生まれか？）の祖父令誉は狩野寛信に師事した江戸後期の絵師で一橋家近習番格であった。父梁錦、兄令誉も画業を営んでいたようである。明治2年より大学南校、英学士の差山儀一及び英人に英学を学んだ後、明治6年測量士の光安守道に測地製図法を、翌年に工部省に入り線路製図測量図実験を行っていたという興味深い経歴を持つ。その後工部美術学校彫刻科に入り、在学中の成績は大村益次郎銅像制作などで知名の大熊氏廣をも上回る首席の腕前であった。明治13年に図学舎という私設学校を設置したが翌年に閉鎖し、その翌年には同校彫刻科の村上恒、山口直昭と共に共立美術学舎という私立美術学校を設立した。図学舎も共立美術学舎もカリキュラムを見る限り工部美術学校の教育を踏襲したものである。

しかしちょうどこの頃に工部省の宇都宮三郎や愛知県令国貞廉平らの計らいで瀬戸に美術学校設立する話が小栗に持ち込まれたのだろう。明治15年には工部美術学校を退学、村上と共に瀬戸で教鞭を取る事となる。当時の『愛知新聞』には「今度瀬戸村へ設立せし工部美術学校ハ近日其開校式を施工」という記述もあり、面白い。

日本美術協会にも参加し、明治35年より耽奇会に参加して出品を繰り返すなど、様々な文化人と交流を行っているようであるが、謎の多い人物として非常に興味深い。

川崎千虎（かわさきちとら）

天保7年（1837）名古屋尾張藩士の家に生まれる。画を浮世絵師の沼田月斎（1787―1864）に学び、大石真虎（1792―1833）に私淑して、虎の字を取り、千虎と号した。屋号は鞆洒舎、別号茶六。元治元年京に留学、土佐派分家から本家を継いだ土佐光文（1812―1879）に入門、大和絵の画技を学んだ。光文に従って禁裏仙洞御所の造営作事を手伝ったという。その後、京阪の古社寺のほか各地を巡歴、所蔵の什宝を見学調査し、研究して、考古故実の知見を積む。明治8年には『挿画日本史略』を著したほか、同9年『小学図画入門』や地図の製作も行っている。同11年東京に出て下谷下車坂町に住み、内務省、大蔵省、商務局、博物局に勤める。同15年9月内国絵画共進会事務を兼務し、陳列された古画の鑑賞の助けとして『画人略年表』を製作した。第二回内国絵画共進会で《佐々木高綱被甲図》愛知県美術館蔵が褒賞を授与され、同16年9月農商務准判任御用係を拝命する。同17年東宮殿下御新築御殿の襖に毛利元就厳島神社を詣でる図を描く。同19年宮内省に属し、帝室博物館に勤務する。明治22年『国華』に「本邦武装沿革考」を寄せている。同28年には佐賀県西松浦郡有田徒弟学校長となり、同30年東京美術学校教授に就任。考古学の授業を担当し、有職故実、図案、意匠の教育に力を尽くす。岡倉天心の退任に従い美術学校教授を退いたのち、日本美術院に参加した。同34年、故郷名古屋の県立工業高校の意匠科教諭として生徒指導の傍ら、染織や陶磁器、漆器、紙製品等の製作に力を入れる。翌35年、病によって67歳で没した。代表作としては《佐々木高綱被甲図》のほか、武蔵野美術大学美術館・図書館に所蔵される《土蜘蛛絵草紙絵巻》や《百鬼夜行絵巻》などの模写にも優れた業績を残す。

川崎家は代々藩主側近に仕え、鷹匠の故実を伝承するのが習いだったという。千虎の父は、名を茂春、通称六之丞、致仕剃髪してからは六之と名乗った。六之丞は謡曲、茶道、俳諧等に親しみ、沼田月斎について浮世絵を学び、美政と号した。明治14年没、享年75。名古屋城の近くに建てた邸宅を千虎に残したが、第二次世界大戦の空襲にて焼失した。千虎の有職故実研究は、川崎家の鷹匠故実の伝承から始まったようだ。謡曲を好んだことも父の影響があるのだろう。

菊池容斎（きくちようさい）

天明8年（1788）11月1日に藩士河原武吉の子として生まれ、18歳で狩野派の高田円乗の門に入る。文政8年西丸御徒務めを病気のため辞し、これ以降菊池姓を名乗ったと思われる。それ以前の容斎の画業はほとんど明らかではない。また、狩野派の影響は文政10年作《十六羅漢図》・《五百羅漢図》奈良県立美術館蔵の岩塊を形作る太い輪郭線や皴法に認められる程度で、狩野派以外の古画学習の成果が表れている。容斎が高田円乗の元で学んだのは5年ほどだったが、師の画風を学ぶのではなく自らの画風を確立することを第一とした師の教えに従い、文政年間は諸国を遊歴し画技の研鑽に励んだ。天保7年『画意十五則』を記し、粉本との関わり方、写生の重要性、古典学習の必要性など、容斎の作画姿勢が明確に示されている。同年『前賢故実』の自序を著した。天保12年作《馮昭儀当逸熊図》、同14年作《呂后斬戚夫人図》、同時期作《阿房宮図》静嘉堂文庫美術館蔵の三幅は、久貝正典に依頼された作品で、久貝は容斎壮年期に資金援助をしていたという。そして、同14年『前賢故実』初編が出版される。嘉永元年作《堀川夜討図》浅草寺蔵は、観音堂に奉納された額絵。明治元年『前賢故実』十巻を出版、明治天皇に献本される。同8年、明治天皇より「日本画士」の称号を受ける。同9年、フィラデルフィア万国博覧会に《躍鯉之図》を出品し、褒賞を受賞する。同10年、第一回内国勧業博覧会で《前賢故実の図》を出品し、名誉龍紋賞を受賞する。同11年、91歳で没した。

弟子には、松本楓湖、渡辺省亭、鈴木華邨、三島蕉窓が挙げられ、容斎の指導方針であった写生尊重主義や古典学習に基づき、歴史画や花鳥画、工芸デザインなどさまざまなジャンルで活躍した。これに梶田半古のような容斎に私淑した絵師のほか、『前賢故実』から大きな影響を受けた浮世絵師の月岡芳年も加えれば、明治期の日本美術業界に与えた容斎の影響はとても重要である。

河野次郎（こうのじろう）（華江）

安政3年（1856）、足利戸田藩士杉本家の三男として江戸の藩邸神田上屋敷で生まれる。慶応4年／明治元年（1868）、官軍の江戸入城にともない足利に帰藩し足利学校に入学。この頃、田崎草雲に南画を学び、明治7年に上京した時期に油彩画を学んだとされる。明治9年、足利県加藤小学校の教師となり、この年5月に河野家に養子として入籍した。同年に愛知県師範学校画学教師として名古屋に赴任、明治15年に長野県へ移るまでの間には愛知県中学校の画学教師も一時期兼務する。またその間の明治10年から11年にかけて愛知県の図画教科書『画学階梯』（141頁）を編集し、明治13年には洋画塾を開いていた。愛知の初期洋画に関わる野崎兼年（兼清）は、河野から洋画を学んだとされる。また、河野が石版下絵を描いたり、河野が著した『一図画臨本　初編　器機之部第一』の広告が出されていたりするなど、名古屋石版舎とは関わりがあったようだ。明治15年5月、三等助教諭として長野県師範学校松本支校に移る。教職は長野県師範学校松本支校と兼務して、明治19年までは長野県松本中学にも勤めた。明治17年に長野県内での利用を目的に編集された図画教科書『小学中等科画学帖』を出版する。この頃、自宅を有無館として広告ラベル等を制作する。明治19年、長野県師範学校が松本から長野に移転したことに伴い河野も長野へ移る。明治29年に長野県師範学校を退職し、長野市南県町に「河野写真場」を開業、この頃に号を「無声」と改め、油彩画や水彩画の販売を始めている。昭和2年（1927）に上京して、画家となった息子の通勢宅に同居、昭和9年に死去した。

河野は熱心なハリストス正教徒でもあった。明治22年に洗礼を受け、洗礼名は「アレキセイ」。明治26年にニコライ主教が長野へ巡廻した際に河野らが出迎え、カメラで会堂内の様子とニコライの肖像を撮影したという。

初代五姓田芳柳（ごせだほうりゅう）

文政10年（1827）、紀州藩士浅田氏の子息として江戸藩邸内に生まれた。幼くして両親を失い、養子縁組を繰り返しながら武家の間を転々とする。その家名や数は史料により異同があるものの、最後は有馬藩の森田家の娘の勢子と婚姻を結び、養嗣子として入ったと考えられる。十代の頃から絵に親しみ、一説に狩野派の樋口探月、浮世絵師の歌川国芳に学ぶという。また長崎遊学という説もあるが、いずれも信憑性は低い。東京三囲神社境内にある歌川国芳顕彰碑に初代芳柳や義松の名が刻まれているが、いわゆる系図買いのようなことだったろうか。それほどに、初代芳柳の初期の活動はほぼわからず、作例も認められない。その活動が記録されるのは、幕末頃からであり、横浜居留地内でいわゆる横浜絵を制作販売していたと推定される。その頃の作例と考えられるのが、《西洋老婦人図》（21頁）である。明治10年代の数々の作例を見ても、結局の所、伝統技術を基礎とし、本格的な西洋絵画技術は身につけていなかったと考えられる。

初代芳柳と森田勢子の間には二男二女がおり、安政2年（1855）次男義松が、翌年に長女勇、のちの渡辺幽香が生まれている。慶応元年（1865）、初代芳柳は義松をチャールズ・ワーグマンに入門させる。西洋絵画の需要があると見込んでの選択だったと考えられ、その義松を通じて初代芳柳も西洋絵画技術を学習した可能性が高い。というのも、初期の工房では義松や弟子たちが共同作業していたと考えられるからである。明治維新を迎え、横浜に拠点を移し、次第に弟子が増え、五姓田派は形成されていく。義松や幽香ら血縁を核として、初期の弟子に山本芳翠、渡辺文三郎、平木政次などがいる。明治6年の年末、横浜から東京浅草へ拠点を移す。浅草で油絵見世物興行を開き、初代芳柳と五姓田派が有力な洋画家集団だと喧伝した。明治7年には、宮内省の命により、明治天皇の肖像を描いた。義松他一門も参加し、さらにその名声を高めた。

初代芳柳の作例といえば、絹地に伝統技術と画材で描いた肖像画が容易に想起される。薄塗りや裏彩色を活かして、相貌に陰影をつけ、立体感を出し、写真などを活用することにより、像主の姿形を克明に描く。その迫真性が、洋画と誤解されることもあった。この技術は、五姓田派の多くの弟子たちに伝えられ、また義松由来の本格的な洋画技術が同時併存している点に五姓田派の特徴がある。その懐の広さを別角度から考えると、乱世ともいうべき幕末明治を乗り切るひとつの理念かつ戦略とも考えられる。

五姓田義松（ごせだよしまつ）

安政2年（1855）、父初代五姓田芳柳、母森田勢子のもと江戸に生まれる。慶応元年（1865）、横浜居留地の英国人報道画家チャールズ・ワーグマンに入門。ワーグマンから鉛筆画、水彩画、油彩画といった西洋絵画技術を学ぶ。最初は江戸から通い、明治改元後は横浜に移住、母と妹や弟子たちと共同生活を送った。ワーグマン由来の技術は、素早く動く対象も鉛筆で捉える特徴があり、群像や風景もその対象だった。油彩画はワーグマン自身も不得意としたようだが、義松は居留地内で独自の学習を進めた。水彩絵の具の独自製法も確立するなど、材料難だった明治初頭でも工夫に努め、圧倒的な練習量を誇ったと考えられる。その初期の作品は、てらいのない写実であり、素直に当時の人物や風景の動き、陽光のきらめきをおった作例は日本洋画史を見渡しても少ない。

明治4年（1871）には自作の販売を開始、同8年には陸軍士官学校の図画教員として採用されるなど、公私の制作活動を充実させた。同9年には工部美術学校に入学するも、半年ほどで退学。その頃には技術的にはおよそ完成していたため、フォンタネージに学ぶ必要性が認められなかったからと推測される。同10年に開催された第1回内国勧業博覧会で最高賞を受賞、名実ともに洋画家の第一人者となる。

義松が明治洋画の最高位にあることを示す事例は、明治皇室関連の制作を数多くうけおったことにある。明治11年は明治天皇の実父孝明天皇と実子建宮の水彩肖像を、同年におこなわれた北陸東海御巡幸に供奉し、各地の風景や物産を描き、明治天皇に献上している。同12年には昭憲皇太后の油彩肖像を描くなど、国家の公的制作に従事した。ただし、その作品は宮内省内部での活用となるため、公衆に披露される機会がなかった。義松の評価どころかその存在が知られなかった大きな要因である。

そして明治13年、フランスで一旗揚げるという希望のもと、渡仏。パリを中心に活動し、足かけ10年間を海外に過ごした。その頃の充実した制作が少ないものの、《井田磐楠像》（49頁）など現地で学んだ成果も認められる。帰国後も宮内省に風景画を納めているが、そちらも長らく公開されてこなかったこともあり、義松の評価はその後半生から昭和末に至るまで低いままだった。

しかし、平成37年の没後100年展を機に、その膨大な文書史料に基づき、再評価の機運が高まった。また、在外作品の存在や團伊能旧蔵コレクション（39頁ほか）などの発見も続き、さらにその全体像の再考が促されている。

後藤芳景（ごとうよしかげ）

明治19年10月26日の『絵入扶桑新報』には紙面全体を電信柱が貫く斬新な構図のものがある。右下には「豊斎芳景画」と記される。電信柱の下には和装女性が

2名。1人の着物には「夏」と、もう一人には「栄」と記される。左の男性はどうやら「石版舎」と記された印半纏を着け、草履を直している。携行用の担い箱にも「石版舎」と記されている。これを鈴つきの担い棒で肩に担ぎ、新聞を配達したのだろうと思われる。横浜開港資料館に「新聞小政」と呼ばれた明治初期の著名な新聞配達人安藤政次郎の写真があるが、それと同様の姿である。因みに安藤は豊橋生れで明治13年には横浜で新聞取次業を行い、後に豊橋市の動物園創業者となっている。挿絵の新聞配達人の足の着衣には「新」と記されている。

豊斎芳景とは、後藤芳景（1858—1922）のこと。中井芳瀧の門人で、一鏡齋、豊斎、酔眼楼と号している。『絵入扶桑新報』明治19年3月11日の雑報欄には扶桑新報社が招聘した後藤芳景が3月10日に到着し、七間町の杉山方寓居浮川舎を宿とし、出社したことを報じている。浮川舎とは浮川舎票瓜のことで新聞小説家として1月に同社に入社している。同年7月～11月の『擬紫開化現時　絵入扶桑新聞附録』で二人はコンビを組み、12月から連載の『早乗萬吉大島阿船　時汽船海上紀聞』や同年名古屋石版舎刊の『千代の春噂の聞書』（竹内票瓜名）、名古屋共同印刷屋刊『惟尾美代葵松葉』も同様である。明治20年5月には『名古屋鎮台観兵式之図』発刊と、明治19年・20年に名古屋における仕事が集中している。後藤芳景は大阪生れと言われるが、来名以前の仕事は確かに大阪や京都で刊行された書籍の仕事が多い。しかし明治21年頃から東京の書肆の仕事が増えているので、名古屋滞在はそれほど長い期間ではなかったのかもしれない。新聞や雑誌の仕事の他、書籍の表紙・挿画の仕事が非常に多く、題材も日清戦争や西南戦争など戦争もの、役者絵、風俗描写など幅広い。明治30年代まで精力的な活動を続けており、明治期を通じて人気を博した挿絵画家であったと言えるであろう。

高橋由一（たかはしゆいち）

文政11年（1828）、佐野藩士高橋源十郎の嫡子として江戸藩邸に生まれる。幼名猪之助、のちに佁之介。高橋家は代々藩の剣術指南役を務め、由一もそう期待されたが、生来、身体が弱く、絵が好きだったこともあり、その道を継ぐことは諦めた。天保7年（1836）藩主堀田正衡の近習を務め、武家としての生涯も期待された。絵画は、十代前半ころ、最初は狩野派を学んだ。ただ務めが多忙だったため、修行は満足いかず、独学だったという。嘉永年間、西洋の多色石版画を実見したことで、洋画に強い興味と関心を抱く。文久2年（1862）、蕃書調所画学局に入局し、川上冬崖、近藤正純らとともに書物などから洋画を研究した。書籍での研究に飽き足らず、慶応2年（1866）、横浜居留地のワーグマンに指導を乞う。以後、由一の本格的な洋

画実践がはじまる。明治9年には工部美術学校のフォンタネージに学び、明暗表現などが一挙に深まる。明治10年、第1回内国勧業博覧会に《甲冑図》を出品。同作は、翌年の名古屋博覧会に出品された。

洋画普及は順調だったものの、それは明治十年代前半までである。その頃には、既に普及事業を拡張するため、資金繰りに困難が伴った様子が、数々の書簡や史料から理解される。私塾天絵社の私立学校への改組、洋画観覧場となる展画閣の企画など、数々の事業を打ち出したことでも知られ、本展出品の図画教科書『西洋画譜』（126頁）や天絵社発行の美術雑誌『臥游席珍』もその一環である。それはひとえに、写実に基づく洋画の効能が社会に有用だと信じたためである。その悪戦苦闘の歴史は、明治25年に息子源吉が編纂した『高橋由一履歴』に記されている。また同26年には旧天絵社社中により、洋画沿革展覧会も開催されている。由一自らを司馬江漢以来の日本の洋画史のなかに位置づけようという趣旨だった。制作ばかりでなく、この洋画普及という数々の企画も含めて、由一の功績といえる。

そして、由一の技術的特徴といえば、その対象に迫って、愚直にその質感表現を追求する点にあり、そのため静物画が最も力の入ったジャンルとなる。ややもすると画中空間のバランスなどは崩れがちだが、その欠点を補う描写力がかえって由一らしさといえる

野崎華年（のざきかねん）

愛知の初期洋画を支えた人物と言えば、まず野崎華年の名を挙げることになろう。野崎は文久2（1862）年に尾張藩の重臣・野崎兼良の長男として名古屋城内三の丸大名小路に生まれている。本名は兼清。明治9（1876）年から15（1882）年まで愛知県師範学校の河野次郎に学んだとされるが、正確な時期はわからない。河野の雅号「華江」から一字とって「華年」の号を使用しているようである。明治16（1883）年から19（1886）年には上京して殿木晴吉に学ぶ。明治20（1887）年に名古屋に戻り、菅原小学校画学教師を務めながら七間町に洋画研究所を開設している。その後英和学校、名古屋商業学校、武陽学校、真宗尾張学校と職場を変えながら教鞭をとる。その間の明治23（1890）年における第3回内国勧業博覧会に楼閣を描いた油画額面を出品し、翌年の濃尾大震災に際しては被災地に取材して作品を残している。明治28（1895）年の明治美術会秋季展に油画《富士山之図》を名古屋に在住しながら出品しているのは、師の河野次郎の誘いがあったからかもしれない。明治30（1897）年の明治美術会春季展覧会にも油画《大和月ヶ瀬》を出品し、同年には明美会を結成しているが、これは明治美術会を意識した命名と考えられる。明治31（1898）年には弘前中学の図画教師となるが、その後少し間を空けて明治36（1903）年に京都に赴

き改めて浅井忠に師事している。齢40を越えた研鑽である。明治40（1907）年には名古屋に戻り、富嶽百景展を開催、翌年には明美会を浪越美術会と改称している。明治43（1910）年に浪越美術会研究所を設立、いとう呉服店大広間を飾る名古屋城を描いた作品をものしている。同年にハレー洋画界を立ち上げ、愛山会絵画部委員も務めるなどこの年は非常に活発な活動を行っている。翌年、愛知の美術団体を糾合して設立された東海美術協会では常務理事となる。以後も美術団体の結成や研究所の設立などを通じて後進の育成に励み、愛知の洋画界の中心人物として長く活躍した。また、明治期には大河内存真、伊藤圭介兄弟や奈良坂源一郎のような学者・文人とも交流している。子息の兼俊も画家となり、白馬会や光風会などに参加している。

宮下欽（みやしたきん）

名古屋の写真業草分けの一人、宮下欽（1837—）は長野松代藩士の子として生まれ、宮下翁輔の養子となって安政5年に家督相続、宮下欽次郎と改めている。明治元年に横山松三郎から写真術を学び、明治3年もしくは8年に名古屋で開業したという。明治10年第1回内国勧業博覧会に名古屋城、瀬戸陶器製造所、岡崎矢作橋の写真を出品して褒状を受け、翌11年9月の名古屋門前町博物館における名古屋博覧会で陶器製造の順序を模した写真を出品し、賞牌を受けている（当時の住所は岡崎籠田町）。明治12年3月には名古屋本町三丁目で開業していた岡本圭三（二代鈴木真一）の写真館を譲り受ける。明治20年、名古屋鎮台の依頼で天守閣を四方より撮影、同年大坂砲兵工廠大砲製造所初め同鎮台将校を、更に名古屋鎮台本部参謀部煉化石室、官舎を撮影している。翌21年は7月に尾張紡績会社の撮影、9月には浜松に赴き、天竜川鉄橋を撮影。明治22年は鉄道局の依頼で富士、天龍、大井の3河川及び各所の隧道を撮影。翌年3月29日から4月2日まで、愛知県知多郡半田町（現・半田市）を中心に行われた日本最初の陸海軍連合大演習の様子を大本営の許可を得て青山三郎、中村牧陽、中村透、梶彰、梶繁とともに撮影している。明治24年、東京九段の鈴木真一に学んでいた子息の宮下守雄が帰名し、4月より欽のもとで働くようになる。同年10月28日の濃尾大震災に際してはその実況を撮影して翌年に『愛岐両県震災写真説明書』を刊行している。青山三郎、中村牧陽も同様に被災地の撮影を行っており、欽が中心になって発行した愛岐両県震災写真とその説明書には青山、中村牧陽も関わったと見られる。また、欽は勅使の視察に随行して撮影したという情報もあり、実際に宮内庁書陵部には欽が関係したと思われる濃尾震災被害状況写真、岐阜震災写真が残されている。

　妻とともに当時名古屋桶屋町にあった生神女福音教会（現在の名古屋ハリストス教会）の熱心な信者で、イリヤ宮下（妻はエウドキア）を名乗っている。因み

に岡本圭三とその妻、写真家の水谷鏡も信者である。信教との関係は不明だが、当時流行していた芸妓の写真撮影を謝絶していたという逸話もある。

横山松三郎（よこやままつさぶろう）

天保9年（1838）、択捉島生まれ。代々、択捉島の漁場管理を担っていたが、嘉永元年（1848）に父が没し、箱館に家族とともに移住した。嘉永7年、ペリー艦隊の箱館上陸の折、写真と出会う。そして安政6年（1859）、箱館が開港されると、その地を訪れたロシア人などから洋画や写真などを学ぶ機会を得た。当時の箱館は横浜とは異なる情報の集積地で、松三郎はその地でロシア人の技術を学んだ点が特徴である。松三郎の探究心は熱く、元治元年（1864）には上海へ渡り、見聞を広めた。その帰国の折、横浜で写真師下岡蓮杖に写真や石版画を学んだという。松三郎は常に新規な技術に惹かれ、独学研究を進めた特徴も指摘できる。その意識で松三郎の生涯を見通すと、常に技術習得を目指し続けたと理解できる。一方、西洋技術の社会への普及などの意識は弱く、事業家としての側面の強い由一とは好対照である。

松三郎の技術発信は、明治元年（1868）、上野池之端に開いた工房兼画塾の通天楼が拠点だったといえる。そこで松三郎は、洋画や写真、石版を、亀井至一、竹二郎、下国熊之助、宮下鈞らに伝えた。ただ、この通天楼も同9年には閉め、陸軍士官学校図画教員となり、フランス人教官ゲリノーに石版画やゴム印画など複数の印刷術を新たに学んでいる。士官学校は、五姓田義松、小山正太郎らも在籍しており、写真や石版画などの実験場だった。同14年まで士官学校に勤め、11年には軽気球からの空中写真、13年には写真油絵の技術が完成した。ただ、士官学校時代の弟子たちは軍人であり、残念ながら美術史の上で活躍した者はいない。また松三郎が胸を患い、同17年に没し、その技術が広まる機会も失われた。

彼の目立った作例として、明治4年、蜷川式胤の依頼で内田九一とともに撮影した江戸城（198頁）。同5年、湯島聖堂博覧会の撮影。同年、町田久成らの文化財調査いわゆる壬申検査がある。近年、團伊能旧蔵コレクションが登場し、松三郎の絵画類が複数見いだされた。《婦人像》（46頁）の眼に映り込む光には、松三郎の繊細な感性と自然科学的な観察眼が同居しており、興味深い。またかねてから注目される作例が、セルフポートレートである。制作者と制作対象が同一視される点には、単純な技術的な関心を超越した、深い思索が横たわっている。

チャールズ・ワーグマン
Charles Wirgman

1832年、ロンドン生まれ。スイ

ス系の銀商人の家系であり、また兄弟らには軍隊に勤務した者も多い。十代の頃は、フランス、ベルギーなどで修行したことも知られている。1852年、ロンドンで発行されていた絵入り新聞『イラストレイテッド・ロンドン・ニューズ』の海外特派員Special Artistとして、当時、イギリスが植民地政策を進めていた清（現中華人民共和国）へ渡る。その途次の紅海や東南アジアの様子もまた絵と文の両方で、同誌に連載した。広東を拠点に活動し、軍事侵攻や当時の庶民の暮らしぶりなどを伝えた。

1861年、文久元年、初来日。長崎から江戸へと向かった。一時、日本を離れ、翌年再来日。引き続き、Special Artistの肩書きで、開国間もない極東日本の様子をイギリスへ、またヨーロッパへと伝えた。文久二年の再来日の頃から横浜居留地に定住、同年には諷刺誌『ジャパン・パンチ』を創刊した。同誌は、初期は和紙に木版刷で後期は洋紙に石版刷、片面印刷十数頁の薄いコミュニティ・ペーパーのような冊子である。日本と諸外国の関係や、横浜居留地内に暮らす外国人たちの様子を、風刺を効かせて描いた。『イラストレイテッド・ロンドン・ニューズ』の仕事が明治を迎える頃に量が減る中で、同誌はワーグマンの活動の主軸となった。

さて、ワーグマンは、幕末明治の様子を世界へ伝えた、歴史の証人としてよく知られた存在である。加えて、日本美術史にとって二つの意味で重要なはたらきをなしたと知られる。ひとつは、西洋絵画技術を、日本人に直接的に指導した点である。近世末まで西洋からの情報や物質は限定されていたが、直接的に目の当たりにする機会が生まれた。慶応元年（1865）、五姓田義松が入門。翌年に高橋由一が入門した。鉛筆画や水彩画、そして油彩画の実物、描写の様子などを実見したことで、彼らの技術は飛躍的に上昇した。そしてもうひとつが、諷刺誌の表現である。西洋的なユーモアの精神やその造形は、小林清親や本多錦吉郎らが積極的に学習し、明治期の挿絵、そして後の漫画俳画というジャンルへも繋がっていく。なお、その書名から戯絵一般を「ポンチ絵」と称するようになった。

ワーグマンは、明治24年、横浜に没した。その墓石は、いまなお、横浜外国人墓地にある。彼の息子である小澤一郎もセミプロの画家として活動したことも知られている。

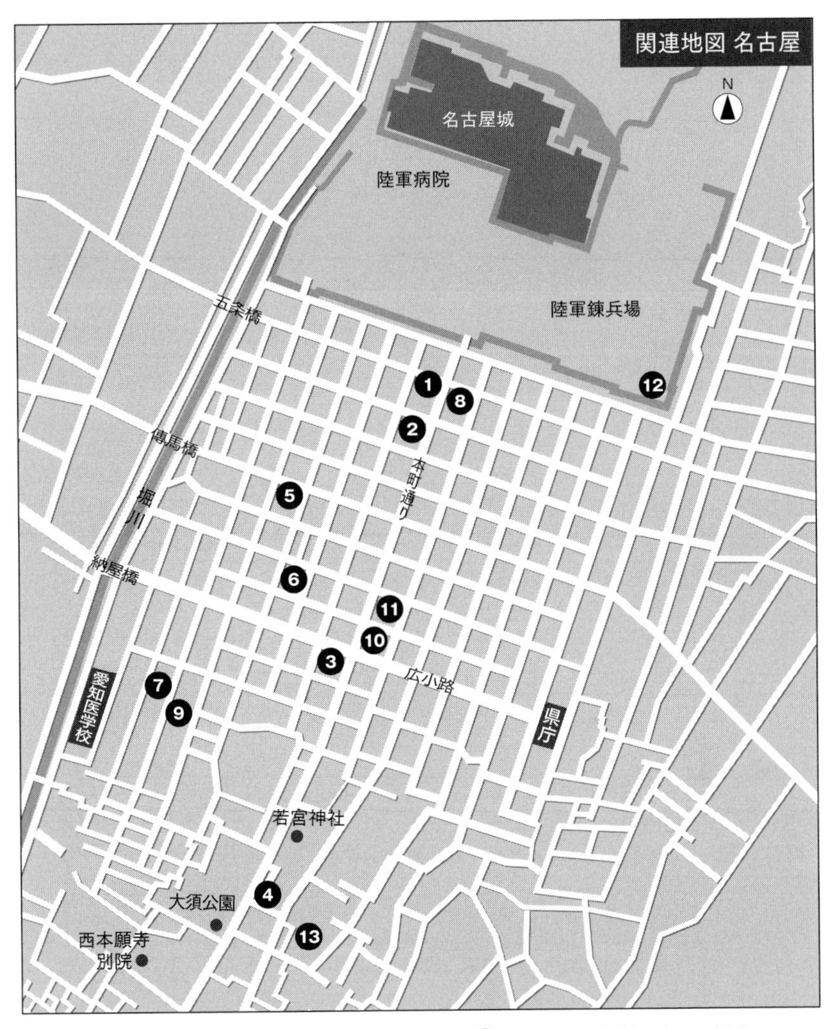

❶本町2丁目／石版舎
❷本町3丁目／宮下写真館
❸鉄砲町1丁目／七宝会社
❹門前町／愛知県博物館　総見寺
❺桶屋町／ハリストス正教会
❻新守座／元寇油絵
❼南園町／盛豊座　パノラマ
❽七間町／野崎華年 洋画研究所
❾南伏見町／愛知絵画会社
❿栄町3丁目／秋琴楼
⓫支那忠
⓬偕行社／元寇油絵
⓭裏門前町／萬松寺

❶ 住吉町1丁目／初代芳柳・義松・幽香
❷ 相生町6丁目／初代芳柳
❸ 境町の煎餅屋喜楽せんべ付近／初代芳柳
❹ 外国人居留地137番地／ワーグマン
❺ 外国人居留地60番地／ワーグマン
❻ 外国人居留地山手88番地／ワーグマン
❼ 外国人居留地山手102番地／ワーグマン
❽ 外国人墓地／ワーグマン
❾ 西太田村（太田の不動下）／義松・幽香・文三郎ほか
❿ 野毛山紅葉坂宮崎町49番地／義松
⓫ 石川山仲村20番地／義松
⓬ 中村町不二見園1407番地／義松
⓭ 中村町1472番地／義松
⓮ 高砂町3丁目の経師屋／山本芳翠
⓯ 野毛山伊勢屋町／山本芳翠
⓰ 太田陣屋前／平木政次
⓱ 本町2丁目22番地／井村彦次郎商店（松石屋）
⓲ 本町2丁目34番地／綿谷平兵衛
⓳ 尾上町1丁目7番地／中島則親

「近代日本の視覚開化　明治」関連年表

西暦	和暦	関連事項	一般事項
1857	安政4	幕府の洋学研究機関である蕃書調所に絵図調方が設置される。川上冬崖、絵図調方出役に就任する。	
1861	文久元	蕃書調所に画学局が設置される。川上冬崖、画学局画学出役となる。 イギリス人画家チャールズ・ワーグマン、来日。	
1862	文久2	イギリスの万国博覧会に、オールコック所蔵品が並び、ジャポニスムのひとつの契機となる。同博覧会は文久遣欧使節が参加。 ワーグマン、『ジャパン・パンチ』創刊。 高橋由一、洋書調所画学局へ出仕する。	生麦事件
1865	慶應元	年末頃、五姓田義松、ワーグマンに入門。	
1866	慶應2	八月、由一、ワーグマンに入門。	
1867	慶應3	幕府が、パリで開催された万国博覧会に参加。美術工芸品等が好評を博す。 この年、内田正雄、オランダから油絵などを将来する。	大政奉還 王政復古の大号令
1868	慶應4 明治元	菊池容斎『前賢故実』刊行終了。 玄々堂松田緑山、明治政府より「金札」の銅版彫刻を命じられる。	戊辰戦争・神仏分離令 明治改元 徳川家が沼津兵学校を開校。
1869	明治2	大学校が設立される。 川上冬崖、画塾「聴香読画館」を開く。	東京遷都 版籍奉還
1870	明治3	東京府、小学校を開設。 川村清雄、アメリカに留学する。 百武兼行、藩命によりロンドンへ出発。	版籍奉還 太政官制、導入 開拓使、設置
1871	明治4	文部省が設置され、博物局が置かれる。 古器旧物保存方、布告される。	新貨条例 廃藩置県

年	和暦	事項	社会
1871	明治4	本邦初の西洋画式教科書である『西画指南』が、川上冬崖により上梓される。 浅沼藤吉、日本橋に写真材料店を開業する。 横山松三郎、蜷川式胤の依頼により旧江戸城を撮影する。 岡谷惣助らにより名古屋七宝会社創立。	岩倉使節団、派遣
1872	明治5	「学制」発布。のち「小学教則」「中学教則」が公布される。上等小学校では「幾何学罫画大意」が必修科目、「画学」が随意科目となる。下等中学では「画学」が、上等中学では「罫画」が必修科目となる。 昌平坂聖堂にて、本邦初の博覧会、開催。 29日まで額田郡下岡崎専福寺で博覧会開催。 写真師墨印社が名古屋城天守、櫓などを写し、需要に応じる。 ゴットフリート・ワグネルが瀬戸を訪れ、製造場を巡覧、加藤周兵衛らに技術を伝習。	新橋・横浜間に鉄道が開通 富岡製糸場、設置される。 改暦
1873	明治6	高橋由一、画塾「天絵楼」を開く。 内田九一、軍服姿の明治天皇を撮影する。 初代五姓田芳柳、明治天皇の肖像を描く。 ウィーン万国博覧会、開催。それにあわせて岩橋教章、渡欧。 ウィーン万博に遠島村の藤八、安松村の服部惣八、篠田村の宮地小伝次が七宝を出品。渡邊小華は絹本画を出品。 ウィーン万博で川本桝吉が協賛賞牌、愛知県の陶器および七宝が進歩賞牌を受ける。 東京築地のアーレンス社支配人ウィンクルが名古屋の陶器商飯田屋から瀬戸製陶磁器製品を仕入れる。	紀元節、制定 徴兵令 高橋由一が私塾天絵楼を始める。
1874	明治7	国沢新九郎、英国より帰国、画塾「彰技堂」を開く。 紙幣寮、偽造防止のため石版印刷を開始する。 名古屋博覧会開催（東本願寺名古屋別院）、愛知県の有力商人らが発起人、愛知県第2代県令の鷲尾隆聚が開催に尽力。 瀧藤萬次郎が名古屋長者町に陶磁器貿易の店を開く。	民撰議員設立建白書 国沢新九郎が画塾彰技堂を始める。 起立工商会社設立
1875	明治8	エドアルド・キヨッソーネ、来日。 玄々堂、銅石版印刷所を開業。	讒謗律・新聞紙条例

西暦	和暦	事項	社会
1876	明治9	工部美術学校、設立。画学、彫刻、建築が講義される。イタリア人画家アントニオ・フォンタネージらが教授。	神風党の乱
		高橋由一、天絵社で月例展覧会を開始する。	
		フィラデルフィア万博に飯田重兵衛が川本桝吉、加藤五助、孫右衛門、勘四郎、杢左衛門らの磁器を出品。七宝会社は名古屋扇、七宝器、銀茶壺（宮地兌則製）、花瓶（竹内善久製）を出品。川本半助、増吉（桝吉?）も磁器を出品。	3月、森村市左衛門と弟の豊が銀座に森村組を創立。
		フィラデルフィア万博で七宝会社、川本半助、川本桝吉が受賞。	
		松村九助が名古屋和泉町に陶磁器貿易の店を出す。	
		河野次郎が愛知県第一師範学校に画学教師として赴任、門下に野崎華年ら。	工部美術学校創設
1877	明治10	第一回内国勧業博覧会、開催。洋画部門で五姓田義松は最高位を獲得。	西南戦争、勃発
		愛知で開催された内国勧業博に小田切春江、奥村石蘭、川崎千虎、木村金秋、渡邊小華らが絹本画を出品。宮下欽は写真額の名古屋城、瀬戸村陶器製造場図などを出品。	内国勧業博覧会
		内国勧業博で七宝会社、加藤勘四郎、川本桝吉が竜紋賞牌を受ける。	
		パリ万博に際し、七宝会社は浅野彌一郎製造画提灯、瀬戸染付陶磁器、大木豊助製造豊助焼、高須吉次郎製造金襴付磁器、秋山貞治製造金襴付磁器、七宝会社製造銅陶器七宝などを愛知県より出品。出品主任に七宝会社の村松彦七。	
		翌月にかけて濤川惣助が岡崎永楽善五郎窯、瀬戸各製造家、名古屋七宝会社を歴訪視察する。	
1878	明治11	パリ万国博覧会に、美術品、工芸品が多数出品される。 御雇外国人としてアメリカ人哲学者アーネスト・フェノロサが来日。 工部美術学校教師フォンタネージ、退任。それにあわせて浅井忠ら退学し、十一字会を結成。 山本芳翠、渡仏。	
		名古屋新地常磐町に写真撮影を業とする紅映舎が新規開業。	
		パリ万博第二十小区で七宝会社が金牌、川本桝吉、川本半助、加藤勘四郎、加藤杢左衛門が銅牌を受ける。第二十四小区で七宝会社が銀牌、岡谷惣助が銅牌、第二十五小区で七宝会社が銀牌、岡谷惣助、安藤金得が銅牌。	
		名古屋初の博物館開館（名古屋市門前町総見寺）、県費と民間の寄附金で設立された勧業系博物館で翌15日から名古屋博覧会開催。高橋由一《甲冑ノ図》など出品。	

1879	明治12	「教育令」、公布。	沖縄県、設置される。
		古美術研究団体である龍池会が設立される。	佐野常民、河瀬秀治ら龍池会を組織。
		東京師範学校に、図画科が設置される。小山正太郎が教授。	
		『愛知新聞』に内田店より「高橋由一先生臨画　西洋画譜」の広告掲出。	
		吉田道雄により、新聞及び石版画売捌の「石版舎」開業（『愛知新聞』）。	
		石版舎より師範学校画学教師河野次郎著『図画臨本　初篇　器機之部第二』刊行。	
1880	明治13	京都府画学校、設立される。	
		第一回観古美術展覧会、開催。	
		五姓田義松、渡仏。同船で、松岡壽、渡伊。	
		濤川惣助が東京牛込神楽町に工場を設置。後にこれを七宝会社製造支場とする。	
		『愛知絵入新聞』に藤田条之助による「油画広告」。大肖像額面四円他。	京都府画学校設立
		村松彦七が七宝会社支店設置のため大阪を訪れる（『朝日新聞』）。	
		松村九助が名古屋で最初の上絵付工場を竪杉ノ木町に設立する。	
1881	明治14	小学校教則綱領が制定され、「図画」に統一される。中等小学校、高等小学校で「図画」が必修科目となる。	国会開設の勅諭
		第二回内国勧業博覧会、開催。	
		内国勧業博に工部美術学校彫刻生徒作品としてアリアンス半身像が出品される。小栗令裕作品と思われる。瀬戸陶工が内国勧業博展示を見る。	第二回内国勧業博覧会
		内国勧業博に吉田道雄が石版画（猫図、養老瀑布、嵐山ノ景、木戸孝允肖像、修学院ノ景）、油画（名古屋城、鵜飼ノ夜景）出品。	
		内国勧業博で七宝会社が名誉賞牌、有功賞牌一等、加藤勘四郎が進歩賞牌二等、川本桝吉、竹内忠兵衛が有功賞牌二等、川本半助が進歩賞牌三等、岡谷惣助、七宝会社出品画工安井如苞が有功賞牌三等。	
		川本秀雄と川本桝吉が輸出を目的に磁工社を東京具足町に創立。	

西暦	和暦	事項	関連事項
1882	明治15	小山正太郎、「書ハ美術ナラズ」を発表。以後、岡倉天心と論叢となる。	
		フェノロサ、日本画保護と新興を主張した龍池会での講演録が『美術真説』として刊行される。	
		第一回内国絵画共進会、開催。洋画出品が拒否される。この頃から、洋画排斥運動が顕著となる。	
		矢場町に安藤七宝工場創立。	
		第一中学の画学教師に藤田正忠が就く。藤田は秋には第一師範も兼務する。	
		愛岐日報社と石版舎が板垣退助を招き、博物館にて尾張自由党懇親会を開く。この後岐阜に移った板垣は凶漢に遭遇、吉田道雄は板垣を見舞い、名古屋転院を勧める。4月末には『板垣君遭難詳録』発刊を石版舎が広告。	
		工部美術学校出身の小栗令裕、村上恒が瀬戸を訪問、国貞廉平県令などと面会。陶器館改良のため。	
		瀬戸村美術学校開校。宇都宮三郎工部権大技長が同校を訪問、技術の進歩に感心する。	フェノロサが龍池会で「美術真説」講演。
		県下の内国絵画共進会出品作品を東本願寺別院で展観、多数の参観人を集める。	内国絵画共進会は洋画を排除。
		『名古屋新聞』は、瀬戸村の陶器が不景気の極にあることを報じる。	
		森村組が瀬戸の窯元と素地の直取引を開始し、陶磁器を主力商品とする。	
1883	明治16	工部美術学校、廃校となる。 教科書認可制度、実施される。	鹿鳴館、開館。
		パリにて第一回日本美術縦覧会、開催。	
		『愛知新聞』は七宝会社の七宝焼売上が思わしくなく、ランプ覆の注文を多数受けて製造中と報じる。	工部美術学校解消
		同好社創立。画事の衰頽の中、絵画共進会開催の好機をとらえて、術を練磨する会を設置。会長華原眉山、副会長則武鐵蕉。	
		宇都宮三郎工部大学校長の斡旋で内藤陽三が常滑陶器学校教員として鯉江高司方へ到着。	
		公立名古屋博物館を県に移管、愛知県博物館に改称（名古屋市門前町総見寺）。	
		常滑町立陶器学校に寺内信一、内藤陽三が赴任する	
		陶磁器製品の陳列や、画学・製陶の学術研究所として「舜陶館」（通称・陶器館）開館（東春日井郡瀬戸村）。フランス製美術彫刻摸本、古瀬戸陶器、現代陶器など465点を陳列。	『大日本美術新報』創刊

西暦	和暦	事項	
1883	明治16	龍池会依頼によるパリにおける日本画展覧会の出品のため、児島基隆、小田切春江、日比野金吾、奥村石蘭、織田杏斎、渡邊小華、川崎千虎らが作品制作。	
		文部省内に、図画教育調査委員会が設置される。岡倉らが普通教育で毛筆が採用を主張。小山らは鉛筆画採用を主張。のち、小学校図画科に毛筆の採用が決定される。	
		第二回内国絵画共進会、開催。	
		日本画新興を模索する団体である鑑画会が、フェノロサ、岡倉らにより設立される。	
		小川一真、アメリカから帰国し、飯田町に写真館「玉潤館」を開業する。	
1884	明治17	同好社が内国絵画共進会、龍池会の動向に乗じて規則改定。	岡倉覚三、九鬼隆一ら鑑画会を組織
		七宝会社の村松彦七がオランダ植民地貿易博覧会に際して同国より勲章を授与される。	
		米人マールスに師事し、東京で営業していた写真師西村寛が名古屋富澤町で新規開業。	
		神戸の英国人ジヨンモードルに師事した写真師中村牧陽が名古屋公園門前町に新規開業。	
		県庁は石版舎の職工を雇入れ、東京へ修業の為派遣する。	
1885	明治18	「教育令」、改正。森有礼が初代文部大臣に就任する。	
		文部省内に、図画取調掛が設置される。	
		文部省より、『小学習画帖』が刊行される。初期図画教科書のひとつの到達点。	内閣制度、創設
		第一回、鑑画会大会、開催。	
		博物館を拠点とする同好社が『図荒図録』を発刊、掲載草木の現物を嘗百社に対し送付を依頼することが増加。	
		同好社が主催する私立絵画共進会開場、流派を日本諸流派と支那南北派に分け、洋画を除く総ての出品を可とする。三府五県の三百五十余名作品展示。審査長は床次正精。一等賞は森寛斎、二等賞は幸野梅嶺、久保田米仙、森川曽文、瀧和亭、菅原白龍が受賞。	
1886	明治19	横浜港の不景気で約50人の職工が遠島村に入り七宝業に従事する（『扶桑新報』）。	京都青年絵画研究会設立
		瀬戸陶器の輸出は4、5年前の盛期の3分の1強との報道（『扶桑新報』）。	
		県庁で五姓田芳雄（二世芳柳のこと?）が井関盛艮、鷲尾隆聚、安場保和、国貞廉平の四県令及び老農古橋、盛田両氏の油画額?を描き、博物館第二館正面に掲示。	

西暦	和暦	事項	一般事項
		加藤友七、加藤　太郎、川本半助、井上延年等が擬洋陶を試製。珈琲具、菓子皿、花瓶台など。	
		小田切春江の『なるみがた』は京都でも用いられているとの報（『扶桑新報』）。	
		博物館にて同好社の絵画小共進会開催。審査員は幸野梅嶺、野村文挙、磯部百鱗、中川蘆月。	
1887	明治20	図画取調掛が改組、東京美術学校が開設する。	東京美術学校設立（2年後に授業開始　洋画はなし）
		文部省手工科教員養成講習会、開始される。	
		東京府工芸品共進会、開催。洋画家も出品。	
		小山正太郎、画塾「不同舎」を開く。	
		南武平町の松村陶器工場で横浜より注文の金襴焼を製作。コーヒー具が多いとのこと。	
		名古屋本町の写真師・宮下欽が大坂砲兵工廠の器械場などの撮影を依頼され、大写真として名古屋鎮台にも寄付される。	
1887	明治20	菅原学校画学教師野崎華年は七間町に洋画研究所を設置。	
		常滑焼、瀬戸の陶磁器の注文が増加し、職工が多忙との報道（『金城新報』）。	
		東京牛込神楽町の名古屋七宝会社支場は示談の上濤川惣助が引き継ぐこととなる（『朝野新聞』『金城新報』）。	
		浅井廣國（梅月堂主人）が名古屋南伏見町に愛知絵画会社を設立する。	
		京阪地方漫遊中のフェノロサと岡倉覚三（天心）、前田錦楓は海東郡前田村に滞在（※恐らく錦楓の実家となる速念寺を拠点としたと考えられる）。	
		山本抱醉（芳翠）が漫遊のため秋琴楼に滞在。	
		この頃鈴木治義と浅井廣國が南伏見町に絹本絵画を輸出する絵画館を設ける。	
1888	明治21	最初の毛筆画教科書が登場する。	
		合田清、生功館を設立。のち山本芳翠、同所にて洋画指導を始める。	
		阪上町に美濃、尾張の陶器販売を行う陶盛組開業。	
		石版舎を閉じる。	
1889	明治22	東京美術学校、授業を開始する。日本画、彫刻（木彫）、美術工芸（金工・漆工）の三科が設けられる。	大日本帝国憲法、発布　市制・町村制が施行

1889	明治22	洋画排斥運動に対抗し、洋画家らの大同団結団体である「明治美術会」が設立され、第一回展を開催。 古美術研究雑誌『国華』、創刊。	明治美術会創立 国華』 創刊
1890	明治23	「教育ニ関スル勅語」が発布される。 帝室技芸員、設置される。 岡倉、東京美術学校校長となる。 第三回内国勧業博覧会、開催。 内国勧業博に野崎兼清が油画楼閣額面を、鬼頭道恭、鬼頭道周、宮戸松斎、奥村石蘭、石河有隣、井村常山、服部石仙らが着色画を、林小伝治、林直右衛門が七宝を、川本桝吉らが磁器を出品。 大演習実地撮影に宮下欽、青山三郎、中村牧陽、中村透、梶彰、梶繁が従事。 内国勧業博で奥村石蘭が三等妙技賞を受ける。濤川惣助が七宝画史屏風により名誉賞を受ける。 芳鐘清吉が発起人となり、本重町に美術彫刻舎を設立、生徒を募集する。	第一回衆議院議員総選挙 第一回帝国議会 第三回内国勧業博覧会
1891	明治24	彰技堂、事実上閉鎖。 博物館長となった日本画家の深谷半十郎（錦岳）が美術館設立計画を立てる。 大須公園パノラマ場開場。その後もパノラマ興行が続けられる。 浅草凌雲閣で東京造画館の画工による濃尾大地震の油画を陳列し義捐金を募る。	濃尾地震
1892	明治25	この頃、五姓田工房、実質的に解散。 宮下欽が『愛岐両県震災写真説明書』を有終舎より発刊。 森村組が名古屋市鍛冶町に名古屋支店開店（2年後に橦木町に移転）。	第二回衆議院議員総選挙
1893	明治26	久米桂一郎、黒田清輝、フランスより帰国。 旧天絵学舎により洋画沿革展覧会が開催される。 名古屋清流女学校が奥村石蘭を招聘し、毛筆画教授を依頼する。 シカゴ・コロンブス万博で松村九助、加藤五助、川本桝吉らが磁器で、森本善七、塚本甚平、安藤重兵衛、林小伝次、竹内忠兵衛らが七宝で、鈴木政吉が楽器で受賞。 大須公園写真師青山三郎は天皇皇后御真影複写を命じられ、西春日井郡役所に出頭。	黒田清輝が帰国。
1894	明治27	黒田、山本芳翠の画塾を継承し、「天真道場」を開く。 『写真月報』、創刊。	日清戦争、勃発

西暦	和暦	事項	一般事項
		日清戦争油絵展覧会を富澤町富本席で開催。その後大須門前福寿亭、江川端橋又亭、久屋町寿亭でも開催。	日清戦争に久保田米僊、浅井忠らが従軍。明治美術会展に黒田清輝が《朝妝》出品。
1895	明治28	第四回内国勧業博覧会、京都で開催。黒田清輝《朝妝》を契機に裸体画論争が起こる。 酒井紅蓼と米人エムリーエールによる日清戦争パノラマを南園町盛豊座、後に代官町京桝座で開催。	下関条約 三国干渉 第四回内国勧業博覧会 出品された黒田清輝《朝妝》が裸体画問題となる。
1896	明治29	東京美術学校に、西洋画科（昭和八年に油画科と改称）、図案科が設けられる。 黒田清輝、東京美術学校西洋画科講師、のち教授となる。 黒田ら、洋画団体「白馬会」を設立し、第一回展を開催。洋画界の旧派新派の対立が明確化。	明治三陸地震 岡倉覚三らが日本絵画協会設立。 白馬会結成（新派、紫派）。 東京美術学校に西洋画科新設。
1897	明治30	古社寺保存法、発布。 岡田三郎助、西洋画研究を目的とした最初の文部省給費留学生として渡仏。	貨幣法、制定。
1898	明治31	東京美術学校騒動、岡倉らが連袂退職。 明治美術会創立一〇年記念展、開催。 岡倉ら、東京美術学校を退いた後、日本美術院を設立する。 森村組名古屋店に専属画付工場を集約完成。 博物館意匠事務のため山本光一を招聘。	岡倉覚三ら東京美術学校を辞職。 岡倉覚三らが日本美術院を設立。
1899	明治32	鈴木不知は門前町に仮画場を設け、油画肖像、景色風俗図按の需に応じる	
1899	明治32	全国絵画共進会開場式（博物館）。銀牌二等に竹内棲鳳、平井直水、菊地芳文、益頭尚志、小堀鞆音、尾形月耕、石河有隣。 裏門前町萬松寺で高橋源吉の日清戦争大額面56枚を展観し、人気を博す。	

西暦	和暦	事項	一般事項
1899	明治32	工部美術学校彫刻科出身の中村経太郎が松村陶器製造所依頼の狆を制作。更に瀧藤萬次郎依頼のヴィーナス模像陶製彫刻にも着手。いずれもパリ万博出品用。 愛知同好画会発会式（博物館）。同好社は解散か。 内務省技師小杉榲村、川崎千虎他は宝物取調の為来名、七ツ寺の一切経取調のため。 海東郡宝村七宝製造組合員は遠島に七宝焼陳列館を設置。 瓢池園分工場を名古屋長塀町に設立。河原徳立の長男太郎を工場主とする。森村組専属工場。	
1900	明治33	パリにて、第一回国際美術教育会議が開催される。文部省官僚正木直彦が参加。 本重町新守座で元寇反撃油絵大展覧会、後熱田本遠寺、岡崎などへ巡回。	
1901	明治34	大下藤次郎ら、太平洋美術会を結成。翌年、第一回展、開催。 白浜徴、東京美術学校教授となる。 郵便法、改正。これにより絵葉書の出版が始まる。 京都南画協会二宮支部を設置。支部長は土川覚太郎。	
1902	明治35	二世五姓田芳柳、東城鉦太郎ら、トモエ会を結成、第一回展、開催。 松村八次郎が名古屋に松村硬質陶器合名会社を設立。	日英同盟、締結。 明治美術会の後進として太平洋画会設立（旧派・脂派）。
1903	明治36	「小学校令」改正、国定教科書制度が成立し、翌年から実施される。 『美術新報』創刊。	第5回内国勧業博覧会
1904	明治37	山本芳翠ら、日露戦争に従軍。 日本陶器合名会社が愛知郡鷹場村大字則武に創立。	日露戦争、勃発。
1905	明治38	太平洋画会研究所、開設。	ポーツマス条約・日比谷焼討事件・第二次日韓協約 関西美術院設立
1906	明治39	日本美術院、五浦に移転。彫刻部は奈良にて国宝修理に従事。 大下藤次郎ら、水彩画講習所を設立。 関西美術院、浅井忠を院長として開設。 海東郡津島町南画協会支部総会に田能村直入も臨席。	

西暦	和暦	事項	社会
		月刊文学美術雑誌『ベニスゞメ』を名古屋市米屋町の白骨社が創刊。	
1907	明治40	東京美術学校に、図画師範科が設けられる。	
		「小学校令」改正、義務教育が六年生となる。尋常小学校では「図画」が必修科目となる。	
		第一回文部省美術展覧会、開催。	
		浪越絵画協会設立、第一回展覧会を裏門前町総見寺で開催。	東京府勧業博覧会
		和洋画家懇親会を開催。	第1回文部省美術展覧会
		白墨画会を名古屋洋画研究会と改称。中村不折を会長に、男子部は鈴木不知が、女子部は山田初美が取締となる。満谷國四郎、中川八郎、吉田ふじらが参加。	
1908	明治41	本多錦吉郎ら、洋風美術家追弔会を挙行。	
1909	明治42	京都市立絵画専門学校、設立。	伊藤博文、暗殺される。
		横山大観が名古屋に滞在し応需。	
1910	明治43	国定教科書『尋常小学新定画帖』（鉛筆画・毛筆画の併用教科書）が発行される。	
		高村光太郎、「緑色の太陽」を発表。雑誌『白樺』、創刊。	韓国併合・大逆事件
		野崎華年による洋画研究所を橦木町に新築。	
		旧博物館を改称し、愛知県商品陳列館とすることを告示。	
		第十回関西府県連合共進会の付帯事業として新古美術展覧会開催。	
1911	明治44	白馬会、解散。	関税自主権、回復（不平等条約完全撤廃）
		東海美術協会第1回展覧会開催。	
		巽画会名古屋支部創立総会。	
1912	明治45 大正元	中沢弘光ら、光風会を創立。第一回展、開催。	第一次護憲運動
		岡田三郎助ら、本郷洋画研究所を設立。	明治天皇、崩御
		愛友写真倶楽部創設、日高長太郎、佐野紫影、山本五郎（悍右の父）。	

■作品リスト　●1：常滑市指定有形文化財　●2：瀬戸市指定有形文化財

掲載頁	指定	作家名	作品名	制作年	技法、材質	所蔵
21		初代五姓田芳柳	西洋老婦人像	慶應年間―明治初頭	絹本著色	神奈川県立歴史博物館
22		五姓田義松	自画像（十三歳）	明治元年	油彩、画布	東京藝術大学
22		五姓田義松	五姓田一家之図	明治5年頃	油彩、紙	神奈川県立歴史博物館
23		五姓田義松	家族肖像画	明治3年頃	水彩、紙	神奈川県立歴史博物館
23		五姓田義松	制作風景（「丹青雑集」より）		水彩、紙	個人蔵（團伊能旧蔵コレクション）
23		五姓田義松	制作風景	明治5年頃	水彩、紙	神奈川県立歴史博物館
24		初代五姓田芳柳	入沢恭平像	明治19年	絹本著色	神奈川県立歴史博物館
24		初代五姓田芳柳	池田謙斎像	明治19年	絹本著色	神奈川県立歴史博物館
25		初代五姓田芳柳	渡部角蔵像	明治15年	絹本著色	神奈川県立歴史博物館
25		初代五姓田芳柳	藻谷伊作君息故民女真像	明治15年	絹本著色	神奈川県立歴史博物館
26		渡辺幽香	賀来夫妻像	明治10年代	絹本著色	神奈川県立歴史博物館
27		平木政次	十三世長谷川勘兵衛像	明治26年	絹本著色	個人蔵
27		徳永柳洲	吉高院殿肖像	明治30年代	絹本著色	個人蔵
27		二世五姓田芳柳	男女の肖像	制作年不詳	水彩、絹	神奈川県立歴史博物館
28		二世五姓田芳柳	初代愛知県権令井関盛艮像	明治19年頃か	絹本著色	愛知県公文書館
28		二世五姓田芳柳	二代愛知県令鷲尾隆聚像	明治19年頃か	絹本著色	愛知県公文書館
28		二世五姓田芳柳	三代・九代愛知県令安場保和像	明治19年頃か	絹本著色	愛知県公文書館
28		二世五姓田芳柳	四代愛知県令国貞廉平像	明治19年頃か	絹本著色	愛知県公文書館
30		矢内舎柳村	和服姿の米婦人	明治時代	絹本著色	神奈川県立歴史博物館　丹波
30		矢内秀嶺	鶴沢作次郎肖像	明治20年代	絹本著色	神奈川県立歴史博物館
31			押絵「和装西洋人」	明治時代	絹本著色	クリスチャン・ポラックコレクション
32		中山年次	嘉兵衛保孝肖像	明治10年代	絹本著色	神奈川県立歴史博物館寄託
32		伊藤快彦	中田伊兵衛翁肖像	明治33年	絹本著色	神奈川県立歴史博物館寄託
33		二世五姓田芳柳	阿羅漢図	明治後期	絹本著色	神奈川県立歴史博物館寄託
33		松本民治	観音図	明治29年	油彩、絹	個人蔵

番号		作者	作品名	制作年	技法・材質	所蔵
34			油画縦覧所看板	明治9年	刻書、板	東京藝術大学
35		東京開運堂	明治新撰東京四大家一覧	明治32年	木版、紙	神奈川県立歴史博物館　青木
36		チャールズ・ワーグマン	街道	明治5年	油彩、画布	神奈川県立歴史博物館
		チャールズ・ワーグマン	宿場	明治5年頃	油彩、画布	神奈川県立歴史博物館
37		五姓田義松	スケッチブック		水彩、紙	個人蔵（團伊能旧蔵コレクション）
		五姓田義松	日本風俗	明治30年代	水彩、紙	個人蔵
		五姓田義松	六面相　表情　笑い	明治6年頃	鉛筆、紙	神奈川県立歴史博物館
38		五姓田義松	弾琴図		水彩、紙	神奈川県立歴史博物館寄託
		五姓田義松	刺青		水彩、紙	神奈川県立歴史博物館寄託
		五姓田義松	若もの		水彩、紙	神奈川県立歴史博物館寄託
		五姓田義松	瓶花		水彩、紙	神奈川県立歴史博物館寄託
39		五姓田義松	水彩スケッチ（「丹青雑集」より）		水彩、紙	個人蔵（團伊能旧蔵コレクション）
		五姓田義松	水彩スケッチ（「丹青雑集」より）		水彩、紙	個人蔵（團伊能旧蔵コレクション）
		五姓田義松	水彩スケッチ（「丹青雑集」より）		水彩、紙	個人蔵（團伊能旧蔵コレクション）
40－41		二世五姓田芳柳	国府台風景図屏風	明治15年	水彩、紙	神奈川県立歴史博物館
		初代五姓田芳柳	墨田河畔	明治18年	絹本著色	神奈川県立歴史博物館
		初代五姓田芳柳	芭蕉と月	制作年不詳	絹本著色	神奈川県立歴史博物館
		初代五姓田芳柳 二世五姓田芳柳	金閣寺	明治15年	絹本著色	個人蔵
42		五姓田義松	油彩スケッチ（「丹青雑集」より）		油彩、紙	個人蔵（團伊能旧蔵コレクション）
		五姓田義松	油彩スケッチ（「丹青雑集」より）		油彩、紙	個人蔵（團伊能旧蔵コレクション）
		五姓田義松	婦人像		油彩、板	個人蔵（團伊能旧蔵コレクション）
43		五姓田義松	老母図	明治8年	油彩、紙	神奈川県立歴史博物館
44		渡辺幽香	山内市郎治像	明治11年	油彩、画布	神奈川県立歴史博物館
45		渡辺幽香	西脇清一郎像	明治14年	油彩、漆製額	神奈川県立歴史博物館
46		横山松三郎	婦人像	制作年不詳	油彩、絹	個人蔵（團伊能旧蔵コレクション）
		横山松三郎	風景	明治15年頃	油彩、画布	神奈川県立歴史博物館

46	横山松三郎	薔薇	明治14年頃	油彩、画布	個人蔵（團伊能旧蔵コレクション）
47	田村宗立	東山暮雪図	明治前期	油彩、紙	神奈川県立歴史博物館
	逸名画家	能面図	明治時代	油彩、画布	神奈川県立歴史博物館
48	下村観山	観山ロンドンより母上に送りし便り	明治37年	ペン・水彩、紙	神奈川県立歴史博物館
49	五姓田義松	井田磐楠像	明治15年	油彩、画布	神奈川県立歴史博物館
	山本芳翠	月下の裸婦	明治25—29年頃	油彩、画布	愛知県美術館
50	百武兼行	裸婦	明治14年頃	油彩、画布	神奈川県立歴史博物館
51	高橋由一	不忍池	明治23年頃	油彩、画布	愛知県美術館
	宮下欽	双眼写真　不忍池	明治時代	鶏卵紙	個人蔵
52	高橋由一	厨房具	明治20—21年	油彩、画布	愛知県美術館
53	高橋由一	甲冑図	明治10年	油彩、麻布	靖國神社遊就館
54	池田亀太郎	川鱒図	明治中期	油彩、板	神奈川県立歴史博物館
	五姓田義松	鮭（「丹青雑集」より）		油彩、紙	個人蔵（團伊能旧蔵コレクション）
55	彭城貞徳	海景図	明治33年	油彩、板	神奈川県立歴史博物館寄託
56	山本芳翠	富士山	明治30年代	油彩、絹	神奈川県立歴史博物館
57	野崎華年	富士	明治40年	油彩、画布	郡山市立美術館
	野崎華年	富士	制作年不詳	水彩、絹	郡山市立美術館
58	野崎華年	武具	明治28年	油彩、紙	愛知県美術館
	野崎華年	大河内存真像	制作年不詳	絹本著色	名古屋市鶴舞中央図書館
59	野崎華年	衣冠人物図	明治43年以降	油彩、紙（カルトン）	名古屋市美術館
61	中村不折	『不折俳画』	明治43年		神奈川県立歴史博物館　青木
62	中丸精十郎	虎図	明治3年	絹本墨画	神奈川県立歴史博物館寄託
	中丸精十郎	霊山図	明治4年	絹本墨画	神奈川県立歴史博物館寄託
63	中丸精十郎	夕陽	明治初期	油彩、画布	山梨県立美術館
	中丸精十郎	異国風景	明治初期	油彩、画布	山梨県立美術館
	中丸精十郎	ナイル河畔	明治中期	油彩、画布	山梨県立美術館
64	橋本雅邦	双竜図屏風	明治30年代前半	紙本著色・六曲一双	神奈川県立歴史博物館

番号	作者	作品名	制作年	材質	所蔵
	橋本雅邦	水雷命中図	明治時代	油彩、画布	東京国立博物館 (Image: TNM Image Archives)
65	橋本雅邦	秋景山水図	明治20年	紙本墨画淡彩	愛知県美術館
66	川端玉章	龍門之図	明治34年頃	絹本墨画淡彩	愛知県美術館
67	川端玉章	函嶺景巻	明治6年	水彩、紙	神奈川県立歴史博物館
	久保田米僊	屋上月	明治8年	油彩、板	京都市美術館
68	荒木寛畝	狸	明治10年頃	油彩、画布	東京国立博物館 (Image: TNM Image Archives)
69	荒木寛畝	芦辺游鴨図	大正元年	絹本著色	東京国立博物館 (Image: TNM Image Archives)
72	菊池容斎	『前賢故実』	明治中期		愛知芸術文化センター・アートライブラリー
73	月岡芳年	大日本史略図会　第八十壱代　高倉天皇	明治13年	大判錦絵三枚続	神奈川県立歴史博物館　丹波
	月岡芳年	曽我時致乗裸馬駆大磯	明治18年	大判錦絵三枚続	神奈川県立歴史博物館　丹波
77	幸野楳嶺	帝釈試三獣図	明治18年	絹本著色	京都市美術館
78	川崎千虎	佐々木高綱被甲図	明治15年	絹本著色	愛知県美術館
79	川崎千虎	佐々木高綱被甲図画稿	明治15年	紙本著色	愛知県美術館
	川崎千虎	菊地奮戦図画稿	明治17年頃	紙本墨画淡彩	愛知県美術館
82	初代五姓田芳柳	馬図	明治9年	鉛筆・水彩、紙	神奈川県立歴史博物館
	五姓田義松	解剖図（『丹青雑集』より）		水彩、紙	個人蔵（團伊能旧蔵コレクション）
83	荒川重平	資業生荒川重平の図画ノート「Art of Drawing」	明治2—4年	鉛筆・墨、紙	沼津市明治史料館
	渡部温訳	『通俗伊蘇普物語』	明治5年		沼津市明治史料館
84	初代五姓田芳柳	井田譲像	制作年不詳	絹本著色	神奈川県立歴史博物館
	小山正太郎・五姓田義松	『東京近傍写景法範』	明治8年	石版、紙	個人蔵（團伊能旧蔵コレクション）
85		アベル・ゲリノー　江戸城「ヴェイヤール旧蔵アルバム」より	明治6—9年頃	水彩、紙	クリスチャン・ポラックコレクション

番号		作者	作品名	年代	材質	所蔵
85			ヴェイヤール肖像写真	明治6年頃	鶏卵紙	クリスチャン・ポラックコレクション
			横浜フランス領事館「ヴェイヤール旧蔵アルバム」より	明治6—9年頃	鶏卵紙	クリスチャン・ポラックコレクション
86			ヴェイヤール旧蔵資料　地図		墨、紙	クリスチャン・ポラックコレクション
87		近時画報社	我艦隊浦潮斯徳を砲撃す（『戦時画報』五号より）	明治37年		神奈川県立歴史博物館　青木
		二世五姓田芳柳	東郷・上村両提督の凱旋（『軍国画報』第二年第三巻より）	明治38年	多色石版、紙	個人蔵
88		牧金之助	『絵本台湾征討記』	明治28年	銅版、紙	神奈川県立歴史博物館　橘
		小坂象堂	『ビスマルック（世界歴史譚第4編）』	明治32年		神奈川県立歴史博物館　青木
		小杉未醒	冒険世界新年附録　奈翁一代双六	明治44年	多色石版、紙	神奈川県立歴史博物館　青木
89		宮下守雄	『日清戦争実況写真』第二号	明治28年	鶏卵紙	個人蔵
		中村不折挿絵	『従軍三年』	明治40年	多色石版、紙	神奈川県立歴史博物館　青木
		浅井忠	『征従画稿』	明治28年	多色石版、紙	神奈川県立歴史博物館　橘
90		二世五姓田芳柳	大兵士	明治32年	油彩、麻布	名古屋市美術館
93			浅草公園日本パノラマ館　日露戦争南山大激戦	明治37年	石版、紙	神奈川県立歴史博物館　橘
94			日本パノラマ館　連合軍天津総攻撃	明治34年	石版、紙	神奈川県立歴史博物館　橘
			上野パノラマ館　日露戦争旅順総攻撃	明治38年	石版、紙	神奈川県立歴史博物館　橘
99		作者不詳	植物写生図		水彩、紙	個人蔵（團伊能旧蔵コレクション）
100		川上冬崖	『西画指南』原画		墨、紙	個人蔵（團伊能旧蔵コレクション）
101		作者不詳	博物図譜版本下絵類		水彩、紙	個人蔵（團伊能旧蔵コレクション）
		作者不詳	博物図譜版本下絵類		墨、紙	個人蔵（團伊能旧蔵コレクション）
		作者不詳	模写類		水彩、紙	個人蔵（團伊能旧蔵コレクション）
		作者不詳	博物図譜版本下絵類		水彩、紙	個人蔵（團伊能旧蔵コレクション）
102		近藤正純	『写景法範』下絵		水彩、紙	個人蔵（團伊能旧蔵コレクション）

番号	印	作者	作品名	年代	材質	所蔵
103		川上冬崖	『西画指南』	明治4年・8年	木版、紙	神奈川県立歴史博物館　橘
104		川上冬崖	『西画指南』下絵		墨、紙	個人蔵（團伊能旧蔵コレクション）
106		松岡壽	球と多角柱	明治17年	コンテ、紙	東京藝術大学
		五姓田義松	入学願書	明治10年	墨・朱墨、紙	神奈川県立歴史博物館　橘
107		中丸精十郎	裸体人物	制作年不詳	赤茶チョーク、紙	東京藝術大学
		中丸精十郎	裸体人物	制作年不詳	赤茶チョーク、紙	東京藝術大学
110		小栗令裕	欧州婦人アリアンヌ半身	明治12年	石膏	東京大学大学院工学系研究科建築学専攻
111		内藤陽三	無題（肖像浮彫）	明治14年	石膏	東京大学大学院工学系研究科建築学専攻
112	●1	寺内信一	裸婦像	明治17年	陶	とこなめ陶の森
113		松山政太郎	筋学像	明治17年	石膏	とこなめ陶の森
114		内藤陽三	鯉江方寿翁胸像	明治18年	陶	とこなめ陶の森
115		人見幾三郎編	『京浜所在銅像写真』	明治43年		神奈川県立歴史博物館　橘
116			橋本雅邦使用筆・刷毛			神奈川県立歴史博物館　観山
117			『國華』三号	明治22年		個人蔵
118		下村観山	画稿貼込帖	明治20年代前半	紙本著色	神奈川県立歴史博物館　観山
119		和田英作	下村観山肖像	明治30年	油彩、画布	神奈川県立歴史博物館　観山
			褒賞			神奈川県立歴史博物館　観山
			叙任状			神奈川県立歴史博物館　観山
120		黒田清輝	レンブラント・ファン・レイン作《羽帽子をかぶった自画像》模写	明治22年	油彩、画布	東京藝術大学
		久米桂一郎	ベルナルディーノ・ルイニ作《小児と葡萄》模写	明治25年	油彩、画布	東京藝術大学
121		川井景一編	『西洋美術資料』第四篇一	明治32年		神奈川県立歴史博物館　橘
122		黒田清輝他撰	『西洋近世名画集』	明治38年		神奈川県立歴史博物館　橘
			『校友会雑誌』	明治32年		神奈川県立歴史博物館　橘
123		下村観山	写生帖（日本美術史ノート）	明治22年	鉛筆、紙	神奈川県立歴史博物館　観山

126		宮本三平・狩野友信・山岡成章	『図法階梯』	明治5年	石版、紙	神奈川県立歴史博物館　橘
		高橋由一	『西洋画譜』	明治7年	石版、紙	神奈川県立歴史博物館　橘
127		宮本三平著、文部省出版	『小学普通画学本』甲之部第1—3	明治11年	石版、紙	愛知芸術文化センター愛知県図書館・神奈川県立歴史博物館 橘
		宮本三平著、文部省出版	『小学普通画学本』乙之部第1—3	明治11—12年	石版、紙	愛知芸術文化センター愛知県図書館・神奈川県立歴史博物館 橘
128		浅井忠・柳源吉	『習画帖』	明治15年	石版、紙	神奈川県立歴史博物館　橘
		文部省編	『小学習画帖』	明治18年	石版、紙	神奈川県立歴史博物館　橘
129		本多錦吉郎	『小学画手本』	明治20年	石版、紙	神奈川県立歴史博物館　橘
		本多錦吉郎	『画学類纂』	明治23年	石版、紙	神奈川県立歴史博物館　橘
130		奥村石蘭	『毛筆水墨画』	明治16年		愛知芸術文化センター愛知県図書館
131		伴虎之助	『小学毛筆画教授法』	明治24年		愛知芸術文化センター愛知県図書館
		溝口幹	『小学画法幾何』	明治20年		愛知芸術文化センター愛知県図書館
132		小山正太郎	『中等臨画』	明治33年	石版、紙	神奈川県立歴史博物館　橘
		故浅井忠編、都鳥英喜・渡邊審也編	『訂正浅井自在画臨本』	明治42年	多色石版・網版、紙	神奈川県立歴史博物館　橘
133			『高等小学鉛筆画帖』	大正元年		神奈川県立歴史博物館
			『尋常小学鉛筆画帖』	明治43年		神奈川県立歴史博物館
			『高等小学毛筆画手本』	明治38年		神奈川県立歴史博物館
134		五姓田義松	習作	明治6年頃	鉛筆、紙	神奈川県立歴史博物館
135		河野次郎	ジンチョウゲ、レンギョウ	明治10年	鉛筆・水彩、紙	名古屋市美術館
		河野次郎	ザクロ	明治10年	鉛筆・水彩、紙	名古屋市美術館
		河野次郎	コウホネ	明治11年	鉛筆・水彩、紙	名古屋市美術館
		河野次郎	ケシ	明治11年	鉛筆・水彩、紙	名古屋市美術館
		河野次郎	サフラン［サフランモドキ］	明治11年	鉛筆・水彩、紙	名古屋市美術館
136		河野次郎	スモモ	制作年不詳	水彩、紙	名古屋市美術館
		河野次郎	模写類	制作年不詳	水彩、紙	名古屋市美術館
		河野次郎	模写類	制作年不詳	鉛筆・水彩、紙	名古屋市美術館

137		河野次郎	女性像	制作年不詳	水彩、紙	名古屋市美術館
		河野次郎	女性像	制作年不詳	油彩、紙	名古屋市美術館
138		河野次郎	西洋人物	明治9年	墨・水彩、紙	名古屋市美術館
		河野次郎	西洋人物	制作年不詳	墨・鉛筆、紙	名古屋市美術館
		河野次郎	猫	制作年不詳	鉛筆・水彩、紙	名古屋市美術館
139		河野次郎	帆船	制作年不詳	鉛筆、紙	名古屋市美術館
		河野次郎	帆船	制作年不詳	鉛筆、紙	名古屋市美術館
140		河野次郎	服制　御正衣	明治15年	インク、紙	名古屋市美術館
		河野次郎	服制　御正剣／御正剣帯／御正剣緒	明治15年	インク、紙	名古屋市美術館
		河野次郎	模写	制作年不詳	墨、紙	名古屋市美術館
141－142		河野次郎	『画学階梯』初編、二編、三編	明治10年・11年	銅版、紙／木版、紙	杜若文庫・金子一夫氏蔵
145		日下部金兵衛	横浜グランドホテル（「横浜写真アルバム」より）	明治前期	手彩色、鶏卵紙	神奈川県立歴史博物館
		宮下欽	双眼写真　東京銀座市中	明治7年	鶏卵紙	個人蔵
146			横浜正金銀行本支店建築写真アルバム	明治34年	銀塩写真	神奈川県立歴史博物館
			横浜正金銀行建築要覧	明治34年		神奈川県立歴史博物館
153		大倉孫兵衛	大倉孫兵衛旧蔵錦絵画帖	明治10年代	木版多色摺、折帖	神奈川県立歴史博物館寄託
154		昇斎一景	東京名所三十六戯撰　隅田川白ひけ辺	明治5年	木版多色摺、折帖	神奈川県立歴史博物館寄託
		昇斎一景	東京名所三十六戯撰　元昌平坂博覧会	明治5年	木版多色摺、折帖	神奈川県立歴史博物館寄託
		昇斎一景	博覧会諸人群衆之図　元昌平坂ニ於テ	明治5年	木版多色摺、折帖	神奈川県立歴史博物館寄託
		日下部金兵衛	鯱（「横浜写真アルバム」より）	明治前期	手彩色、鶏卵紙	神奈川県立歴史博物館
155			『輿地誌略』	明治10年ほか	木版・銅版・石版、紙	神奈川県立歴史博物館
156		三代歌川広重	下絵画稿集	慶應年間―明治20年代	紙本著色、折帖	神奈川県立歴史博物館

157			名古屋城	明治24年	石版・手彩色、紙	神奈川県立歴史博物館　丹波
		太田節次	角力遊	明治25年	石版、紙	神奈川県立歴史博物館　青木
			金色夜叉	明治38年	石版、紙	神奈川県立歴史博物館　青木
158		有島貞次郎	東京名所案内　向島	明治24年	石版・手彩色、紙	神奈川県立歴史博物館　青木
		信陽堂	孝子安寿姫弟津志王丸ト訣別之図	明治22年	石版、紙	神奈川県立歴史博物館　青木
		信陽堂	福沢先生	明治24年	石版、紙	神奈川県立歴史博物館　青木
159		渡辺幽香（画）・玄々堂（製造）	『大日本風俗漫画』	明治20年	石版・銅版、紙	個人蔵
		渡辺幽香（画）・玄々堂（製造）	『大日本帝国古今風俗　寸陰漫稿』	明治19年	石版、紙、冊子	神奈川県立歴史博物館
		浅井忠・柳源吉	"A Pictorial Museum of Japanese Manners & Customs"	明治20年	石版、紙	個人蔵
160		亀井竹二郎（原画）、徳永柳洲（画工）	『東海道懐古帖』	明治25年頃	石版、紙	神奈川県立歴史博物館
		高橋由一	『三県道路完成記念帖』	明治18年	石版・手彩色、絹	個人蔵（團伊能旧蔵コレクション）
161		五姓田義松	『東京日日新聞』　一万号付録	明治37年	多色石版、紙	個人蔵
162		時事新報社	時事新報創刊二十五週年記念画帖	明治40年	多色石版、紙	神奈川県立歴史博物館　青木
		浅井忠	花うり	明治40年	多色石版、紙	神奈川県立歴史博物館　青木
		和田英作	すずみ	明治40年	多色石版、紙	神奈川県立歴史博物館　青木
		岡田三郎助	とりいれ	明治40年	多色石版、紙	神奈川県立歴史博物館　青木
		渡部審也	ゆきの日	明治40年	多色石版、紙	神奈川県立歴史博物館　青木
163		岡田三郎助	ゆびわ	明治41年	多色石版、紙	個人蔵
164		山本芳翠	おまちかね	明治36年	多色石版、紙	個人蔵
		黒田清輝	春のしらべ	明治40年	多色石版、紙	個人蔵
165		熊澤喜太郎	大日本陸海軍貴顕肖像	明治22年	石版、紙	神奈川県立歴史博物館
166		黒木半之助	皇室御真影	明治40年	多色石版、紙	神奈川県立歴史博物館
167			明治天皇・昭憲皇太后肖像写真	明治前期	鶏卵紙	クリスチャン・ポラックコレクション
		内田九一	明治天皇・昭憲皇太后肖像写真	明治6年	手彩色、鶏卵紙	神奈川県立歴史博物館

No.		作者	作品名	年代	技法・材質	所蔵	担当
168		初代五姓田芳柳	明治天皇・昭憲皇太后肖像	明治10年代	絹本著色	神奈川県立歴史博物館	
		五姓田義松	天皇御巡幸図	明治11年	水彩、紙	神奈川県立歴史博物館	
169			明治天皇・皇后・皇太子像	明治30年前後	石版、紙	神奈川県立歴史博物館	
170			『臥遊席珍』	明治13年	活版・銅版、紙	神奈川県立歴史博物館	橘
171		森林太郎・大村西崖編	『審美綱領』	明治32年		神奈川県立歴史博物館	橘
172			『日本美術協会報告』	明治21年		神奈川県立歴史博物館	橘
172—173			『美術園』	明治22年	多色石版、紙	神奈川県立歴史博物館	橘
173			『日本之美術』	明治21年		神奈川県立歴史博物館	橘
174			『美術世界』			神奈川県立歴史博物館	青木
175		河鍋暁斎挿絵	『伊蘇普物語』	明治5年		神奈川県立歴史博物館	青木
		下村為山(子規追悼集号表紙原画)・橋口五葉(100号表紙原画)	『ホトトギス』	明治35年・明治38年		神奈川県立歴史博物館	青木
176			『洋画講義録』	明治38年	多色石版、紙	神奈川県立歴史博物館	青木
		三宅克己	『水彩画手引』	明治38年	石版・網版、紙	神奈川県立歴史博物館	橘
177		ワーグマン原画・柳源吉縮図	高輪東禅寺英国公使館へ浪士乱入之図(『風俗画報』22より)	明治23年		神奈川県立歴史博物館	青木
		明治美術会	『明治二十八年秋季展覧会出品目録』	明治28年		神奈川県立歴史博物館	橘
			『新小説』第2年第7巻	明治30年		神奈川県立歴史博物館	橘
178			『方寸画暦』	明治42年	多色石版、紙	神奈川県立歴史博物館	橘
			『方寸』	明治42年	多色石版、紙	神奈川県立歴史博物館	橘
179		小杉未醒	『漫画と紀行』	明治42年		神奈川県立歴史博物館	青木

番号		作者・出版	資料名	年代	材質	所蔵
182		名古屋石版舎、蔭山文僊	尾張国名古屋城真景	明治20年6月	石版、紙	郡山市立美術館
		名古屋石版舎、蔭山久仙	日本武尊宮簀媛命給宝剣授図		石版、紙	個人蔵
183		名古屋石版舎、蔭山久仙	嵐山真景図		石版、紙	郡山市立美術館寄託
		名古屋石版舎、蔭山久仙	桜井駅楠公父子決別之図		石版、紙	郡山市立美術館寄託
184			ウィーン渡航並同地滞在手帳	明治6—7年	ペン・鉛筆、紙	神奈川県立歴史博物館 橘
185			伊賀伊勢志摩尾張四州図試刷			杜若文庫
186		岩橋教章	『測絵図譜』	明治11年	銅版、紙	神奈川県立歴史博物館 橘
187		地理局地誌課	大日本国全図	明治14年	銅版、紙	神奈川県立歴史博物館 橘
190			伊賀伊勢志摩尾張四州図	明治13年	銅版、紙	杜若文庫
191		江島鴻山	尾州実測図	明治24年	銅版・手彩色、紙	杜若文庫
192		小田切春江	尾張明細図	明治5年	木版、紙	西尾市岩瀬文庫
193		浅井広国著・中村浅吉出版・商報会社印刷	『尾張名所独案内』	明治26年	木版、紙	愛知芸術文化センター愛知県図書館
194		後藤芳景著・木村重恭出版	名古屋鎮台観兵式之図	明治20年	木版、紙	愛知芸術文化センター愛知県図書館
			『絵入扶桑新報』	明治19年		東京大学大学院法学政治学研究科附属近代日本法制史料センター明治新聞雑誌文庫
195		小田切春江・同好社	凶荒図録	明治20年	銅版、紙	愛知芸術文化センター愛知県図書館
198		横山松三郎	旧江戸城写真	明治4年	鶏卵紙、銀塩写真	神奈川県立歴史博物館 橘
199			男性		ガラス湿版写真	クリスチャン・ポラックコレクション
			女性		ガラス湿版写真	クリスチャン・ポラックコレクション
			人力車		ガラス湿版写真	クリスチャン・ポラックコレクション
200		日下部金兵衛	横浜写真アルバム	明治前期	手彩色、鶏卵紙	神奈川県立歴史博物館

No.		作者	作品名	年代	材質	所蔵
201			写真アルバム（写真焼付漆製表紙）	明治後期	木・漆・写真	クリスチャン・ポラックコレクション
		水野写真館	漆製写真立	明治24年	木・漆・写真	クリスチャン・ポラックコレクション
205		宮下写真館	肖像写真	明治時代	鶏卵紙	クリスチャン・ポラックコレクション
206		宮下写真館	肖像写真		鶏卵紙	個人蔵
207		宮下欽	双眼写真　名古屋城		鶏卵紙	個人蔵
		宮下欽	双眼写真　東京城		鶏卵紙	個人蔵
		宮下欽	双眼写真　東京城		鶏卵紙	個人蔵
208		宮下守雄	ハテナ写真		鶏卵紙	個人蔵
		宮下守雄	ハテナ写真		鶏卵紙	個人蔵
209		宮下写真館	写真油絵		油彩、ガラス	個人蔵
		宮下写真館	写真油絵		油彩、ガラス	個人蔵
		宮下写真館	写真油絵		油彩、ガラス	個人蔵
		宮下写真館	写真油絵		油彩、ガラス	個人蔵
210		鈴木写真館	磁器写真		陶磁器	個人蔵
217		宮川香山（初代）	高浮彫牡丹ニ眠猫覚醒蓋付水指	明治前期	陶磁器	神奈川県立歴史博物館寄託 田邊哲人コレクション
218		宮川香山（初代）	高浮彫大鷲鯛捕獲花瓶	明治前期	陶磁器	神奈川県立歴史博物館寄託 田邊哲人コレクション
219		宮川香山（初代）	高浮彫蛙武者合戦花瓶	明治前期	陶磁器	神奈川県立歴史博物館寄託 田邊哲人コレクション
220			蝶耳人物花鳥図香炉	明治中期—後期	陶磁器	神奈川県立歴史博物館寄託 原木祥行氏蔵
221		綿谷平兵衛	花鳥図卵型花器	明治中期—後期	陶磁器	神奈川県立歴史博物館寄託 原木祥行氏蔵
222		井村彦次郎	山水花鳥人物図カップ&ソーサー	明治時代	陶磁器	神奈川県立歴史博物館
223			富士合戦図カップ&ソーサー、皿	明治時代	陶磁器	神奈川県立歴史博物館
226			飾棚	明治5年	寄木細工・漆、木	金子皓彦コレクション
227			飾棚	明治時代	寄木細工、木	金子皓彦コレクション

228			チェステーブル	明治時代	寄木細工、木	金子皓彦コレクション
232	●2	川本桝吉（初代）	染付花鳥図獅子鈕蓋付大飾壺	明治9年頃	陶磁器	瀬戸蔵ミュージアム
233		川本半助（六代）・濤川惣助	青地上絵金彩陽刻鷹図耳付花瓶（一対）	明治時代	陶磁器	瀬戸蔵ミュージアム
234		川本半助（六代）・横浜・田代商店	陽刻絵金彩花鳥図花瓶	明治時代	陶磁器	愛知県陶磁美術館
235		加藤周兵衛（二代）・加藤仙八	染付獣面唐草文ティーセット	明治時代	陶磁器	愛知県陶磁美術館
		川本半助（六代）	虎置物	明治時代中期	陶磁器	愛知県陶磁美術館
237		宮下欽	双眼写真　川本枡吉細工室		鶏卵紙	個人蔵
		宮下欽	双眼写真　川本半助製造ノ陶器窯内		鶏卵紙	個人蔵
		宮下欽	双眼写真　加藤春慶翁の陶碑		鶏卵紙	個人蔵
239			七宝会社広告		紙	クリスチャン・ポラックコレクション
240		林喜兵衛作／安藤七宝店	百華文七宝大壺	明治後期	銀胎有線七宝	名古屋市博物館
241			鳳凰文隅切七宝小箱	明治後期	銅胎有線七宝	名古屋市博物館寄託
		川口文左衛門	蜻蛉文七宝手箱	明治後期	銀胎有線七宝	名古屋市博物館
242			白鷺文七宝花瓶	明治後期	銀胎有線七宝	名古屋市博物館
243		開洋社	花唐草文七宝花瓶	明治前期	磁胎有線七宝	名古屋市博物館
244		七宝会社・鈴木清一郎	花蝶文七宝花瓶	明治前期	磁胎有線七宝	名古屋市博物館
245		七宝会社・竹内忠兵衛	磁胎七宝花蝶文長頸瓶	明治時代	磁胎有線七宝	愛知県陶磁美術館
246		七宝会社・竹内忠兵衛	磁胎七宝花鳥文大花瓶	明治前期	磁胎有線七宝	愛知県陶磁美術館
247		七宝会社	花瓶諸図下絵簿		墨・水彩、紙	名古屋大学附属図書館
249		宮川香山（初代）	紫釉盛絵杜若花瓶	明治後期	陶磁器	神奈川県立歴史博物館寄託 田邊哲人コレクション

250		宮川香山（初代）	彩磁紫陽花透彫花瓶	明治後期	陶磁器	神奈川県立歴史博物館寄託 田邊哲人コレクション
251		清風与平（三代）	瑛白磁彫刻画花瓶	明治33年	陶磁器	愛知県陶磁美術館
253		米国博覧会事務局編	『温知図録』第1輯　陶器7	明治9年	紙本著色	東京国立博物館 (Image: TNM Image Archives)
254		米国博覧会事務局編	『温知図録』第1輯　陶器8	明治9年	紙本著色	東京国立博物館 (Image: TNM Image Archives)
255		仏博覧会事務局編	『温知図録』第3輯　七宝器・琺瑯器之部5	明治11年	紙本著色	東京国立博物館 (Image: TNM Image Archives)
256		製品画図掛編	『温知図録』第4輯　七宝器部1	明治14年	紙本著色	東京国立博物館 (Image: TNM Image Archives)
		製品画図掛編	『温知図録』第4輯　七宝器部2	明治14年	紙本著色	東京国立博物館 (Image: TNM Image Archives)
257		錦栄堂	『新撰古代模様鑑』	明治17年	木版多色摺、紙	神奈川県立歴史博物館寄託
257–258		新井藤次郎編	『萬工画式』	明治14年	銅版、紙	神奈川県立歴史博物館　橘
258		井上勝五郎	『工芸細画式』	明治23年		神奈川県立歴史博物館　橘
259		小田切春江・片野東四郎	『奈留美加多』	明治16年		愛知芸術文化センター愛知県図書館
262		白滝幾之助	森村市左衛門像	制作年不詳	油彩、画布	森村商事株式会社
		原撫松	森村豊肖像	明治33年	油彩、画布	森村商事株式会社
263–265		大倉孫兵衛	大倉孫兵衛旧蔵錦絵画帖	明治10年代	木版多色摺、折帖	神奈川県立歴史博物館寄託
266		幸野楳嶺・錦栄堂	『楳嶺百鳥画譜』	明治14年		神奈川県立歴史博物館
267		幸野楳嶺・錦栄堂	『工業図式』	明治16年		神奈川県立歴史博物館寄託
		渡辺省亭	『省亭花鳥画譜』	明治23―24年		神奈川県立歴史博物館寄託

270		井口昇山工場	色絵花鳥文皿	明治20年代	陶磁器	株式会社ノリタケカンパニーリミテド
		井口昇山工場	色絵盛上菊雀文皿	明治20年代	陶磁器	株式会社ノリタケカンパニーリミテド
		高山一二工場	色絵花鳥文皿	明治前半	陶磁器	株式会社ノリタケカンパニーリミテド
271		森村組	色絵金盛薔薇文蓋付飾壺	明治30年代	陶磁器	株式会社ノリタケカンパニーリミテド
272		モリムラブラザーズ	見本帖	明治40年		株式会社ノリタケカンパニーリミテド
		久保田米僊	『閣龍世界博覧会美術品画譜』	明治26年	多色木版、紙	神奈川県立歴史博物館寄託 新生紙パルプ商事株式会社蔵
273		森村組	色絵金点盛藤文双耳花瓶	明治40年	陶磁器	株式会社ノリタケカンパニーリミテド
274		日本陶器	ディナーセット「セダン」	大正3年	陶磁器	株式会社ノリタケカンパニーリミテド

■挿図リスト

掲載頁	タイトル、出典など	作家名など	制作年など	技法、素材	所蔵、データ提供元など
19	雨の日の家	五姓田義松	明治10年頃	水彩、紙	神奈川県立歴史博物館
20	五姓田義松渡仏記念集合写真　出典：平木政次『明治初期洋画壇回顧』		明治13年		
34	油画縦覧所看板		明治9年	刻書、板	東京藝術大学
35	明治新撰東京四大家一覧	東京開運堂	明治32年	木版、紙	神奈川県立歴史博物館　青木
61	『不折俳画』	中村不折	明治43年		神奈川県立歴史博物館　青木
70	大日本史略図会　巨勢金岡（『大倉孫兵衛旧蔵錦絵画帖』六より）大倉孫兵衛		明治10年頃	木版多色摺、折帖	神奈川県立歴史博物館寄託
71	大日本史略図会　塩谷高貞妻（『大倉孫兵衛旧蔵錦絵画帖』六より）大倉孫兵衛		明治10年頃	木版多色摺、折帖	神奈川県立歴史博物館寄託
74	尾張名所図会	小田切春江	天保15年		国文学研究資料館　三井文庫旧蔵資料
75	内国絵画共進会褒状		明治17年		愛知県美術館
80	資業生荒川重平の図画ノート「Art of Drawing」	荒川重平	明治2—4年	鉛筆・墨、紙	沼津市明治史料館

81	『西洋画式』第4号 第4版	陸軍文庫	明治9年		国立国会図書館デジタルコレクション
86	ヴェイヤール旧蔵資料 地図			墨、紙	クリスチャン・ポラックコレクション
91	パノラマ制作風景（西田武雄編『近代日本美術家写真アルバム』より）		明治後期		神奈川県立歴史博物館 橘
92〜93	浅草公園・日本パノラマ館 日露戦争南山大激戦パノラマ				写真データ提供：坂東市立資料館
99	植物写生図	作者不詳	制作年不詳	水彩、紙	個人蔵（團伊能旧蔵コレクション）
100	『西画指南』原画	川上冬崖	制作年不詳	墨、紙	個人蔵（團伊能旧蔵コレクション）
105	『学制発行ノ儀伺』		明治5年		国立公文書館
109	破牢	大熊氏廣	明治15年	石膏	東京大学大学院工学系研究科建築学専攻
116	橋本雅邦使用筆・刷毛				神奈川県立歴史博物館 観山
117	木挽町画所（『国華』より）	橋本雅邦	明治22年		個人蔵
123	写生帖（日本美術史ノート）	下村観山	明治22年頃	鉛筆、紙	神奈川県立歴史博物館 観山
124	『西画指南』	川上冬崖	明治4年・8年	木版、紙	神奈川県立歴史博物館 橘
125	『図法階梯』	宮本三平・狩野友信・山岡成章	明治5年	石版、紙	神奈川県立歴史博物館 橘
140	LA SEÑORITA		制作年不詳	多色石版、紙	調布市武者小路実篤記念館
143	第一国立銀行（「横浜写真アルバム」より）	日下部金兵衛	明治前期	手彩色、鶏卵紙	神奈川県立歴史博物館
144	旧横浜正金銀行本店本館現況写真				
145	旧愛知県庁				愛知県庁
151	『輿地誌略』		明治10年ほか	木版・銅版・石版、紙	神奈川県立歴史博物館
152	動物園（『帝国読本』巻之六より）	生巧館（刻） 二世五姓田芳柳（画）	明治26年	木版・銅版・石版、紙	神奈川県立歴史博物館 青木
161	『東京日日新聞』一万号付録	五姓田義松	明治37年	多色石版、紙	個人蔵
165	大日本陸海軍貴顕肖像	熊澤喜太郎	明治22年	石版、紙	神奈川県立歴史博物館
166	皇室御真影	黒木半之助	明治40年	多色石版、紙	神奈川県立歴史博物館
170	『臥遊席珍』		明治13年	活版・銅版、紙	神奈川県立歴史博物館 橘
171	『審美綱領』	森林太郎・大村西崖編	明治32年		神奈川県立歴史博物館 橘

179	『漫画と紀行』	小杉未醒	明治42年		神奈川県立歴史博物館　青木
180	引札　出典：『名古屋印刷史』				
181	祖父江（吉田）道雄の顔写真　出典：『名古屋印刷史』				
184	ウィーン渡航並同地滞在手帳	岩橋教章	明治6―7年	ペン・鉛筆、紙	神奈川県立歴史博物館　橘
185	伊賀伊勢志摩尾張四州図試刷			銅版、紙	杜若文庫
188	岡崎藩管轄絵図		明治3年頃		愛知芸術文化センター愛知県図書館
189	名古屋市街実測図（中区）		明治18年		愛知芸術文化センター愛知県図書館
196	『明治洋画関連写真アルバム』	横山松三郎・西田武雄編			
197	『稿本日本帝国美術略史』		明治34年	コロタイプ印刷、紙	神奈川県立歴史博物館
202	『愛岐震災写真』	宮下欽	明治24年		愛知芸術文化センター愛知県図書館
203	中村牧陽写真館　出典：『明治の商店』風媒社）		明治17年頃		
204	写真師宮本本店　出典：『愛知県下商工便覧』				名古屋市鶴舞中央図書館
215	井村陶器画工場（『横浜諸会社諸商店之図』より）		明治前期	銅版、紙	神奈川県立歴史博物館
216	陶器製造所　真葛香山　出典：『横浜諸会社諸商店之図』		明治前期	銅版、紙	神奈川県立歴史博物館
224	横浜写真アルバム表紙（部分）	日下部金兵衛	明治前期	芝山細工・漆、木	神奈川県立歴史博物館
225	飾棚（部分）		明治5年	寄木細工・漆、木	金子皓彦コレクション
230	瀬戸の陶器館　出典：『目で見る瀬戸の100年』				
231	常滑の土管置場の風景　出典：『常滑陶器史』				
236	明治11年愛知県博覧会独案内	小田切春江	明治11年		名古屋市鶴舞中央図書館
238	花唐草文七宝花瓶（部分）	開洋社	明治前期	磁胎有線七宝	名古屋市博物館
239	七宝会社広告			紙	クリスチャン・ポラックコレクション
248	シガレットケース	海野勝珉	明治37年	金工	神奈川県立歴史博物館
252	『日本美術協会報告』10		明治21年		神奈川県立歴史博物館
260	森村組創設者たち				写真データ提供：株式会社ノリタケカンパニーリミテド
261	森村組輸出送帖				森村商事株式会社
269	日本陶器合名会社本社工場		明治37年		写真データ提供：株式会社ノリタケカンパニーリミテド

主要参考文献

◎単行本

荒川正明監修『幻の横浜焼・東京焼　神業ニッポン明治のやきもの』求龍堂　令和元年
岩切信一郎『明治版画史』吉川弘文館　平成21年
印刷博物館編『日本印刷文化史』講談社　令和２年
浦崎永錫『近代日本美術発達史　明治篇』東京美術　昭和49年
岡野他家夫『日本出版文化史』原書房　昭和56年
金子一夫『近代日本美術教育の研究』中央公論美術出版　平成４年
金子一夫『近代日本美術教育の研究　明治・大正時代』中央公論美術出版　平成11年
金子皓彦『西洋を魅了した「和モダン」の世界　明治・大正・昭和に生まれた輸出工芸品　金子皓彦コレクション』三樹書房　平成29年
木下直之『戦争という見世物　油絵茶屋の時代』平凡社　平成５年
滝田甕洲編『常滑陶器誌』常滑町青年会　明治45年
田邊哲人『帝室技芸員　眞葛香山』叢文社　平成16年
田邊哲人『大日本明治の美　横浜焼、東京焼』叢文社　平成22年
田部井竹香『古今中京画壇』興風書院　明治44年
角田拓朗『絵師五姓田芳柳・義松親子の夢追い物語』三好企画　平成27年
東京国立博物館編『明治デザインの誕生　調査研究報告書「温知図録」』国書刊行会　平成９年
東京国立文化財研究所美術部編『明治美術基礎資料集　内国勧業博覧会　内国絵画共進会（第一・二回）編』東京国立文化財研究所、昭和50年
服部鉦太郎『写真図説　明治の名古屋　世相編年事典』名古屋泰文堂　昭和43年
服部鉦太郎『名古屋再発見：歴史写真集』中日新聞社　昭和59年
『愛知県教育史』第三巻　愛知県教育委員会　昭和48年
『学制百五十年史』文部科学省　令和４年
『名古屋印刷史』名古屋印刷同業組合　昭和15年
『名古屋写真師小史』名古屋写真師会　平成２年

『内国勧業博覧会美術品出品目録』中央公論美術出版　平成8年
『日本近代教育史事典』平凡社　昭和46年
『明治期万国博覧会美術品出品目録』中央公論美術出版　平成9年
『明治期府県博覧会出品目録』中央公論美術出版　平成16年

◎展覧会図録
「川崎家の系譜─東山魁夷と川崎家の画家たち」石田久美子編、東京美術　令和3年
「記録する眼　豊穣の時代　明治の画家　亀井至一、竹次郎兄弟をめぐる人々」郡山市立美術館　令和4年
「近代窯業の父　ゴッドフリート・ワグネルと万国博覧会」愛知県陶磁資料館　平成16年
「河野次郎と明治・大正の画人ネットワーク」栃木県立美術館、足利市立美術館　平成26年
「真明解・明治美術」神奈川県立歴史博物館　平成30年
「世紀の祭典　万国博覧会の美術」日本経済新聞社　平成16年
「万国博覧会と近代陶芸の黎明」愛知県陶磁資料館、京都国立近代美術館　平成12年
「没後一〇〇年　宮川香山」NHKプロモーション　平成28年
「没後120年　菊池容斎と明治の美術」練馬区立美術館　平成11年
「明治錦絵×大正新版画」神奈川県立歴史博物館・光画コミュニケーション・プロダクツ　令和2年
「寄木細工：art & history：金子皓彦コレクションを中心に」横浜市歴史博物館　平成30年

◎その他
角田拓朗「「大倉孫兵衛旧蔵錦絵画帖」の史的位置」『國華』1521　國華社　令和4年
角田拓朗「横浜絵─名称・構造─」『近代画説』31　明治美術学会　令和4年
『近代画説』13　明治美術学会　平成16年
『科学研究費　研究成果報告書　明治期図画手工教科書データベース構築に向けた総合的調査研究』岡山大学大学院教育研究科芸術系教育講座赤木研究室、神奈川県立歴史博物館　平成30年
『科学研究費　研究成果報告書　明治期図画手工教科書データベースの充実と活用に基づく教科横断的学習の史的研究』岡山大学、神奈川県立歴史博物館　令和4年

執筆者

愛知県美術館
　中野 悠
　由良 濯
　平瀬礼太

神奈川県立歴史博物館
　角田拓朗
　鈴木愛乃

装幀
　三矢千穂

近代日本の視覚開化 明治
呼応し合う西洋と日本のイメージ

2023年4月14日　第1刷発行
定　価　（本体2,600円＋税）
編　者　愛知県美術館　神奈川県立歴史博物館
発行所　風媒社
〒460-0011 名古屋市中区大須1-16-29
電　話　052-218-7808
ＦＡＸ　052-218-7709

ISBN978-4-8331-4598-5